De stille kracht

Grote Lijsters
1993 Nr. 1

Grote Lijsters, literaire reeks voor scholieren, is een uitgave van Wolters-Noordhoff bv, Groningen; per jaar verschijnen zes titels.

Titeloverzicht reeks 1993 - ISBN 9001 54790 7

Grote Lijsters 1993/1 - De stille kracht
(ISBN 9001 54791 5)
Grote Lijsters 1993/2 - Herinneringen van een engelbewaarder
(ISBN 9001 54793 1)
Grote Lijsters 1993/3 - Robinson
(ISBN 9001 54794 X)
Grote Lijsters 1993/4 - Rituelen
(ISBN 9001 54795 8)
Grote Lijsters 1993/5 - Terug tot Ina Damman
(ISBN 9001 54792 3)
Grote Lijsters 1993/6 - Parken en woestijnen
(ISBN 9001 54796 6)

Louis Couperus

De stille kracht

1993
WOLTERS-NOORDHOFF BV
GRONINGEN

De volle maan, tragisch dien avond, was reeds vroeg, nog in den laatsten dagschemer opgerezen als een immense, bloedroze bol, vlamde als een zonsondergang laag achter de tamarindeboomen der Lange Laan en steeg, langzaam zich louterende van hare tragische tint, in een vagen hemel op. Een doodsche stilte spande alom als een sluier van zwijgen, of, na de lange middagsiësta, de avondrust zonder overgang van leven begon. Over de stad, wier wit gepilaarde villa-huizen laag wegscholen in het geboomte der lanen en tuinen, hing een donzende geluideloosheid, in de windstille benauwdheid der avondlucht, als was de matte avond moê van den zonneblakenden dag der Oostmoesson. De huizen, zonder geluid, doken weg, doodstil, in het loover van hunne tuinen, met de regelmatig opblankende rissen der groote gekalkte bloempotten. Hier en daar werd een licht al ontstoken. Plotseling blafte een hond, en antwoordde een andere hond en verscheurde de donsende stilte in lange, ruwe flarden; de nijdige hondekelen, heesch, ademloos, schor vijandig; plotseling ook zwegen zij stil.

Aan het einde der Lange Laan lag diep in zijn voortuin het Rezidentie-huis. Laag, dadelijk in den nacht der waringinboomen, zigzagde het zijne pannendaken, het eene achter het andere, naar de schaduw van den achtertuin toe, met een primitieve lijn van dakteekening, over iedere galerij een dak, over iedere kamer een dak, tot éene lange daksilhouet. Voor echter, rezen de witte zuilen der voorgalerij, met de witte zuilen der portiek, hoog blank en aanzienlijk op, met breede tusschenruimten, met groote openheid van ontvangst, met eene uitbreiding van indrukwekkend paleisportaal. Door de open deuren verschoot de middengalerij vaag naar achteren toe, met een enkel licht opgeglimd.

Een oppasser ontstak de lantarens ter zij van het huis. Halfcirkels van groote, witte potten met rozen en chrysanten, met palmen en caladiums, bogen links en rechts wijd voor het huis naar ter zijde uit. Een breede grindlaan vormde den oprit tot in de witgezuilde portiek; dan strekte zich uit een wijd dor gazon, met potten omgeven, en, in het midden op een gemetseld voetstuk, een monumentale vaaspot, met een groote latania. Een groene frischheid was daar de kronkelende vijver, waar de reuzenbladeren eener Victoria Regia als dofgroene prezenteerbladen zich ronddden tegen elkaâr, met een enkele blankende lotosachtige bloem er tusschen. Een pad kronkelde langs den vijver en op een met kiezelsteen geplaveide ronde plek rees een hooge vlaggestok. De vlag was reeds neêrgehaald, als iederen dag om zes uur. Een eenvoudig hek sneed het erf af van de Lange Laan.

Het reusachtige erf was stil. Er brandden nu, langzaam, omslachtig aangestoken door den lampenjongen, één lamp van de kroon der voorgalerij, en de neêrgedraaide lamp binnen, als twee nachtlichtjes in het paleis van zuilen en van, kinderlijk naar achter verschietende, daken. Op de trappen van de kantoorkamer zaten enkele oppassers, in hun donkere uniform, fluisterend wat te praten. Een van hen stond na een pooze op en begaf zich, met een rustigen pas van zich niet te willen overhaasten, naar een bronzen klok, die hoog hing, bij het oppassershuisje, geheel ter zijde van het erf. Toen hij na een honderd pas genaderd was, luidde hij zeven langzame weêrechoënde slagen. De klepel bronsde bonsende in de bel van de klok en de slag, telkens, zigzagde na met een zware trilling van nageluid. De honden blaften weêr op. De oppasser, langzaam, met zijn lenigen pas, jongensachtig slank in zijn blauw laken jasje en broek met gele banden en omslag, liep zijn honderd passen naar de andere oppassers rustig terug.

Nu was in het kantoor licht ontstoken en ook in de aangrenzende slaapkamer, waar het door de jaloezieën schemerde. De rezident, een groote zware man, in zwart jasje, witte broek, liep de kamer door en riep naar buiten:

—Oppas!

De hoofdoppasser, in zijn laken uniformrokje, de panden breedgeel omzoomd, naderde met gebogen knieën, hurkte neêr...

—Roep de nonna!

—De nonna is al uitgegaan, Kandjeng! fluisterde de man en schetste met beide handen, de vingers tegen elkaâr, het eerbiedig gebaar
van de semba.

—Waar is de nonna naar toe?

—Dat heb ik nog niet onderzocht, Kandjeng! zei de man, als verontschuldiging, dat hij niet wist, en schetste weêr de semba.

De rezident dacht even na.

—Mijn pet, zeide hij. Mijn stok.

De hoofdoppasser, steeds met krommende knieën van zich eerbiedig krimpen in elkaâr, scharrelde even door de kamer en bood
hurkende aan de klein-uniformpet, en een wandelstok.

De rezident ging uit. De hoofdoppasser haastte zich achter hem
aan, met een tali-api in de hand: een lange brandende lont, waarvan
hij de gloeiende punt zwaaide om aan wie voorbijging, in den
avond, den rezident te doen herkennen. De rezident liep langzaam
het erf af, en naar de Lange Laan. Aan die laan, als een avenue van
tamarinde-boomen en flamboyants, lagen de villa's der voornaamste notabelen, flauw verlicht, doodstil, schijnbaar onbewoond, met,
in de avondvaagheid opblankend, de rissen der gekalkte bloempotten.

De rezident wandelde eerst langs het huis van den secretaris;
dan ter andere zijde een meisjesschool; dan de notaris, een hôtel, de
post, de prezident van den Landraad. Aan het einde van de Lange
Laan stond de Roomsche kerk, en verder op, de brug over der kali,
lag het station. Bij het station was meer verlicht dan de andere
huizen een groote Europeesche toko. De maan, hooger geklom-
men, zich heller zilverende bij hare stijging, bescheen de witte brug,
de witte toko, de witte kerk: dit alles om een vierkant square, meer
open, zonder boomen en met in het midden een spits monumentje,
dat de Stadsklok was.

De rezident ontmoette niemand; nu en dan kwam echter een
enkele Javaan, zich donker bewegende, even uit de schaduw, en
dan zwaaide de oppasser achter zijn heer met veel ostentatie de
gloeiende punt van zijn vuurtouw. Meestal begreep de Javaan, en
maakte zich klein, en kromp in-een aan den rand van den weg, en
ging als loophurkende voorbij. Een enkelen keer, onwetend, pas

uit zijn dessa, begreep hij niet, liep angstig voorbij, zag angstig naar den oppasser, die maar zwaaide en zwaaide, en hem, in het voorbijgaan, achter den rug van zijn meester een vloek toeduwde, omdat hij—de dessa-kerel—geen manieren had. Als een karretje aankwam of sado, zwaaide hij weêr en zwaaide hij zijn vuursterretje door den avond, wenkte den voerman, die òf stil hield en afsteeg, òf neêrhurkte in zijn voertuigje en hurkend doormende aan den uitersten rand van den weg.

De rezident liep somber door, met den flinken pas van een beslisten wandelaar. Hij was rechts van het square-tje afgeslagen, en liep langs de Hervormde kerk, recht op een mooie villa toe met slanke, vrij correcte Ionische pleisterzuilen en hel verlicht met petroleumlampen in kronen. Het was de societeit Concordia. Een paar bedienden in witte buisjes zaten op de trappen. Een Europeaan in een wit pakje, de kastelein, liep in de voorgalerij. Maar om de groote bittertafel zat niemand en de wijde rieten stoelen openden hunne armen afwachtende als te vergeefs.

De kastelein, ziende den rezident, boog, en de rezident tikte kort aan zijn pet en ging de societeit voorbij, sloeg links om. Hij wandelde een laan af, langs kleine donkere huisjes in kleine erfjes weggedoken, sloeg weêr om en ging langs de uitmonding der kali, die was als een kanaal. Prauw aan prauw lag vastgemeerd; een eentonig geneurie van Madoereesche zeelui zeurde droefgeestig langzaam over het water, waaruit een visschige wadem opreess. Langs het havenkantoor ging de rezident naar den pier toe, die een eind uitstak in zee, en waar op de punt een kleine vuurtoren, als een kleine Eiffel, zijn ijzeren kandelabervorm verhief, met zijn lamp aan den top. Daar bleef de rezident staan en ademde op. De wind was plotseling opgestoken, de grongong blies, uit de verte waaiende aan, als iedere dag om dat uur. Maar soms zakte hij in eens onverwachts neêr, in-een, als met een onmacht zijner waaiende vlerken, en de opgeheven zee strookte haar maanwitte schuimkrullen glad en fosforizeerde even, met strepen lang en bleek.

Over de zee naderde droefgeestig een eentonig rhytmisch zeuren van zingen, een zeil donkerde aan als een groote nachtvogel, en een visschersprauw met hoog opbuigende voorsteven,—met iets

van een antiek schip—gleed het kanaal in. Een weemoed van levensgelatenheid, eene berusting in al het kleine donkere aardsche
onder dien eindeloozen hemel, aan die zee van fosforizeerende verte, dreef om en tooverde eene geheimzinnigheid, die beklemde...

De groote stevige man, die daar stond, wijdbeens, op-ademend
den, langzaam met vlagen aanwaaienden, wind—moê van zijn
werk, van zijn zitten aan zijn schrijftafel, van zijne berekeningen der
duitenkwestie—die afschaffing der duiten, door den Gouverneur-
Generaal zijner persoonlijke verantwoordelijkheid opgelegd als
een kwestie van belang—die groote stevige man, praktisch, koel
van denken, kort beslist van langdurige gezagsuitoefening, voelde
misschien niet die donkere geheimzinnigheid drijven over de Indische avondstad—hoofdplaats van zijn gewest—maar hij voelde
een begeerte naar teederheid. Vaag voelde hij de begeerte van een
kinderarm om zijn hals, van kleine hooge stemmen om zich heen,
de begeerte naar een jonge vrouw, die glimlachend hem wachten
zoû. Hij dacht die sentimentaliteit in zich niet uit, hij was niet gewoon zich over te geven aan mijmering over zichzelven: hij had het
te druk; zijn dagen waren te veel gevuld met belangen allerlei aard,
dan dat hij toe zoû geven aan wat hij wist, dat zijn vlaagjes van
zwakte waren: de onderdrukte opwellingen van jongere jaren.
Maar al mijmerde hij niet, de stemming was onafweerbaar, als een
druk op zijn breede borst, als een ziekte van teederheid, een malaise
van sentimentaliteit in zijn anders heel praktisch gemoed van
hoofdambtenaar, die hield van zijn werkkring, van zijn gewest; die
hart had voor de belangen er van, en wien het bijna onafhankelijk
gezag van zijn betrekking geheel in harmonie was met zijne heerschersnatuur; die met zijn krachtige longen zijn atmosfeer van wijden werkkring en ruim veld van zoo verscheiden arbeid, met even
veel genot gewoon was te ademen, als hij nu ademde, den wijden
wind van de zee. De begeerte, het verlangen, een heimwee, waren
dien avond vooral, vol in hem. Hij voelde zich eenzaam, niet alléén
om het izolement, dat een hoofd van gewestelijk bestuur altijd min
of meer omringt, wien men òf nadert conventioneel glimlachend-
eerbiedig, om conversatie, òf kort, zakelijk-eerbiedig, om zaken.
Hij voelde zich eenzaam, hoewel hij vader was van een huisgezin.

Hij dacht aan zijn groote huis, hij dacht aan zijn vrouw en zijn kinderen. En hij voelde zich eenzaam, en alleen gedragen door het belang, dat hij stelde in zijn werk. Het was hem alles in zijn leven. Het vulde al zijne uren. Er over denkende sliep hij in, zijn eerste gedachte was voor het een of ander gewestelijk belang.

In dit oogenblik, moê van het cijferen, opademende in den wind, ademde hij tegelijk met de frischheid van de zee den weemoed van de zee in, den geheimzinnigen weemoed der Indische zeeën, den opspokenden weemoed der zeeën van Java; de weemoed, die aanruischt van verre als op suizende wieken van geheimzinnigheid. Maar zijn natuur was niet om zich over te geven aan mysterie. Hij ontkende het mysterie. Het was er niet: er was alleen de zee en de wind, die frisch was. Er was alleen de walm van die zee, als iets van visch en van bloemen en zeewier; walm, die de frissche wind uitwoei. Er was alleen het oogenblik van herademing, en wat hij, onafweerbaar, voor geheimzinnigen weemoed voelde toch sluipen in zijn, dien avond, wat weeke gemoed, dacht hij te zijn om zijn huislijken kring, dien hij liever wat nauwer gevoeld had, dichter sluitende om wat in hem was vader en echtman. Was er van weemoed nog iets, dan was het dàt. Uit de zee kwam het niet; uit de lucht aan, van verre, niet. Hij gaf zich niet over aan een allereerste sensatie van wonderlijkheid... En hij plantte zich steviger, welfde zijn borst, richtte-op zijn flinken, militairen kop en snoof, en snoof den walm in en den wind...

De hoofdoppasser, neêrgehurkt, met zijn gloei-vuurtouw in de hand, gluurde aandachtig op naar zijn heer, als dacht hij: wat doet hij hier zoo vreemd te staan bij den vuurtoren... Zoo vreemd, die Hollanders... Wat denkt hij nu... Waarom doet hij zoo... Juist op dit uur op deze plek... De zeegeesten waren nu om... Er zijn kaaimannen onder het water, en iedere kaaiman is een geest... Zie, daar heeft men aan ze geofferd, pisang en rijst en dèng-dèng en een hard ei op een vlotje van bamboe; onderaan bij het voetstuk van den vuurtoren... Wat doet de Kandjeng Toean nu hier... Het is hier niet goed, het is hier niet goed... tjelaka, tjelaka... En zijn spiedende oogen gleden op en neêr langs den breeden rug van zijn heer, die maar stond en uitzag... Waar zag hij naar toe...? Wat zag hij aanwaaien in den wind...? Zoo vreemd, die Hollanders, vreemd...

De rezident, plotseling, keerde zich om en liep terug, en de oppasser, opschrikkend, volgde hem, blazende aan de punt van zijn
vuurtouw. De rezident liep den zelfden weg terug; nu zat er een
heer in de societeit, die groette, en een paar jongelui in het wit
wandelden in de Lange Laan. De honden blaften.

Toen de rezident den ingang naderde van het rezidentie-erf, zag
hij vóór, aan den anderen ingang, twee witte figuren, een man en
een meisje, die zich echter uitwischten in den nacht onder de waringins. Hij ging recht naar zijn kantoor; een andere oppasser naderde
en hij gaf hem pet en stok. Dadelijk zette hij zich aan zijn schrijftafel. Hij kon nog een uur werken, vóór het diner.

2

Meerdere lichten waren opgestoken. Eigenlijk waren overal lichten
ontstoken, maar in de lange, breede galerijen was het maar even
licht. Op erf en in huis brandden zeker niet minder dan twintig,
dertig petroleumlampen in kronen en lantarens, maar het was niet
meer dan vagen lichtschemer, die geel waasde door het huis. Een
stroom van maneschijn vloot in den tuin, deed de bloempotten op-
blanken, tintelde in den vijver, en tegen de blanke lucht waren de
waringins als mollig fluweel.

De eerste gong voor het diner was geslagen. In de voorgalerij
wipte een jonge man op een wipstoel, op en neêr, de handen achter
het hoofd, zich vervelend. Een jong meisje, neuriënd, liep door de
middengalerij, als in afwachting. Het huis was gemeubeleerd volgens het conventioneele type van rezidentie-woningen in het binnenland, plechtig en banaal. De marmeren vloer van de voorgalerij
spiegelde gladwit; hooge palmen in potten stonden tusschen de
pilaren; om marmeren tafels reiden zich wipstoelen. In de eerste
binnengalerij, die in de breedte evenwijdig liep aan de voorgalerij,
stonden stoelen gereid tegen den wand, als voor een eeuwige receptie. De tweede binnengalerij, die zich uitstrekte in de lengte,
vertoonde aan het einde, daar waar zij zich weêr verbreedde tot een

galerij in de breedte, een reusachtige roode satijnen portière aan gouden kroonlijst. In de witte vakken tusschen de deuren der kamers hingen òf spiegels in gouden lijst, staande op marmeren consoles, of lithogravures,—schilderijen, zooals men in Indië zegt: Van Dijck te paard, Paul Veronese op de trappen van een Venetiaansch paleis, ontvangen door een Doge; Shakespeare aan het hof van Elizabeth, en Tasso aan het hof van Este—; maar in het grootste vak hing in een koningsgekroonde lijst eene groote ets: portret van koningin Wilhelmina in kroningsornaat. In het midden der middengalerij was een rood satijnen ottomane, bekroond door een palm. Verder vele stoelen en tafels, groote lampekronen overal. Alles was netjes onderhouden en van een pompeuze banaliteit, een onhuislijke afwachting van de eerst volgende receptie, zonder een enkel intiem hoekje. In het halflicht der petroleumlampen—in elke kroon was éen lamp ontstoken—strekten de lange, breede, wijde galerijen zich in een leêge verveling uit.

De tweede gong sloeg. In de achtergalerij was de te lange tafel— als steeds wachtende gasten—gedekt voor drie personen. De spen[1] en een zestal jongens stonden in afwachting bij de dientafels en de twee buffetten. De spen begon reeds borden met soep te vullen, en een paar van de jongens plaatsten de drie borden soep al op tafel, op de gevouwen servetten, die op de borden lagen. Toen wachtten zij weêr af, terwijl de soep lichtjes dampte. Een andere jongen vulde de drie waterglazen met groote brokken ijs.

Het jonge meisje was nader gekomen, neuriënd. Zij was misschien zeventien jaar, en zij leek op haar gescheiden moeder: de eerste vrouw van den rezident, een mooie nonna, die nu te Batavia woonde, en, naar men zeide, een stil speelhuis hield. Zij had een olijfbleeke tint, met soms even den blos van een vrucht; zij had mooi zwart haar, dat natuurlijk kroesde aan hare slapen, en in een zeer groote wrong was vastgestoken, hare zwarte pupillen met vonkel-iris dreven in een vochtig blauwwit, waarom zware wimpers speelden, op en neêr, op en neêr. Haar mondje was klein en een beetje dik en haar bovenlip donsde even met een donker

1 Dispensier, hofmeester.

zweempje van haar. Zij was niet groot, en al te vol van vorm, als een haastige roos, die te snel openbloeit. Zij droeg een witte piqué rok en een witte linnen blouse met entredeux, en zij had om haar hals een schelgeel lint, dat heel aardig stond bij haar olijfbleekte, die soms opbloosde, plotseling, als met een stroom van bloed.

De jonge man uit de voorgalerij was aangeslenterd. Hij leek op zijn vader, groot, breed, blond, met een dikken blonden snor. Hij was nauwlijks drie-en-twintig jaar, maar hij zag er wel vijf jaar ouder uit. Hij droeg een wit pak van Russisch linnen, maar met een boordje en een das.

Eindelijk kwam ook Van Oudijck; zijn besliste stap naderde aan, als had hij het altijd druk, als kwam hij nu even eten tusschen zijn werk door. Alle drie zetten zich zonder een woord en lepelden de soep.

—Hoe laat komt mama morgen? vroeg Theo.

—Om half twaalf, antwoordde Van Oudijck, en zich wendende tot zijn lijfjongen, achter zich:

—Kario, denk er aan, dat de njonja besar morgen om half twaalf afgehaald moet worden van het station.

—Kandjeng... fluisterde Kario.

Een gerecht van visch werd rondgediend.

—Doddy, vroeg Van Oudijck; met wie was je zoo even aan het hek?

Doddy keek haar vader langzaam, verwonderd aan, met haar vonkel-irissen.

—Aan... het hek? informeerde zij langzaam, met een zeer mollig accent.

—Ja.

—Aan... het hek...? Met niemand... Met Theo misschien.

—Was jij met je zuster aan het hek? vroeg Van Oudijck.

De jongen fronsde zijn dikke blonde brauwen.

—Kan wel... weet niet... herinner me niet...

Zij zwegen alle drie. Zij haastten het diner af, zich vervelende aan tafel. De vijf, zes bedienden, in witte baadjes met roode linnen omslagen, liepen zacht op de platte teenen, bedienden vlug en geruischloos. Men at nog biefstuk met sla, en podding, en vruchten.

—Eeuwig biefstuk... mopperde Theo.

—Ja, die kokkie! lachte Doddy met haar keellachje. Zij geef altijd biefstuk, als mama niet is; kan haar niet schelen, als mama niet is. Zij verzint niet. Te erg toch...

Zij hadden in twintig minuten gegeten, toen Van Oudijck weêr ging naar zijn kantoor. Doddy en Theo slenterden naar voren.

—Vervelend... gaapte Doddy. Kom, wij biljarten?

In de eerste binnengalerij, achter de satijnen portière, stond een klein biljart.

—Kom dan, zei Theo.

Zij speelden.

—Waarom moest ik samen met je aan het hek geweest zijn?

—Ach... té! zei Doddy.

—Nu, waarom?

—Pa hoef niet te weten.

—Met wie was je dan? Met Addy?

—Natuurlijk! zei Doddy. Zeg, is Stadsmuziek van avond?

—Ik geloof wel.

—Kom, wij gaan, ja?

—Neen, ik heb geen lust.

—Ach, waarom dan niet?

—Ik heb geen lust.

—Ga meê nou?

—Neen.

—Met mama... jij wil wel, ja? zei Doddy boos. Ik weet heel goed. Met mama jij gaat altijd naar Stadsmuziek.

—Wat weet jij... klein nest!

—Wat ik weet? lachte zij. Wat ik weet? Ik weet wat ik weet.

—Hè! plaagde hij, een carambole mikkende met een ruwen stoot. Jij met Addy, hè!

—Nou, en jij met mama...

Hij haalde de schouders op.

—Je bent gek, zeide hij.

—Hoef niet te verbergen voor mij! Trouwens, iedereen zegt.

—Laat ze zeggen.

—Te erg toch van jou!

—Ach, stik...

Hij smeet zijn keu driftig neêr en ging naar voren. Zij volgde hem.

—Zeg Theo... niet boos zijn dan. Ga nou meê naar Stadsmuziek.

—Neen...

—Ik zal niets meer zeggen, smeekte zij lief.

Zij was bang, dat hij boos zoû blijven, en dan had ze niets en niemand; dan verveelde ze zich heelemaal.

—Ik heb Addy beloofd, en ik kan toch niet alleen gaan...

—Nu, als je dan niet meer zulke idiote dingen zegt...

—Ja, ik beloof. Lieve Theo, ja, kom dan...

Zij was al in den tuin.

Van Oudijck verscheen op den drempel van zijn kantoor, waarvan de deur altijd open stond, maar dat met een groot schutsel afgesloten was van de binnengalerij.

—Doddy! riep hij.

—Ja, pa?

—Zoû je morgen kunnen zorgen voor wat bloemen in mama's kamer?

Zijn stem was bijna verlegen en zijn oogen knipten.

Doddy hield haar gegichel in.

—Goed, pa... Ik zal zorgen.

—Waar ga je naar toe?

—Met Theo... naar Stadsmuziek.

Van Oudijck werd rood, boos.

—Naar de Stadsmuziek? Maar dat kan je me toch wel vragen! riep hij plotseling razend.

Doddy pruilde.

—Ik hoû er niet van, dat je uitgaat, zonderdat ik weet waarheen. Van middag ook was je weg, toen ik met je wandelen woû!

—Nu, soedah dan maar, zei Doddy en huilde.

—Je kan wel gaan, zei Van Oudijck, maar ik wil hebben, dat je het me eerst vraagt.

—Neen, ik heb geen trek meer! huilde Doddy. Soedah maar. Geen Stadsmuziek.

In de verte, in den tuin van Concordia hoorden zij de eerste klanken.

Van Oudijck was teruggegaan in zijn kantoor. Doddy en Theo wierpen zich in twee wipstoelen in de voorgalerij, en wipten met razernij, met de stoelen schaatsende over het gladde marmer.

—Kom, zei Theo. Laten we maar gaan. Addy wacht je.

—Neen, mokte zij. Kan niet schelen. Ik zal Addy morgen zeggen, papa zoo onaardig. Hij bederft mijn plezier. En... ik zet geen bloemen in mama's kamer.

Theo grinnikte.

—Zeg, fluisterde Doddy. Die papa... hè? Zoo verliefd, altijd. Hij had een kleur toen hij mij vroeg van die bloemen.

Theo grinnikte nog eens, en neuriede met de verre muziek meê.

3

Den volgenden morgen ging Theo om half twaalf met den landauer zijn stiefmoeder afhalen van het station.

Van Oudijck, die, op dat uur, meestal de politie-rol afdeed, had zijn zoon niets gezegd, maar toen hij uit zijn kantoor Theo in het rijtuig zag stappen en wegrijden, vond hij het aardig van den jongen. Hij had Theo als kind afgodisch liefgehad, had hem als knaap nog bedorven, was met hem als jonge man dikwijls in botsing gekomen, maar nog dikwijls flakkerde de oude vaderpassie onweêrstaanbaar op. Hij had zijn zoon op dit oogenblik meer lief dan Doddy, die dien morgen nog steeds geboudeerd had, en geen bloemen in de kamer zijner vrouw gezet had, zoodat hij aan Kario had bevolen voor bloemen te zorgen. Het speet hem nu in dagen geen vriendelijk woord tegen Theo gezegd te hebben en hij nam zich voor, straks dat toch waarlijk weêr eens te doen. De jongen was wispelturig: in drie jaren was hij employé geweest op zeker vijf koffie-ondernemingen; nu was hij weêr buiten betrekking, en hing thuis, zoekende naar iets anders.

Theo, aan het station, wachtte enkele minuten, toen de trein van Soerabaia aankwam. Hij zag mevrouw Van Oudijck dadelijk, en de twee kleine jongens, René en Ricus, in tegenstelling van hem twee kleine sinjo's, die zij van Batavia meêbracht voor hunne groote vacantie, en haar lijfmeid Oerip.

Theo hielp zijn stiefmoeder uitstijgen, de stationschef groette eerbiedig de vrouw van zijn rezident. Zij knikte met haar glimlach terug, als een welwillende koningin. Zij duldde met haar glimlach, éven dubbelzinnig, dat haar stiefzoon haar kuste op de wang. Zij was een groote vrouw, blank, blond, over de dertig, met die loome statigheid van in Indië geboren vrouwen, dochters van geheel Europeesche ouders. Zij had iets, waarnaar men dadelijk keek. Het was om haar blanke vel, haar teint van melk, haar heel licht blond haar, hare oogen, vreemd grauw, soms even geknepen en altijd met een uitdrukking van dubbelzinnigheid. Het was om haar eeuwigen glimlach, soms heel lief en innemend, en dikwijls onuitstaanbaar, vervelend. Men wist niet bij een eerste zien, of zij achter dien blik en dien glimlach iets borg, eenige diepte, eenige ziel, of dat het maar was kijken en lachen, en beiden met die lichte dubbelzinnigheid. Spoedig echter merkte men op hare glimlachend afwachtende onverschilligheid, als kon haar heel weinig schelen, als stelde zij geen belang, zelfs al zoû de hemel boven haar instorten: als zoû zij, glimlachend, dat wel aan zien komen. Haar tred was langzaam. Zij droeg een roze piqué rok en bolero, een wit satijnen lint om het middel, en een witten matelot met wit satijnen strik; en haar zomersch reispakje was zeer correct, vergeleken bij dat van een paar andere dames op het perron: drentelende in stijfuitgestreken 'bébé's'—als nachtjurken—met tulle hoeden en pluimen daarboven!—en in hare zeer Europeesche verschijning was misschien alleen die langzame pas, die loome statigheid de Indische nuance, dat, wat haar onderscheidde van een vrouw, pas uit Holland. Theo had haar den arm toegebogen en zij liet zich leiden naar het rijtuig—'de wagen'—gevolgd door de twee donkere broêrtjes. Zij was twee maanden afwezig geweest. Zij had een knik over en een glimlach voor den stationschef; zij had een blik over voor den koetsier en den staljongen en zij zette zich langzaam, loom, blanke sultane, en steeds met haar glimlach, neêr. De drie stiefzoons volgden haar; de meid reed achter in een karretje. Mevrouw Van Oudijck zag eens naar buiten en vond dat Laboewangi er nog steeds uitzag als vroeger. Maar zij zeide niets. Zij trok zich langzaam weêr terug en leunde achteruit. Haar wezen vertoonde een zekere tevredenheid, maar vooral die lichtende en lachende onverschilligheid, als kon niets haar deren, als was zij beschermd door een vreemde macht. Er was in deze vrouw iets sterks, iets machtigs van louter onverschilligheid: er was in haar iets onkwetsbaars. Zij zag er uit, of het leven geen vat op haar zoû hebben, niet op haar teint en niet op hare ziel. Zij zag er uit of zij niet kon lijden en het was of zij glimlachte en zoo tevreden was, omdat er voor haar geen ziekte, geen leed, geen armoede, geen ellende bestond. Eene uitstraling van glanzend egoïsme was om haar. En toch was zij, meestal, beminnelijk. Zij nam meestal in, zij palmde in, omdat zij zoo mooi was. Deze vrouw, met hare glinsterende zelftevredenheid, was bemind, hoe men verder ook over haar sprak. Als zij sprak, als zij lachte, ontwapende zij, en meer nog, was zij innemend. Het was trots, en, — misschien — juist òm hare onpeilbare onverschilligheid. Zij stelde belang alleen in haar eigen lichaam en in hare eigen ziel; àl het andere, àl het andere was haar totaal onverschillig. Onmachtig iets van hare ziel te geven, had zij nooit gevoeld dan voor zichzelve, maar zoo harmonisch en zoo innemend glimlachend, dat men haar altijd beminnelijk vond, aanbiddelijk. Het was misschien om de lijn van hare wangen, de vreemde dubbelzinnigheid in haren blik, haar onuitwischbaren glimlach, de gratie van haar figuur, de klank van hare stem en haar altijd zoo juiste woord. Als men haar eerst onuitstaanbaar vond, merkte zij dat niet op en werd juist allerinnemendst. Als men jaloersch was, merkte zij dat niet op en prees juist, intuïtief, onverschillig weg— het kon haar totaal niet schelen—wat een ander in zich minder vond. Zij kon met het liefste gezicht een toilet bewonderen, dat zij afschuwelijk vond, en uit louter onverschilligheid, was zij later niet valsch en brak zelfs later die bewondering niet af. Hare matelooze onverschilligheid was hare levenskracht. Zij had zich aangewend alles te doen waar zij lust toe had, maar zij deed het met haar glimlach en, wat men ook praatte achter haar rug, zij bleef zóó correct, zoo betooverend, dat men het haar vergaf. Zij was niet bemind als men haar niet zag, maar zoodra men haar zag, had zij alles weêr gewonnen. Haar man bad haar aan, hare stiefkinderen— eigen kinderen had zij niet—konden het niet helpen, onwillekeurig, tegen zich in, van haar te houden; hare bedienden waren allen onder haar invloed. Zij bromde nooit, zij beval met een woord, en het gebeurde. Was er iets verkeerd, brak er iets, haar glimlach bestierf even... en dat was alles. En was haar eigen ziels- en lichaamsbelang in gevaar, dan wist zij het meestal af te wenden en nog zoo voordeelig mogelijk te schikken, zonderdat de glimlach zelfs bestierf. Maar zij had dit persoonlijk belang zoo om zich geserreerd, dat zij de omstandigheden ervan meestal beheerschte. Een noodlot scheen op deze vrouw niet te drukken. Hare onverschilligheid was glanzend, was geheel onverschillig—zonder minachting, zonder afgunst, zonder emotie: hare onverschilligheid was eenvoudig onverschilligheid. En de tact, waarmeê zij instinctmatig, zonder ooit veel na te denken, haar leven leidde en beheerschte, was zoo groot, dat, misschien, als zij alles verloren zoû hebben wat zij nu bezat— hare schoonheid, hare pozitie, bij voorbeeld—zij nog onverschillig zoû kunnen blijven, in hare onmacht om te lijden.

Het rijtuig reed het rezidentie-erf in, juist toen de politie-rol begon. De Javaansche officier-van-justitie—hoofd-djaksa—was reeds bij Van Oudijck in het kantoor: de djaksa en de politieoppassers leidden den stoet der beklaagden: de inlanders hielden elkaâr aan een punt van hun baadje vast en liepen op een trippelgangetje, maar de enkele vrouwen er tusschen liepen alleen: onder een waringin-boom, op eenigen afstand van de trappen van het kantoor hurkten zij allen neêr, in afwachting. Een oppasser, hoorende de klok in de voorgalerij, sloeg half-een met de groote bel bij het oppassershuis. De luide slag trilde als een bronzen tong door de middagblakende hitte na. Maar Van Oudijck had het rijtuig hooren aanrollen en hij liet den hoofd-djaksa wachten: hij ging zijne vrouw tegemoet. Zijn gezicht klaarde op: hij kuste haar teeder, met effuzie, informeerde hoe zij het maakte. Hij was blij de jongens terug te zien. En zich herinnerende wat hij over Theo had nagedacht, had hij voor zijn oudste een vriendelijk woord. Doddy, nog met haar boudeerend dik mondje, zoende mama. Zij liet zich zoenen, gelaten, glimlachend, zij kuste kalm terug, zonder koelheid, zonder warmte, juist doende wat zij doen moest. Haar man, Theo, Doddy bewonderden haar zichtbaar, zeiden, dat zij er goed uitzag; Doddy vroeg waar mama dat aardige reispakje van daan had? In hare kamer, zag zij de bloemen en daar zij wist, dat Van Oudijck hiervoor steeds zorgde, aaide zij even haar man op den arm.

De rezident ging terug naar zijn kantoor, waar de hoofd-djaksa wachtte; het verhoor begon. Door een politie-oppasser opgeduwd, kwamen de beklaagden, een voor een, hurken op de trap, voor den drempel van het kantoor, terwijl de djaksa hurkte op een matje, de rezident zat voor zijn schrijftafel. Terwijl de eerste strafzaak behandeld werd, luisterde Van Oudijck nog naar de stem zijner vrouw in de middengalerij, toen de beklaagde zich verdedigde met den luiden kreet van:

—Bot'n! Bot'n!![1]

De rezident fronste zijn wenkbrauwen en luisterde met aandacht...

In de middengalerij zwegen de stemmen. Mevrouw Van Oudijck was zich gaan uitkleeden, om sarong en kabaai aan te doen voor de rijsttafel. Zij droeg het coquet: een Solosche sarong, een transparante kabaai, juweelen speldjes; witte leêren muiltjes met een klein wit strikje er op. Zij was juist klaar, toen Doddy aan haar deur kwam en zeide:

—Mama, mama... daar is mevrouw Vàn Does!

De glimlach bestierf even: de zachte oogen zagen donker...

—Ik kom dadelijk, kind...

Maar zij ging zitten en Oerip, de lijfmeid, sprenkelde parfum op haar zakdoek. Mevrouw Van Oudijck vlijde zich uit, en mijmerde wat na, in de loomheid na hare reis. Zij vond Laboewangi wanhopig vervelend na Batavia, waar zij twee maanden gelogeerd had bij kennissen en familie, vrij en zonder verplichtingen. Hier, als rezidentsvrouw, had zij er eenige, ook al schoof zij de meeste van zich af, op de vrouw van den secretaris. Zij was in zichzelve moê, ontstemd, ontevreden. Trots hare algeheele onverschilligheid was zij menschelijk genoeg om hare stille buien te hebben, waarin zij alles verwenschte. Dan verlangde zij in eens iets dols te doen, dan verlangde zij, vaag weg, naar Parijs... Zij zoû dat nooit aan iemand laten merken. Zij kon zich bedwingen, en ook nu bedwong zij zich,

[1] Neen!

voor zij zich weêr vertoonde. Haar vaag Bacchantisch verlangen versmolt in hare loomheid. Zij strekte zich gemakkelijker, zij mijmerde, met bijna geloken oogen. Door hare bijna bovenmenschelijke onverschilligheid krulde soms een vreemde fantazie, verborgen voor de wereld. Het liefst leefde zij in hare kamer haar leven van geparfumeerde verbeelding, vooral na hare maand in Batavia... Ná zoo een maand van perversiteit had zij behoefte hare vagebondeerende roze verbeelding te laten krullen en wolken voor hare knippende oogen. Het was in hare verder geheel dorre ziel als een onwerkelijke bloei van azuren bloemetjes, die zij kweekte met het eenige sentiment, dat zij ooit zoû kunnen voelen. Zij voelde voor geen mensch, maar zij voelde voor die bloemetjes. Zoo te mijmeren vond zij heerlijk. Wat zij had willen zijn, als zij niet behoefde te zijn, die zij was... De fantazie wolkte: zij zag een wit paleis en overal cupidootjes...

—Mama... kom dan tòch! Daar is mevrouw Vàn Does, mevrouw Van Does, met twee stopflesschen...

Het was Doddy aan haar deur. Léonie van Oudijck stond op en ging naar de achtergalerij, waar de Indische dame zat, de vrouw van den postkommies. Zij hield koeien en verkocht melk. Maar zij deed ook in anderen handel. Zij was een dikke dame, even wat bruin, met vooruitstekenden buik; zij droeg een heel eenvoudig kabaaitje met een smal kantje er om heen, en hare dikke handjes streelden den buik. Voor zich op tafel had zij twee stopfleschjes staan, waarin iets glinsterde. Wat was dat van suiker, kristal, dacht mevrouw Van Oudijck vaag, toen zij zich plotseling herinnerde... Mevrouw Van Does zeide, dat zij blij was haar weêr terug te zien. Twee maanden weg van Laboewangi. Toch te erg, die mevrouw Van Oudijck maar? En zij wees op de stopflesschen. Mevrouw Van Oudijck glimlachte. Wat was het?

Geheimzinnig legde mevrouw Van Does een dik, naar achter omkrullend, slap geleed wijsvingertje tegen een der stopflesschen aan, en zei, fluisterend:

—Inten-inten[1]!

1 Diamanten

21

—Zoo? vroeg mevrouw Van Oudijck.

Doddy, met groote oogen, en Theo, geamuzeerd, tuurden naar de twee stopfleschjes.

—Ja... U weet wel, van die dame... van wie ik u gesproken... Haar naam wil zij niet noemen. Kassian, vroeger haar man een groote piet, en nu... ja toch zoo ongelukkig; zij heeft niets meer. Alles op. Alleen nog deze twee fleschjes. Al haar juweelen heeft zij uit laten nemen en de steenen bewaart zij hier in. Alles geteld. Zij vertrouwt mij toe, om te verkoopen. Door mijn melk heb ik relatie. Wil u zien, mevrouw Van Oudijck, ja? Móoie steenen! De residèn, hij koop voor u, nu u weêr thuis is. Doddy, geef mij een zwart lapje; als fluweel, is het beste...

Doddy wist een stukje zwart fluweel door de djaït[1] te laten zoeken in een kast met naairommel. Een jongen bracht glazen met tamarinde-stroop en ijs. Mevrouw Van Does, in haar slapgeleede vingertjes een tangetje, legde een paar steenen voorzichtig op het fluweel...

—Ja!! riep zij uit. Zie toch die water, mevrouw! Pr...àchtig!

Mevrouw Van Oudijck zag toe. Zij glimlachte allerliefst en zei toen met hare zachte stem:

—Die steen is valsch, lieve mevrouw.

—Valsch?? kreet mevrouw Van Does. Valsch??

Mevrouw Van Oudijck zag naar de andere steenen.

—En die andere, mevrouw...—zij boog aandachtig, en zeide toen zoo lief mogelijk:

—Die andere... zijn... òok valsch...

Mevrouw Van Does zag haar aan, met pleizier. Toen zei ze tegen Doddy en Theo, leuk:

—Die mama van jullie... pinter! Zij ziet dadelijk!

En zij lachte luid uit. Allen lachten. Mevrouw Van Does deed de kristallen weêr in de flesch.

—Een aardigheid, ja, mevrouw? Ik woû alleen maar zien of u verstand had. Natuurlijk, u geloof mijn eerewoord: ik zoû u nooit verkoopen... Maar deze... kijk...

1 Naaister

En plechtig nu, bijna godsdienstig, opende zij het andere stop-fleschje, waarin slechts enkele steenen waren: ze legde ze met liefde op het zwarte fluweel.

—Die is prachtig... voor een leontine, zei mevrouw Van Oudijck, turende op een zeer grooten brillant.

—Nou... wat zeg ik u? vroeg de Indische dame.

En zij tuurden allen op de brillanten, op de echte, die uit het 'echte' stopfleschje, en hielden ze voorzichtig tegen het licht.

Mevrouw Van Oudijck zag, dat zij allen echt waren.

—Ik heb heusch geen geld, lieve mevrouw! zeide zij.

—Deze groote... voor leontine... zes-honderd gulden... een koopje: ik verzeker u, mevrouw!

—O, mevrouw, neen nooit!

—Hoeveel dan? U doet goed werk als u koop. Kassian, haar man vroeger groote piet. Raad van Indië.

—Twee-honderd...

—Jà, kassian!! Twee-honderd!

—Twee-honderd-vijftig maar niet meer. Ik heb heusch geen geld.

—De residèn... fluisterde mevrouw Van Does, Van Oudijck be-speurende, die, nu de rol was afgeloopen, naar de achtergalerij kwam. De residèn... hij koop voor u!

Mevrouw Van Oudijck glimlachte en keek naar den flonkeren-den druppel licht op het zwarte fluweel. Zij hield van juweelen, zij was niet geheel onverschillig voor brillanten.

En zij keek op naar haar man.

—Mevrouw Van Does laat ons een heele boel moois zien, zeide zij streelend.

Van Oudijck voelde een schok in zijn borst. Het was hem nooit aangenaam mevrouw Van Does in zijn huis te zien. Zij had altijd wat te verkoopen: den eenen keer gebatikte spreien, den anderen keer geweven muiltjes, een derden keer prachtige maar heel kost-bare tafelloopers, met goudgebatikte bloemen op geel geglansd linnen. Mevrouw Van Does bracht altijd iets meê, stond altijd in betrekking met vrouwen van vroegere 'groote pieten', die zij hielp verkoopen, voor heel hooge percenten. Een morgenvisite van me-vrouw Van Does kostte hem iederen keer minstens eenige rijksdaalders, en heel dikwijls vijftig gulden, want zijne vrouw had een kalme rust om altijd te koopen dingen, die zij niet noodig had, maar die zij te onverschillig was om nièt van mevrouw Van Does te koopen. Hij zag niet dadelijk de twee stopflesschen, maar hij zag den druppel licht op het zwarte fluweel, en hij begreep, dat de visite dezen keer meer dan vijftig gulden zoû kosten, als hij niet heel sterk was.

—Mevrouwtje! schrikte hij. Het is het einde van de maand; brillanten koopen, dat gaat niet van daag! En nog wel stopflesschen vol! riep hij uit, met een schrik, ze nu ziende schitteren op de tafel, tusschen de glazen tamarinde-stroop.

—Ja, die residèn! lachte mevrouw Van Does, als was een rezident altijd rijk.

Van Oudijck haatte dat lachje. Zijn huishouden kostte hem iedere maand enkele slordige honderde guldens meer dan zijn traktement en hij teerde in, had schulden. Zijn vrouw bemoeide zich nooit met geldzaken; zij had vooral voor deze hare glimlachendste onverschilligheid.

Zij liet den brillant even flonkeren en de steen schoot een blauwen straal.

—Hij is prachtig... voor twee-honderd-vijftig.

—Voor drie-honderd dan, lieve mevrouw...

—Drie-honderd? vroeg zij droomerig, spelend met het juweel.

Of het drie-honderd of vier- of vijf-honderd was, het was haar alles om het even. Het liet haar totaal onverschillig. Maar den steen vond zij mooi en zij was al beslist dien te nemen, voor hoeveel ook. En daàrom legde zij den steen rustig neêr en zei:

—Neen, lieve mevrouw, heusch... de steen is te duur, en mijn man heeft geen geld.

Zij had dat zoo lief gezegd, dat hare bedoeling niet was te raden. Zij was aanbiddelijk van zelfontzegging, terwijl zij die woorden uitsprak. Van Oudijck voelde een tweeden schok in zijn borst. Hij kon zijn vrouw niets weigeren.

—Mevrouw, zeide hij. Laat den steen maar hier... voor driehonderd gulden. Maar neem dan uw stopflesschen in godsnaam meê.

Mevrouw Van Does keek jubelend op.

—Nou... wat heb ik u gezegd? Ik weet zeker, de residèn, hij koop voor u...!

Mevrouw Van Oudijck keek zacht verwijtend op.

—Maar Otto! zeide zij. Hoe is het nu toch mogelijk!—Vindt je den steen mooi?

—Ja, prachtig... maar zoo veel geld! Voor één brillant!

En zij trok de hand van haar man naar zich toe en zij duldde, dat hij haar kuste op het voorhoofd, omdat hij haar een brillant had mogen koopen van drie-honderd gulden. Doddy en Theo knipoogden tegen elkaâr.

4

Léonie Van Oudijck genoot steeds van hare siësta. Zij sliep maar een oogenblik, maar zij vond het heerlijk na de rijsttafel alleen in hare koele kamer te blijven, tot vijf uur, half zes. Zij las een beetje, meestal de tijdschriften van den leestrommel, maar voornamelijk deed zij niets en droomde. Het waren vage verbeeldingen, die opblauwden in hare middageenzaamheden. Niemand wist hiervan en zij hield ze zeer geheim, als een geheime zonde, als een ondeugd. Zij gaf zich veel eerder bloot—voor de wereld—waar het een liaison betrof. Ze duurden nooit lang, ze telden weinig meê in haar leven, zij schreef nooit brieven, en de gunsten, die zij verleende, gaven den bevoorrechte nooit eenig recht in den dagelijkschen omgang der conversatie. Zoo was zij van een stille, correcte perversiteit, fyziek en moreel. Want ook hare verbeeldingen, hoe flauwtjes poëtisch ook, waren pervers. Haar meest geliefde auteur was Catulle Mendès: zij hield van al die bloemetjes van azuren sentimentaliteit, van die roze cupidootjes van affectatie, het pinkje in de lucht, de beentjes bevallig fladderend—rondom de meest verdorven motieven en thema's van afdwalenden hartstocht. In hare slaapkamer hingen enkele platen: een jonge vrouw achterover op een kanten bed, en gezoend door twee stoeiende engeltjes; een ander: een leeuw met een pijl in de borst aan de voeten van een glimlachende maagd; een groote reclame-prent van odeur: een soort van bloemenimf, wier sluier aan alle kanten werd afgerukt door speelsche parfumerie-cherubijntjes. Zij vond die plaat vooral prachtig, iets esthetischers kon zij zich niet voorstellen. Zij wist, dat de plaat monsterlijk was, maar zij had het nooit van zich kunnen verkrijgen het onding af te haken, ook al zag men er met schuinsche oogen heen; de kennissen, hare kinderen, die in- en uitliepen in hare kamer, met de Indische gemakkelijkheid, die geen geheim maakt van het toilet. Zij kon er minuten heen staren als betooverd; zij vond het allerliefst, en hare eigen droomen geleken op die prent. Ook bewaarde zij een bonbon-doos met een keepsake-plaatje, als het type van schoonheid, dat zij nog mooier vond dan zichzelve: het blosje op de wangen, de bruine brunette-oogen onder onwaarschijnlijk gouden haren, de boezem zichtbaar onder kant. Maar zij gaf zich nooit bloot in deze belachelijkheid, die zij vaag vermoedde; zij sprak nooit over die platen en doosjes, juist, omdat zij wist, dat ze leelijk waren. Maar zij vond ze mooi, zij vond ze heerlijk, zij vond ze kunst en poëzie.

Zoo waren hare liefste uren.

Hier, te Laboewangi, dorst zij niet doen, wat zij te Batavia deed, en hier geloofde men nauwlijks wat men te Batavia vertelde. Toch verzekerde mevrouw Van Does, dat die rezident, en die inspecteur—de een op reis, de ander op tournée—, en enkele dagen logeerende in het rezidentie-huis, 's middags—gedurende de siësta—hun weg hadden gevonden naar de slaapkamer van Léonie. Maar te Laboewangi waren zulke werkelijkheden toch zeldzame intermezzo's tusschen mevrouw Van Oudijcks roze middagvizioenen...

Toch, dezen middag scheen het...

Of zij, na een oogenblik gesluimerd te hebben en alle matheid van reis en warmte opgeklaard was van haar melkwitte teint—of zij, nu zij keek naar de stoeiende engeltjes van de parfumeriereclame, niet met hare gedachte was bij al die roze poppetjesteederheid, maar of zij luisterde naar buiten...

Na eene pooze stond zij op.

Zij droeg alleen een sarong, dien zij onder de armen had opgetrokken en op de borst in een wrong hield samengeknoopt.

Hare mooie blonde haren hingen los.

Hare mooie witte voetjes waren bloot; zij had hare muilen zelfs niet aangeslipt.

En zij keek door de latjes der jalouzie.

Tusschen de bloempotten, die op de zijtrappen van het huis hare ramen met groote bladerenmassa's maskeerden, zag zij op een bijgebouw van vier kamers — de logeerkamers — waarvan er een was bewoond door Theo.

Zij bleef een pooze turen en opende toen, op een kier, de jalouzie...

En zij zag, dat ook de jalouzie van Theo's kamer zich even opende...

Toen glimlachte zij; knoopte vaster den sarong, en legde zich weêr te bed.

Zij luisterde.

Na een oogenblik hoorde zij het grint even knarsen onder den druk van een muil. Hare jalouzie-deuren waren, zonder gesloten te zijn, dichtgeslagen. Een hand opende ze nu voorzichtig...

Zij zag glimlachend om...

—Wat is er, Theo? fluisterde zij.

Hij kwam nader, hij was in slaapbroek en kabaai en hij zette zich op den rand van het bed en speelde met hare witte, mollige handen, en in eens zoende hij haar met razernij.

Op dit oogenblik siste er een steen door de kamer.

Zij schrikten beiden, zagen op, stonden in een oogenblik midden in het vertrek.

—Wie gooit er? vroeg zij bevende.

—Misschien een van de jongens — René of Ricus, die buiten spelen, antwoordde hij.

—Ze zijn nu nog niet op...

—Of iets, dat valt van boven...

—Het werd toch geslingerd...

—Zoo dikwijls raakt er een steentje los...

—Maar dit is grint.

Zij raapte het steentje op. Hij, voorzichtig, zag naar buiten.

—Het is niets, Léonie. Het moet heusch van boven zijn gevallen, uit de goot, door het raam. En toen is het weêr opgesprongen. Het is niets...

—Ik ben bang, murmelde zij.

Bijna luid lachte hij en vroeg:

—Waarvoor?

Zij behoefden voor niets te vreezen. De kamer was gelegen tus-schen het boudoir van Léonie en twee groote logeerkamers, die alleen voor rezidenten, generaals en andere hooggeplaatsten wer-den bestemd. Aan de andere zijde der middengalerij waren de ka-mers van Van Oudijck, kantoor en slaapvertrek, en de kamer van Doddy, en de kamer van de jongens, Ricus en René. Léonie was dus geïzoleerd aan haar vleugel, tusschen de logeerkamers in. Het maakte haar brutaal. Om dit uur was het erf geheel verlaten. Trou-wens, zij was niet bang voor de bedienden. Oerip was geheel ver-trouwd en kreeg dikwijls mooie geschenken: sarongs, een gouden pending¹: een lange diamanten kabaaispeld, dien zij als een plaque van zilver en steenen droeg op de borst. Daar Léonie nooit bromde, vrijgevig was met voorschot, en een zekere schijnbare gemakke-lijkheid had,—hoewel alles alleen gebeurde, zooals zij het wilde— was zij niet onbemind en hoeveel de bedienden ook van haar wis-ten, zij hadden haar nog nooit verraden. Het maakte haar des te brutaler. Voor een doorgang tusschen slaapkamer en boudoir hing een gordijn en het was, eens voor al, afgesproken tusschen Theo en Léonie, dat hij, bij eenig gevaar, rustig weg zoû slippen achter die portière en zich door de tuindeur van het boudoir begeven zoû naar buiten, als om de rozenpotten te bezien, die op de treden der trap-pen stonden. Zoo zoû het schijnen alsof hij van zijn eigen kamer zoo juist was gekomen en maar even de rozen bezag. De binnen-deuren van boudoir en slaapkamer waren gesloten, in den regel, omdat Léonie ronduit zeide, dat zij er niet van hield overvallen te worden.

Zij hield van Theo, om zijn frissche jeugd. En hier op Laboewan-gi, was hij haar eenige ondeugd, een doortrekkende inspecteur en de roze engeltjes niet meêgerekend. Zij waren nu als stoute kinde-

1 Gesp

ren, zij lachten stil, in elkanders armen. Maar zij moesten voorzichtig zijn. Het was vier uur geworden en zij hoorden in den tuin de stemmen van René en Ricus. Zij namen het erf in bezit voor hunne vacantie. Dertien en veertien jaar, genoten zij van den grooten tuin. Zij liepen in een blauw gestreept katoenen buisje en broek, op bloote voeten en gingen naar de paarden, naar de duiven zien: ze plaagden Doddy's kakatoe, die op het dak der bijgebouwen trippelde. Zij bezaten een tamme badjing[1]. Zij maakten jacht op tokkè's, die zij schoten met een soempitan[2], tot groote ergernis der bedienden, omdat de tokkè's geluk aanbrengen. Zij kochten aan het hek katjang-goreng[3], van een voorbijgaanden Chinees, en scholden hem daarna uit:

—Katja... àng golengan! Tjina mampoes! nadoende zijn accent van kè. Zij klommen in den flamboyant en wiegelden als apen aan de takken. Zij wierpen de katten met steenen; zij hitsten de honden der buren op tot zij zich heesch blaften en elkaâr de ooren stuk beten. Zij knoeiden met water bij den vijver, maakten zich ontoonbaar van modder en vuil en waagden het de Victoria Regia's te plukken, dat zij volstrekt niet mochten doen. Zij onderzochten de stevigheid der groene vlakke Victoria-bladeren—als prezenteerbladen—en meenden er op te kunnen staan en zij dompelden onder... Dan namen zij leêge flesschen, plaatsten die op een rei en kegelden met keisteenen. Dan vischten zij uit de sloot terzijde van het huis met een bamboe allerlei naamlooze drijvende dingen op en smeten er elkaâr meê. Hunne fantazie in uitvindingen was onuitputtelijk, en het uur der siësta was hun uur. Zij hadden een tokkè gevangen en een kat en lieten ze vechten met elkaâr: de tokkè opende zijn muil van kleine krokodil en hypnotizeerde de kat, die afdroop, zich wegtrok uit den zwarten kraalblik,—met hoogen rug, de haren steil van angst. En daarna aten de jongens zich ziek aan onrijpe manga's.

Léonie en Theo hadden door de jalouzie bespied het gevecht van kat en tokkè en zagen de jongens nu rustig in het gras de onrijpe

1 Eekhoorn, klapperrot.
2 Blaaspijp.
3 Gebrande boontjes

manga's eten. Maar het was het uur, dat de gestraften—een twaalf-
tal—werkten op het erf, onder toezicht van een ouden, deftigen
mandoor, met een rietje in de hand. Zij haalden water in tonnen en
gieters van Devoe's-petroleumblikken gemaakt, soms ook in pe-
troleumblikken zelve, en zij begoten de planten, het gras, het grint.
Zij veegden dan het erf schoon met een luid geruisch van lidi-be-
zems.

René en Ricus wierpen achter den mandoor, voor wien ze bang
waren, de gestraften met afgeknabbelde manga's en scholden ze uit
en trokken grimassen en apentronie's. Doddy kwam aan, uitge-
slapen, spelende met haar kakatoe, dien zij droeg op de hand en die
kaka! kaka! riep, en zijn gele kuif opzette met snelle nekbewegin-
gen.

En Theo, nu, sloop achter het gordijn weg in het boudoir en,
toen een oogenblik de jongens elkaâr naliepen in een bombarde-
ment van manga's, en Doddy naar den vijver wandelde met haar
sleeppas van heupwiegelende kreole, de kakatoe op hare hand,—
kwam hij te voorschijn van achter de planten, rook aan de rozen en
deed of hij in den tuin had gewandeld, voór hij zijn bad ging nemen.

5

Van Oudijck voelde zich aangenamer gestemd, dan hij zich in weken gevoeld had; in zijn huis scheen na die twee maanden saaie
verveling weêr iets van familieleven te komen; hij vond het prettig
zijn twee rakkers van jongens in den tuin te zien ravotten, ook al
deden zij allerlei kwaad, en vooral was hij heel tevreden, dat zijn
vrouw weêr terug was.

Zij zaten nu in den tuin, in négligé, thee te drinken, om half zes.
Het was toch heel vreemd, maar Léonie vulde dadelijk het groote
huis met een zekere comfortabelere gezelligheid, omdat zij er zelve
van hield. Dronk Van Oudijck anders vlug een kop thee, dat Kario
hem bracht in zijn slaapkamer, van daag al was die middagthee een
prettig uur; er waren rieten stoelen en lange mail-stoelen vóór buiten gezet; op een rieten tafel stond het theeblad; er was pisang

goreng gebakken, en Léonie, in een Japansche, roodzijden kimono, haar blonde haar los, lag in een rieten stoel en speelde met de kaka van Doddy en voerde den vogel met gebak. Het was dadelijk heel anders, vond Van Oudijck, zijn vrouw gezellig, lief, mooi, nu en dan iets vertellende van de kennissen te Batavia, van de races te Buitenzorg, van een bal bij den Gouverneur, van de Italiaansche opera; de jongens, vroolijk, gezond, jolig, hoe vies ook van hun spelen—en hij riep ze eens bij zich, en ravotte even met ze en vroeg naar het Gymnazium—zij zaten in de tweede klasse; en zelfs Doddy en Theo schenen hem anders toe, Doddy snoezig en zangerig rozen nu plukkende aan de bloempotten en Theo, spraakzaam, met mama, en zelfs met hèm. Een prettige trek speelde om Van Oudijcks snor. Hij zag er nog jong uit in zijn gezicht en nauwlijks scheen hij acht-en-veertig. Hij had een scherpen, levendigen blik van vlug opzien, van acuut doordringen. Hij was wat zwaar en had aanleg nog zwaarder te worden, maar toch had hij behouden iets vlug militairs, en op zijn tournées was hij onvermoeid; hij was een uitstekend ruiter. Groot en forsch, tevreden met zijn huis en zijn gezin, had hij iets prettigs van stevige mannelijkheid, en lachte om zijn snor de joviale trek. En zich latende gaan, zich uitstrekkende in zijn rieten stoel, drinkende zijn kopje thee, sprak hij uit de gedachten, die meestal in zulk een uur van tevredenheid bij hem opwolkten. Ja, het was toch maar een goed leven in Indië, bij het Binnenlandsch Bestuur. Ten minste voor hem was het altijd goed geweest, maar hij had ook een beetje gebofd. Nu was het wanhopig met de promotie; hij kende tal van assistent-rezidenten, die zijn tijdgenooten waren en die in jaren nog geen kans hadden rezident te zullen worden. En dat was zeker een wanhopige toestand, zoo lang te blijven in een betrekking van ondergeschiktheid aan een superieur, op dien leeftijd nog bevelen af te moeten wachten van een rezident. Hij had dat nooit kunnen uithouden, op zijn acht-en-veertigste jaar! Maar rezident zijn, zelf bevelen, zelf besturen een gewest, groot en belangrijk als Laboewangi, met zoo uitgebreide koffie-cultuur, zoo talrijke suikerfabrieken, met zóó vele erfpachtsperceelen—dat was een genot, dat was leven: een leven grootsch en ruim als geen ander, en waarmeê in Holland geen betrekking en

leven te vergelijken was. Zijne groote verantwoordelijkheid was
zijner heerschersnatuur een genot. Zijn werkkring was gevarieerd:
kantoorwerk en tournée; de belangen van zijn werk waren gevarieerd: men sufte niet dood op zijn kantoorstoel: na het bureau was
er de vrije natuur, en het was altijd afwisseling, altijd iets anders.
Hij hoopte over anderhalf jaar rezident eerste-klasse te kunnen
worden, als er een eersteklasse gewest open kwam: Batavia, Semarang, Soerabaia, of een van de Vorstenlanden. En toch zoû het hem
dan aan zijn hart gaan Laboewangi te moeten verlaten. Hij was
gehecht aan zijn gewest, waarvoor hij vijf jaar al zooveel gedaan
had, dat in die vijf jaar gekomen was tot zijn bloei, voor zooveel
bloei mogelijk was in deze tijden van algemeene malaise: de kolo-
niën arm, de bevolking verarmd, de koffiecultuur slechter dan ooit,
de suiker misschien over twee jaar een hevige crizis gaande tegemoet... Indië kwijnde, en zelfs in den nijveren Oosthoek begon te
kankeren een loomheid en zwakte, maar toch voor Laboewangi
had hij veel kunnen doen. Gedurende zijn bestuur was de bevolking in welvaart toegenomen; de irrigatie der rijstvelden was er
uitstekend, nadat hij den ingenieur, eerst altijd in strijd met het
B-B.[1] had weten te winnen door zijn tact. Talrijke stoomtrammen
waren aangelegd. De secretaris, zijn assistent-rezidenten, zijn controleurs waren hem toegedaan, al was het zwaar werken onder zijn
bestuur. Maar hij had ook een prettigen toon met ze, al was het
werken zwaar. Hij kon joviaal vriendschappelijk zijn, al was hij de
rezident. Hij was blij, dat zij allen, zijn controleurs, zijn assistent-
rezidenten vertoonden dat gezonde, blijmoedige type van den ambtenaar van B-B., tevreden met hun leven en werk, al bestudeerden
zij ook tegenwoordig veel meer dan vroeger den Regeeringsalma-
nak en de Ranglijst, voor hunne promotie. Het was dan Van Oudijcks stokpaardje zijne ambtenaren te vergelijken met de rechter-
lijke ambtenaren, die niet vertoonden dat opgewekte type: tusschen beide groepen was dan ook steeds lichte naijver, animozi-
teit... Ja, het was een prettig leven, het was een prettige werkkring,
alles was goed, alles was goed. Er ging niets boven B-B. Het speet

1 Binnenlandsch Bestuur.

hem alleen, dat zijn verhouding tot den Regent niet gemakkelijker was, niet aangenamer was. Maar het was niet zijn schuld. Hij had den Regent steeds zeer nauwgezet gegeven wat hem toekwam, hem gelaten in zijn rechten, hem hoog gehouden tegenover de Javaansche bevolking en zelfs tegenover de Europeesche ambtenaren. O, het speet hem zoo innig, dat gestorven was de oude Pangéran, de vader van den Regent, de oude Regent, een nobele ontwikkelde Javaan. Met dien had hij steeds gesympathizeerd, hem had hij dadelijk gewonnen door zijn tact. Had hij niet, nu vijf jaar geleden, toen hij aankwam te Laboewangi voor de bestuursovername den Pangéran—type van den echten Javaanschen edelman—geïnviteerd aan zijn zijde plaats te nemen in zijn eigen rijtuig—en niet, zooals gebruikelijk was, den Regent laten volgen in een tweede rijtuig achter het rezidentsrijtuig —; en had hij niet door deze beleefdheid tegenover den ouden prins alle Javaansche hoofden en ambtenaren dadelijk gewonnen en hen gestreeld in hun eerbied en liefde voor hun Regent: afstammeling van een der oudste Javaansche geslachten: de Adiningrats, vroeger, ten tijde der Compagnie, sultans van Madoera...? Maar Soenario, zijn zoon, de jonge Regent nu, hèm kon hij niet vatten, niet doorpeilen—dit bekende hij zich slechts stilzwijgend —; hem zag hij alleen raadselachtig, dien wajangpop, zooals hij hem noemde, altijd stijf, op een afstand tegenover hém, den rezident, alsof hij—prins—neêrzag op hem—Hollandschen burgerman; en daarbij fanatiek, zonder oog voor de belangen zijner Javaansche bevolking, en alleen maar verloren in allerlei bijgeloovige praktijken en fanatieke bespiegelingen. Hij zeide het niet ronduit, maar iets ontsnapte hem in den Regent. Hij kon die fijne figuur, met zijn strakke koolzwarte oogen, niet neêrzetten als mensch in het praktische leven, zooals hij steeds den ouden Pangéran had kunnen doen. Die was hem altijd geweest, volgens den leeftijd, zijn vaderlijke vriend; volgens de etiquette zijn 'jongere broeder', maar altijd medebestuurder van zijn gewest. Maar Soenario vond hij oneigenlijk, geen ambtenaar, geen Regent, alleen maar een fanatieke Javaan, die zich hulde in iets van geheim: allemaal nonsens, dacht Van Oudijck. Hij lachte om Soenario's faam van hoogheiligheid, die de bevolking hem gaf. Hij vond hem

onpractisch: een gedegenereerde Javaan, een gedetraqueerde Javaansche gommeux!

Maar zijn disharmonie met den Regent—disharmonie alleen van
karakter, en nooit gekomen tot werkelijkheid van feit—hij draaide het
mannetje immers om zijn vinger!—was de eenige groote moeilijk-
heid, die hem gedurende al die jaren wel eens had laten pikeren. En
zijn rezidentsleven had hij niet willen ruilen voor welk ander leven. O,
hij tobde nu al, wat hij later zoû doen als hij gepensioeneerd was. Het
liefst zoû hij zoo lang mogelijk blijven in dienst; lid van den Raad van
Indië, Vice-prezident... Wat hij niet zeide, maar stil ambieerde, was, in
het verschiet, de troon van Buitenzorg. Maar men had tegenwoordig
in Holland die vreemde manie om vreemden tot de hoogste betrek-
kingen te benoemen, Hollanders, baren, die totaal niets van Indië af-
wisten—in plaats van getrouw te blijven aan het principe oud-Indi-
sche gedienden te kiezen, die van aspirant-controleur waren opge-
klommen en de geheele ambtelijke hierarchie op hun duimpje kenden... Ja, wat zoû hij doen, gepensioeneerd? In Nice wonen? Zonder
geld? Want sparen, dat ging niet; het leven was ruim, maar duur, en in
plaats van te sparen maakte hij beren. Nu ja, dat kwam er nu niet op
aan, dat werd afbetaald, maar later, later... De toekomst, de pensioe-
neering, was hem alles behalve een aangenaam vooruitzicht. Te vegeteeren in Den Haag, in een klein huis, met een bittertje in de Witte en
in de Besogne-kamer—met de oude pruiken... brr!! Hij rilde ervan.
Hij zoû er niet aan denken; hij wilde aan de toekomst dan maar in het
geheel niet denken: misschien was hij dood voor dien tijd. Maar nu
was het heerlijk, zijn werkkring, zijn huis, Indië. Er was totaal niets bij
te vergelijken.

Léonie had hem glimlachend aangehoord; zij kende zijne stille
verrukkingen, zijn dwepen met zijn betrekking;—zooals zij het
noemde; zijn aanbidding van B-B. Zij vond het goed, zij had er niets
tegen. Zij ook waardeerde de luxe van het rezident-zijn. Het betrekkelijke izolement kon haar niet schelen, zij had meestal genoeg
aan zichzelve... En zij antwoordde glimlachend terug, tevreden, beminnelijk, met haar teint van melk, dat nog blanker was onder de
lichte bedak¹ tegen de roode zijde der kimono aan, en mooi in de

1 Poudre-de-riz.

34

omgolving van haar blonde haren.

Dien morgen, een oogenblik, was zij ontstemd geweest, had Laboewangi, na Batavia, op haar gedrukt, met zijn verveling van binnenlandsche hoofdplaats. Maar sinds had zij gekregen een grooten brillant; sinds had zij Theo terug... Zijn kamer was vlak bij de hare. En hij zoû nog wel in langen tijd geen betrekking kunnen krijgen.

Dat waren hare gedachten, terwijl haar man, na zijn prettige ontboezeming, nog zalig lag na te denken. Dieper dacht zij niet, iets als wroeging zoû haar ten zeerste hebben verbaasd, had zij er iets van kunnen voelen... Het begon zachtjes aan te donkeren, de maan steeg al lichtend omhoog, en achter de fluweelmollige waringins, achter de even op en neêr wuivende pluimen der klapperboomen, die als statiebossen van donkere struisveêren hoog feestelijk staken in de lucht, doezelde het laatste licht van de zon een dofgouden weêrschijn, waartegen de molligheid der waringins, de statie van de klappers afstaken als zwart geëtst.

In de verte klonken de enkeltonige klanken van den gamelan, weemoedig, als van een waterheldere glazen piano, met telkens er tusschen een diepe dissonant...

6

Van Oudijck, pleizierig om zijn vrouw en kinderen, wilde gaarne toeren, en de landauer werd ingespannen. Van Oudijck keek joviaal en prettig, van onder het breede goudgalon van zijn pet. Léonie, naast hem, had een nieuwe mauve mousseline japon aan, uit Batavia, en een hoed met mauve papavers. Een dameshoed in het binnenland is een luxe, iets van overgroote elegance, en Doddy, tegenover haar, maar op zijn binnenlandsch zonder hoed, was in stilte geërgerd en vond, dat mama haar toch wel had kunnen zeggen, dat zij een hoed zoû 'gebruiken', zooals Doddy's taaleigen luidde. Nu stak zij zoo af bij mama, nu kon zij niet velen, die zacht wuivende papavers! Van de jongens was René meê, in een frisch wit pakje. De hoofdoppasser zat op den bok naast den koetsier en hield tegen zijn heup de groote gouden pajong, symbool van het gezag. Het was over zessen, het begon al te donkeren en over La-boewangi hing in dit uur die fluweelen geluideloosheid, die tragi-sche geheimzinnigheid van den schemeratmosfeer der Oostmous-sondagen. Soms blafte alleen een hond, kirde een woudduif en ver-brak de oneigenlijkheid van het zwijgen, als van een onbewoonde stad. Maar nu ook ratelde er dwars door heen het rijtuig, trappelden de paarden de stilte in kleine flarden. Men kwam geen ander rijtuig tegen; een onbezielde menschenloosheid hield de tuinen en galerij-en betooverd. Een paar jongelui in het wit wandelden, en namen den hoed af. Het rijtuig had de notabele lanen verlaten en reed de Chineesche kamp in, waar in de kleine winkels de lichtjes werden ontstoken. De negotie was zoo goed als gedaan: de Chineezen rust-ten uit, in allerlei slappe houdingen van beenen in de lucht en over elkâar, de armen rondom het hoofd, de staarten los, of om het hoofd gebonden. Als het rijtuig naderde, stonden zij op, bleven eerbiedig staan. De Javanen, voor het meerendeel—de welopgevoeden, die manieren kenden—hurkten neêr. Langs den weg stonden nu, ver-licht met kleine petroleumlampjes, de wandelkeukentjes gereid, de drankverkoopers, de gebakverkoopers. De kleur in de met tallooze lichtjes opgegloeide avondduisternis, was groezelig bont; de Chi-neesche winkeltjes overvol van koopwaren, en beteekend met roo-de en gouden karakters en beplakt met roode en gouden papiertjes met spreuken; op den achtergrond het huisaltaar met de heilige plaat: de witte god, gezeten, en achter hem de grijnzende zwarte god. Maar de straat verbreedde zich, veraanzienlijkte zich eensklaps; rijke Chineesche huizen, als witte villa's, blankten zacht op; en vooral trof een blanke paleisvilla van een schatrijken ex-opiumpachter—rijk geworden in de dagen vóór de opium-régie— een blank paleis van sierlijk stuc-werk met tallooze bijgebouwen, de poorten der voorgalerij in een monumentalen Chineeschen stijl van voorname elegance en zachte bonte goudkleur, in de diepte van het open huis het zeer groote huisaltaar, de plaat der goden pron-kende in licht; de tuin aangelegd met gemaniëreerde krinkelpaden, maar mooi volgezet met vierkante potten en lange bloemvazen van donker blauw-en-groen glazuur, waarin kostbare dwergplanten—

erfstuk van vader op zoon—en alles gehouden in een blinkende properheid, een verzorgde netheid van détail: de welvarende, kraakzindelijke luxe van een millionair opium-Chinees. Maar niet alle Chineesche woningen waren zoo pronkerig open, de meeste lagen verborgen in tuinen achter hooge muren, gesloten, en doken terug in het geheim van hun huiselijk leven. Eensklaps waren de huizen gedaan en langs een breeden weg strekten Chineesche graven zich uit, rijke graven, den grasheuvel met den gemetselden ingang—ingang van dood—opgehoogd in den symboolvorm van het vrouwelijk orgaan: uitkomst van leven,—ruim grasveld er om heen: de ergernis van Van Oudijck, die berekende hoeveel bouw wel voor kultuur verloren was door die begraafplaatsen der rijke Chineezen. En de Chineezen schenen te triomfeeren in leven en dood in de anders zoo stille stad van geheimzinnigheid, de Chineezen gaven er aan het eigenlijke karakter van drukke beweging, van handel, van rijk worden, van leven en sterven, want toen het rijtuig de Arabische wijk inreed—huizen als andere, maar somber, maar stijlloos, maar fortuin en existentie verborgen achter dichte deuren; in de voorgalerij wel stoelen, maar de heer des huizes somber gehurkt op den grond, onbewegelijk, met zwarten blik het rijtuig achtervolgende—scheen dit stadsgedeelte nog tragischer geheimzinnig dan het notabele Laboewangi en scheen het onuitzegbare mysterie uit te donzen als iets van den Islâm, dat zich verspreidde over de héele stad, of het de Islâm was, die de fatale melancholie van levensgelatenheid uitduisterde in den huiverenden, geluideloozen avond... Zij voelden dat niet in hun ratelende rijtuig, van hun kinderjaren aan die atmosfeer gewoon en niet gevoelig meer voor het sombere geheim, dat was als het naderen van een zwarte macht, die hen—overheerschers met hun kreolenbloed—altijd en altijd had aangeademd, zoodat zij ze nooit zouden vermoeden. Misschien als Van Oudijck nu en dan in de couranten las over het pan-islâmisme, dat hem iets aanzweemde of de zwarte macht, het sombere geheim even opende voor zijne diepste gedachte. Maar zooals nu—toerende met vrouw en kinderen, in het geratel van zijn rijtuig, en het getrappel van zijn mooie Sydney-ers, den oppasser, met den gesloten pajong, die glinsterde als een dichtgestraalde zon, op den bok, voelde hij te veel zichzelven, zijn heerschers-, zijn overheerschersnatuur, om iets van het zwarte geheim te raden, iets van het zwarte gevaar te zien. En hij was vooral nu te prettig, om iets melancholieks te voelen, te zien. Hij zag, in zijn optimisme, zelfs niet het verval van zijne stad, die hij liefhad; ze troffen hem niet, nu zij doorreden, die immense zuilenvilla's, getuigende van vroegere planterswelvaart—verlaten, verwaarloosd, in verwilderde erven; een ervan ingenomen door een hout-aankap-maatschappij, die er den opzichter liet wonen en in den voortuin de balken stapelde. Treurig blankten de verlaten huizen op, met portieken van pilaren, die in de woest vergroeide erven spookten in de maan, als tempels van onheil... Maar zij zagen het zoo niet: genietende de wiegeling op de zachte rijtuigveeren, dommelde Léonie glimlachende, en Doddy spiedde, nu zij de Lange Laan weêr naderden, uit, of zij niet Addy zag...

II

I

De secretaris Onno Eldersma had het druk. De post bracht iederen dag aan het rezidentie-bureau, waaraan twee kommiezen, zes klerken waren verbonden, tal van djoeroe-toelis en magangs[1], gemiddeld een paar honderd brieven en stukken en de rezident mopperde dadelijk zoodra er achterstallig werk was. Hij werkte zelve stevig aan, hij verlangde van zijn ambtenaren het zelfde. Maar soms was het een stortvloed van stukken, requesten, aanvragen. Eldersma was het type van den in zijn geschrijf opgaanden bureau-ambtenaar, en Eldersma had het altijd druk. Hij werkte 's morgens, 's middags, 's avonds. Aan siësta deed hij niet. Hij rijsttafelde even om vier uur, en daarna rustte hij even uit. Gelukkig had hij een sterk gestel, frisch, Friesch, maar al zijn bloed, al zijn spieren, al zijn

1 Schrijvers, klerken.

zenuwen waren hem noodig voor zijn werk. Het was niet wat schrijfwerk, wat paperassen-gedoe: het was handenarbeid van de pen, spierarbeid, zenuwarbeid, en altijd, altijd door. Hij brandde op, hij verteerde zichzelven, al schrijvende. Hij had geen andere ideeën meer, hij was niets meer dan ambtenaar, bureau-man. Hij had een lief huis, een allerliefste bizondere vrouw, een aardig kind, maar hij zag ze niet meer, al leefde hij, vaag, in zijn intérieur. Hij werkte maar, nauwgezet, afdoende wat hij kon. Soms zeide hij den rezident, dat het hem onmogelijk was meer te doen. Maar Van Oudijck, op dit punt, was onverbiddelijk, erbarmingloos. Hij was zelve gewestelijk secretaris geweest: hij wist wat het was. Het was werken, het was voortjakkeren als een karrepaard. Het was leven, eten, slapen, met de pen in de hand. Dan toonde Van Oudijck hem dat en dat werk, dat afgedaan moest worden. En Eldersma, die gezegd had, dat hij niet meer kon doen dan hij deed, deed het werk af, en deed dus altijd nog wat meer dan hij dacht te kunnen doen.

Dan zeide zijn vrouw, Eva: mijn man is geen mensch meer, mijn man is geen man meer: mijn man is ambtenaar. Het jonge vrouwtje, zeer Europeesch, vroeger nooit in Indië geweest, nu al een paar jaar te Laboewangi, had nooit geweten, dat men zóó kon werken als haar man deed, in een land zoo warm als Laboewangi was in de Oostmousson. Zij had er zich eerst tegen verzet, zij had eerst hare rechten op hem willen doen gelden, maar toen zij waarlijk zag, dat hij geen minuut te veel had, zag zij van hare rechten af. Zij had dadelijk ingezien, dat haar man niet met haar zoû meêleven, en zij niet met haar man, niet omdat hij geen goede man was, die veel van zijn vrouw hield, maar alleen omdat de post iederen dag tweehonderd brieven en stukken aanbracht. Zij had dadelijk gezien, dat zij in Laboewangi—waar niets was—haar troost moest vinden in haar huis, en later, in haar kind. Zij richtte haar huis in als een tempel van kunst en gezelligheid, en zij brak zich het hoofd over de opvoeding van haar kleinen jongen. Zij was een artistiek ontwikkelde vrouw, en zij kwam uit een artistiek milieu. Haar vader was Van Hove, onze beroemde landschapschilder; hare moeder was Stella Couberg, onze beroemde concertzangeres. Eva, opgevoed in een tehuis van kunst en muziek, en die ze geademd had van af klein kindje uit hare prenteboekjes, en in hare kinderliedjes—Eva had een Oost-Indisch ambtenaar getrouwd, en was hem gevolgd naar Laboewan-gi. Zij hield van haar man, een flinke Friesche kerel, en iemand, genoeg ontwikkeld om belang te stellen in veel. En zij was gegaan, gelukkig om haar liefde, en met groote illuzie over Indië, over al het oriëntalische der tropen. En zij had hare illuzie willen behouden, hoe men haar ook gewaarschuwd had. Reeds in Singapore had haar getroffen de bronzen beeldkleur der naakte Maleiërs en het bonte oriëntalisme der Chineesche en Arabische wijken; de Chrysanthè-me-poëzie der Japansche theehuizen, die zij voorbijreed... Maar spoedig al, in Batavia, was eene teleurstelling grijs neêrgezeefd over hare verwachtingen, om overal in Indië iets moois te zien, een sprookje, de Duizend-en-Een-Nacht. De zeden van het kleine, het gewone leven van iederen dag dempten al hare frissche lust tot bewonderen, en zij zag in eens al het belachelijke, nog vóor zij het mooie verder zien kon. In haar hôtel de heeren in nachtbroek en kabaai, uitgestrekt op de lange stoelen, de luie beenen op de uit-geslagen latten, de voeten—hoewel zeer verzorgd—bloot, en de teenen rustig bewegende in een gemoedelijk spel van groote en kleine teen, zelfs terwijl zij voorbijging... De dames in sarong, ka-baai—de eenige praktische morgendracht, die men vlug verwisselt, twee-, driemaal in den morgen,—maar wat zoo weinigen goed staat, en waarvan de rechte slooplijn van achteren vooral recht-hoekig en leelijk is, hoe elegant en kostbaar men het ook draagt. De banaliteit der huizen met al hun kalk en hun teer en leelijke rissen bloempotten; het dorre verschroeide van de natuur, het viezige van den inlander... In het Europeesche leven al de kleine belachelijk-heidjes: het sinjo-accent met de uitroepjes, de kleinsteedsche def-tigheidjes der ambtenaren—de Raden van Indië alléen dragende een hoogen hoed... De streng afgemeten etiquettetjes: op een re-ceptie vertrekt het eerst de hoogst geplaatste ambtenaar, en de an-deren volgen na... En de kleine eigenaardigheidjes van tropische praktijk: de Devoe-kisten en blikken van petroleum gebruikt voor alles en nog wat: het hout voor ramen van winkels, voor vuilnis-bakken en eigengemaakte meubeltjes; de blikken voor dakgoten en gieters en allerlei huiselijk instrument... Het jonge, zeer ontwikkelde vrouwtje, met hare illuzies van den Duizend-en-Een-Nacht, bij die eerste indrukken niet onderscheidende het kolonialistische,— de praktijk van den Europeaan, die zich inburgert in een land, vijandig aan zijn bloed—van het waarlijk poëtische, echt Indische, zuiver Oostersche, louter Javaansche—het jonge vrouwtje had om al die belachelijkheidjes, en om meerdere nog, dadelijk gevoeld hare teleurstelling, als een ieder, artistiek aangelegd, ze voelt in het koloniale Indië, dat in het geheel niet artistiek en poëtisch is, en waar men om de rozen in witte potten, nauwgezet, zooveel paardevijgen maar mogelijk stapelt als mest, zoodat bij een bries de rozengeur zich vermengt met een frisch besproeiden meststank. En zij was onrechtvaardig geworden—als een ieder—echt Hollandsch, echt baar—het wordt voor het mooie land, dat hij zien wil volgens zijn voorbedachte vizie van litteratuur, en dat hem het eerst treft in zijn belachelijke kantjes van kolonialisme. En zij vergat, dat het land zelve, het oorspronkelijk zoo heel mooie land geen schuld had aan die belachelijkheid.

Zij had een paar jaren doorgemaakt, en zij had zich verwonderd, was nu eens geschrikt, dan weêr geschokt, had nu eens gelachen, zich dan weêr geërgerd, en had zich eindelijk, met de redelijkheid van hare natuur,—en practische weêrzijde van hare kunstziel,— gewend. Zij had zich gewend aan het spel der teenen, aan de mest om de rozen; zij had zich gewend aan haar man, die geen mensch en geen man meer was, maar ambtenaar. Zij had veel geleden, zij had wanhopige brieven geschreven, zij had van heimwee gesmacht naar het huis harer ouders, zij was op het punt geweest plotseling te vertrekken—maar zij had het niet gedaan, om haar man niet in eenzaamheid achter te laten, en zij had zich gewend, en zij had zich geschikt. Zij had behalve de ziel van een artist—haar pianospel was buitengewoon—het hart van een dapper vrouwtje. Zij was haar man lief blijven hebben en zij wist, dat zij hem toch een gezellig huis gaf. Zij dacht heel ernstig over de opvoeding van haar kind. En toen zij zich had gewend, werd zij rechtvaardiger en zag zij eensklaps veel van het mooie van Indië, waardeerde zij de statieuze gratie van een klapperboom, de exquize paradijssmaak van Indische vruchten, de pracht der bloeiende boomen, en had zij, in de binnenlanden, gezien den grootschen adeldom van die natuur, de harmonieën der berggolvingen, de sprokewouden van reuzevarens, de dreigende ravijnen der kraters, de spiegeltrapterrassen der liquide sawah's, met het teedere groen der jonge paddi, en, als een openbaring van artistieke vizie was haar geweest het karakter van den Javaan: zijne sierlijkheid, zijn gratie, zijn groet en zijn dans, zijn voorname aristocratie, zoo duidelijk dikwijls afstammeling van edel geslacht, van een oer-ouden adel, en zich modernizeerend tot diplomatische lenigheid, van nature aanbiddend het gezag, en noodlottig gerezigneerd onder het juk van die heerschers, wier gouden galonnen zijn ingeboren eerbied verwekken.

Om zich had Eva altijd gezien, in haar vaders huis, de eeredienst van het artistieke en van het schoone, zelfs tot decadentie toe; rondom haar had men haar altijd gewezen, in een omgeving van louter mooie dingen, in mooie woorden, in muziek, op de gratie-lijn van het leven, en misschien te uitsluitend op die gratie-lijn alleen. En nu was zij te veel getraind in deze school der schoonheid om te blijven in hare teleurstelling en alleen te zien de kalk en het teer der huizen, de kleine aanstellerijen der ambtenaren, de Devoe-kisten en de paardenvijgen. Haar litteraire geest zag nu het paleis-achtige van die huizen, het typische van dien ambtenaarshoogmoed, die bijna niet anders zoû kunnen zijn, en al die détails zag zij nauwkeuriger, in geheel die Indische wereld zag zij ruimer, tot het haar openbaring bij openbaring werd. Alleen bleef zij voelen iets vreemds, iets, dat zij niet kon analyzeeren, iets van mysterie, en donker geheim, dat zij voelde aandonzen in de nachten... Maar zij dacht, dat was niet meer dan stemming van duister en heel dicht loof, dat was als heel stille muziek van heel vreemde snaarinstrumenten, een mineur harpgeruisch in de verte, een vage stem van waarschuwing... Een geruisch in den nacht, meer niet, en waarover zij poëtizeerde.

Te Laboewangi—kleine binnenlandsche hoofdplaats—verbaasde zij dikwijls de verbinnenlandschte elementen, omdat zij had iets opgewondens, omdat zij was enthouziast, spontaan, blij te leven— zelfs in Indië—blij om de schoonheid van het leven, omdat zij had een gezonde natuur, zacht getemperd en weggedoezeld in een bekoorlijke aanstellerij van niets te willen dan het mooie, de mooie lijn, de mooie kleur, de kunstgedachte. Zij was aan die haar kenden, of antipathiek, of zeer sympathisch: weinigen voelden onverschilligheid voor haar. Zij had zich in Indië verworven een reputatie van bizonderheid: haar huis was bizonder, hare kleeding bizonder, de opvoeding van haar kind bizonder, hare ideeën waren bizonder, en alleen gewoon was haar Friesche man, bijna te gewoon in die omgeving, die geknipt scheen uit een tijdschrift voor kunst. Daar zij hield van gezelligheid, verzamelde zij om zich heen zooveel Europeesch element als maar mogelijk, dat wel zelden artistiek was, maar waarin zij toch bracht een prettigen toon, iets dat allen aan Holland deed denken. Dat clubje, die groep bewonderde haar, en volgde van zelve den toon, dien zij aangaf. Door hare meerdere ontwikkeling heerschte zij, zonderdat zij de heerschersnatuur had. Maar dat alles vond een ieder niet goed, en de anderen noemden haar excentriek. De club echter, de groep, bleef haar trouw, in de zachte loomheid van het Indische leven opgewekt door haar tot concerten, tot ideeën, tot levenslust.

Zoo had zij om zich heen den dokter en zijn vrouw, den hoofdingenieur en zijn vrouw, den controleur-kotta en zijn vrouw, en soms, van buiten-af, een paar controleurs, een paar jonge employé's van de suikerfabrieken. Dat was om haar heen een vroolijk troepje, waarin zij heerschte, met wie zij comedie speelde, pic-nics arrangeerde, en dat zij bekoorde door haar huis, en haar japonnen, en de epicuristische kunstlijn van haar leven. Zij vergaven haar alles wat zij niet begrepen — haar levens-esthetiek, haar muziek van Wagner — omdat zij hun vroolijkheid gaf, wat levenslust en gezelligheid in de doodschheid van hunne ver-Indisching. Daarvoor waren zij haar innig dankbaar. En zoo was het gekomen, dat haar huis eigenlijk middelpunt van het sociale leven van Laboewangi was geworden, terwijl het rezidentie-huis, er tegenover, zich in zijn waringin-schaduw met deftigheid terugtrok. Léonie van Oudijck was er niet ijverzuchtig om. Zij hield van hare rust, en zij liet dolgraag alles over aan Eva Eldersma. En zoo bemoeide Léonie zich met niets, niet met feesten, niet met muziek- en komedie-gezelschap, niet met liefdadigheid, en al de sociale plichten, die een rezidentsvrouw anders op zich voelt rusten, droeg zij op Eva over. Léonie had eens in de maand hare receptie, sprak iedereen aan, glimlachte tegen iedereen en gaf op Nieuwjaar haar jaarlijksch bal. Daarbij bepaalde zich het sociale leven in het rezidentie-huis. Zij leefde er verder in haar egoïsme, in de behagelijkheid, die zij egoïstisch voor zich om zich heen schiep, in haar roze gedroom van engeltjes en in wat zij er oogsten kon van liefde. Soms, periodiek, had zij behoefte aan Batavia en ging zij er een paar maanden heen. En zoo leefde zij, als rezidentsvrouw, haar eigen leven, en Eva deed alles, en Eva gaf den toon aan. Het gaf soms kleine naijver, bijvoorbeeld tusschen haar en de vrouw van den inspecteur van financiën, die vond, dat haar de eerste plaats toekwam na mevrouw Van Oudijck, en niet aan de vrouw van den secretaris. Dan was het een geharrewar met de Indische ambtenaars-etiquette en verhalen, praatjes deden de ronde, vergroot, verergerd, tot in de verst gelegen suikerfabriek van de rezidentie. Maar Eva stoorde zich niet aan de praatjes en zorgde liever voor wat gezelligheid in Laboewangi. En om iets goeds tot stand te brengen, heerschte zij, met haar clubje. Men had haar gekozen tot prezidente van het tooneelgezelschap Thalia, en zij nam aan, maar op voorwaarde, dat het reglement zoû worden afgeschaft. Zij wilde wel koningin zijn, maar zonder grondwet. Men zeide haar algemeen, dat dit toch niet ging: er was altijd een reglement geweest. Maar Eva antwoordde, dat zij met een reglement niet wilde prezideeren. Dan zoû zij liever alleen meêspelen. Men gaf toe: de grondwet van Thalia werd afgeschaft, Eva heerschte er absoluut, koos de stukken uit, verdeelde de rollen. En het was de bloeitijd van het gezelschap — men speelde, gedrild door haar, zoo goed, dat men van Soerabaia kwam om de voorstellingen in Concordia bij te wonen. De stukken, die men speelde, waren van een gehalte, als nimmer in Concordia was gespeeld.

Het maakte haar zeer bemind, of in het geheel niet bemind. Maar zij ging door en zorgde voor wat Europeesche beschaving, om niet al te veel te 'beschimmelen' in Laboewangi. En men deed laagheden om toch maar geïnviteerd te worden op hare dinertjes, die waren beroemd en berucht. Want zij eischte, dat hare heeren in rok kwamen en niet in hun Singaporesche jasjes, zonder hemd. Zij stelde rok en witte das in, en zij was onverbiddelijk. De dames waren als altijd gedecolleteerd, voor de koelte en vonden dat heerlijk. Maar hare arme heeren stribbelden tegen, pufden de eerste maal, kregen congestie in hun hoogen boord; de dokter beweerde, het was ongezond; de oudgasten beweerden, het was dolligheid en breken met alle goeie, oude, Indische gewoonten...

Maar toen men eerst een paar maal gepufd had in dien rok en dien hoogen boord, vond iedereen de dinertjes van mevrouw Eldersma verrukkelijk, juist omdat ze zoo Europeesch werden gehouden.

2

Eva ontving om de veertien dagen.

—Hoor, rezident, het is geen receptie, verdedigde zij zich altijd tegen Van Oudijck. Ik weet heel goed, dat niemand mag *recepieeren*, in het binnenland, dan de rezident en de rezidente. Het is heusch geen receptie, rezident. Ik zoû niet durven het zoo te noemen. Ik hoû alleen maar open huis, om de veertien dagen, en ik vind het gezellig, als de kennissen dan komen... Het mag toch wel, niet waar, rezident, als het geen *receptie* is?

Van Oudijck lachte dan vroolijk met zijn jovialen, militairen snorlach, en vroeg of mevrouwtje Eldersma hem voor den gek hield. Zij mocht alles, als zij maar voortging te zorgen voor wat gezelligheid, voor wat komedie, voor wat muziek, voor wat prettig sociaal samenleven. Dat was nu eenmaal de plicht, die op haar rustte: te zorgen voor het mondaine element in Laboewangi.

Hare ontvangdagen hadden niets Indiesch. In het rezidentiehuis bij voorbeeld waren de recepties geregeld volgens het oud-Indiesch binnenlandsche gebruik: op de stoelen langs de wanden zaten al de dames naast elkaâr, en mevrouw Van Oudijck liep ze langs, praatte met ieder een oogenblik, staande, terwijl de dames bleven zitten; in een andere galerij onderhield zich de rezident met de heeren. Het mannelijke element mengde zich niet met het vrouwelijke. Bitter, port en ijswater werden rondgediend.

Bij Eva liep men, wandelde men door de galerijen, zette zich hier, daar; men sprak met iedereen. Er heerschte niet de statigheid als in het rezidentie-huis, maar er was de chic van een Franschen salon, met een artistieke tint. En het was een gewoonte geworden, dat de dames zich meer kleedden voor Eva's dagen dan voor de receptie's bij den rezident; zij hadden bij Eva hoeden op, symbool van uiterste elegance in Indië. Gelukkig kon het Léonie niet schelen, het liet haar totaal onverschillig.

In de middengalerij nu, op een divan, zat Léonie en bleef er zitten met de Raden-Ajoe, de vrouw van den Regent. Zij vond die oude gewoonte gemakkelijk; ieder kwam naar haar toe. Zij had op hare eigen receptie's al zooveel te loopen, langs de rei dames aan den wand... Nu nam zij haar rust, bleef zitten, glimlachte tegen wie haar zijn compliment kwam maken. Maar verder was het een woelige beweging van gasten. Eva was overal.

—Vindt u het hier mooi? vroeg mevrouw Van Does aan Léonie, met een blik over de middengalerij en haar oog gleed verwonderd langs de matte arabesken, als fresco, met calcarium op den zacht grijzen wand geverfd, langs de djati-houten lambrizeering, door handige Chineesche meubelmakers gesculpteerd volgens een tee-kening uit de Studio, langs de bronzen Japansche vazen op djati-houten piedestals, en waarin bamboetakken en boeketten van reuze-bloemen zacht overschaduwden tot aan het plafond toe.

—Vreemd... maar heel lief! Eigenaardig..., murmelde Léonie, wie Eva's smaak steeds een raadsel was. In zich teruggetrokken als in een tempel van egoïsme, kon haar wat een ander deed en voelde, niet schelen, en ook niet hoe een ander zijn huis arrangeerde. Maar zij had hier niet kunnen wonen. Zij hield meer van hare lithogravu-re's—Veronese, en Shakespere, en Tasso—zij vond die deftig—dan van de mooie bruine fotografieën naar Italiaansche meesters, die Eva hier en daar op ezels had staan. Het meest hield zij van haar bonbon-doos, en de parfumerie-reclame met de engeltjes.

—Vindt u die japon mooi? vroeg mevrouw Van Does weêr aan Léonie.

—Jawel, glimlachte Léonie lief. Eva is heel knap; ze heeft die blau-we irissen zelve geschilderd op Chineesche zij...

Zij zeide nooit iets anders dan lieve, glimlachende dingen. Zij sprak nooit kwaad; het was haar onverschillig. En zij wendde zich nu tot de Raden-Ajoe, en bedankte haar met lieve, slepende zinnen voor vruchten, die deze gezonden had. De Regent kwam haar aanspreken, en zij informeerde naar zijn beide zoontjes. Zij sprak in het Hollandsch, en de Regent en de Raden-Ajoe antwoordden in het Maleisch. De Regent van Laboewangi, Raden Adipati Soerio Soenario was nog jong, even dertig jaar, een fijn Javaansch gezicht als van een laatdunkende wajangpop, met een klein kneveltje, waaraan zorgvuldige puntjes gedraaid, en vooral een staarblik, die trof: een blik als in een voortdurende transe, een blik als peilende door de zichtbare werkelijkheid en ziende door ze heen, een blik uit oogen als kolen, soms dof en moê, soms opgloeiende als vonken van extaze en fanatisme. Hij had bij de bevolking—bijna slaafsch gehecht aan hunne Regentenfamilie—een faam van heiligheid en geheimzinnigheid, zonderdat men er ooit het ware van hoorde. Hier, in Eva's galerij, maakte hij alleen een indruk van popperigheid, van voornamen Indischen prins: alleen zijn transe-oogen verbaasden. De sarong, glad om zijn heupen, viel van voren lang neêr in een bundel van platte, regelmatige plooien, die openwaaierden; hij droeg een wit gesteven hemd met diamanten knoopen, en een klein blauw dasje; daarover een blauw laken uniformbuis met gouden uniformknoopen, waarop de gekroonde W.; aan zijn bloote voeten staken zwart verlakte van voren opgepunte muilen; de hoofddoek, zorgvuldig met kleine plooien gekapt om zijn hoofd, gaf aan zijn fijne gezicht iets vrouwelijks, maar de zwarte oogen, nu en dan moê, vonkten telkens op in transe, extaze. In zijn blauw-en-gouden gordel, geheel van achteren, midden op den rug, stak de gouden kris; aan zijn kleine, slanke hand schitterde een groote steen en uit de zak van zijn buis wipte een cigarettekoker van gouden vlechtwerk. Hij zeide niet veel—soms keek hij of hij slaap had, dan weêr gloeiden-op zijn vreemde oogen—en op wat Léonie zeide, antwoordde hij bijna uitsluitend alleen met een kort en hakkerig:

—Saja...

Hij sprak de beide lettergrepen uit met een hard en sissend beleefdheidsaccent, op iedere silbe evenveel toon van nadruk. Hij vergezelde zijn beleefdheidswoordje met een kort, automatisch

hoofdknikje. Ook de Raden-Ajoe, gezeten naast Léonie, antwoordde zoo:

—Saja...

Maar zij lachte telkens even na, zacht verlegen. Zij was nog heel
jong, misschien even achttien jaar. Zij was een Solosche prinses, en
Van Oudijck kon haar niet uitstaan, omdat zij Solosche manieren,
Solosche zeggingen invoerde te Laboewangi, in haar laatdunken-
den hoogmoed of niets zoo voornaam en zuiver aristocratisch zoû
zijn als wat gewoonte was en gezegd werd aan het hof van Solo. Zij
gebruikte hofwoorden, die de bevolking te Laboewangi niet begreep, zij had den Regent opgedrongen een koetsier van Solo, met
de Solosche galadracht: de pruik en den valschen knevelbaard,
waarnaar de bevolking tuurde met open oogen. Hare gele tint was
nog lichter opgeblankt door een lichte laag van bedak, vochtig opgelegd, de wenkbrauwen waren even opgebogen met een streekje
zwart; in hare glanzende kondé staken juweelen spelden en in het
midden, een kenanga-bloem. Zij droeg op een kain-pandjang[1], die
naar Solosche hofdracht lang sleepte voor hare voeten, een kabaai
van rood brokaat, met galon afgezet, en met drie groote juweelen
gesloten. Twee fabelsteenen trokken, zwaar in zilver gezet, hare
ooren neêr. Zij droeg lichte à-jour kousen en gouden sonket[2]-mui-
len. Hare kleine, dunne vingertjes waren stijf van ringen, als gezet
in brillant, en zij had een waaier van wit pluimendons in de hand.

—Saja... saja... antwoordde zij hoffelijk, met haar verlegen lachje.

Léonie zweeg even, moê van alleen te praten. Als zij den Regent
en de Raden-Ajoe gesproken had over hun zonen, wist zij niet veel
meer te zeggen. Van Oudijck, die eerst door Eva was rondgeleid
door hare galerijen—want er was altijd weêr iets nieuws te bewonderen,—naderde zijn vrouw; de Regent rees op.

—En Regent, vroeg hij, in het Hollandsch —; hoe gaat het met de
Raden-Ajoe Pangéran?

Hij informeerde naar de weduwe van den ouden Regent, de
moeder van Soenario.

1 Lang, gebatikt kleed.
2 Chineesch goudborduursel.

48

—Heel goed... dank u... murmelde de Regent in het Maleisch; maar mama is niet meêgekomen... al zoo oud... gauw moê.

—Ik heb u even te spreken, Regent.

De Regent volgde Van Oudijck in de voorgalerij, waar niemand was.

—Het spijt mij, u te moeten zeggen, dat ik zoo pas weêr slechte tijding heb van uw broêr, de Regent van Ngadjiwa... Men heeft mij geinformeerd, dat hij dezer dagen weêr gedobbeld en groote sommen heeft verloren. Weet u daar iets van?

De Regent sloot zich als op in zijn popperige strakheid, en bleef zwijgen. Alleen zijn oogen staarden, als zag hij verre dingen, door Van Oudijck heen.

—Weet u daar iets van, Regent?

—Tida...

—U, als hoofd van uw familie, draag ik op daarnaar te informeeren en op uw broeder te letten. Hij dobbelt, hij drinkt, hij doet uw naam geen eer aan, Regent. Als de oude Pangéran ooit had kunnen vermoeden, dat zijn tweede zoon zich zoo vergooide, zoû hij groot verdriet gehad hebben. Hij droeg zijn naam hoog. Hij was een der verstandigste en edelste Regenten, die het Gouvernement ooit op Java heeft gehad, en u weet, hoe het Gouvernement den Pangéran waardeerde. Al in den tijd der Compagnie is Holland veel verschuldigd geweest aan uw geslacht, dat haar altijd trouw was. Maar de tijden schijnen te veranderen... Het is zeer treurig, Regent, dat een oude Javaansche familie van zoo hooge traditie als de uwe, niet meer getrouw weet te blijven aan die traditie...

Raden Adipati Soerio Soenario werd olijfbleek. Zijn transe-oogen doorstaken den rezident, maar hij zag, dat deze ook kookte van woede. En hij doofde den vreemden vonk van zijn blik in een slaperige moêheid.

—Ik dacht, rezident, dat u altijd liefde gevoeld had voor mijn huis, murmelde hij, bijna klagend.

—En u heeft goed gedacht, Regent. Ik had den Pangéran lief. Ik heb altijd uw huis bewonderd, en ik heb het altijd hoog willen houden. Ik wil het ook nu hoog houden, met u samen, Regent, hopende, dat u niet alleen ziet—als uw faam gaat—de dingen der andere wereld, maar ook de werkelijkheid rondom u heen. Maar het is uw broeder, Regent, dien ik *niet* liefheb en onmogelijk kan hoogachten. Men heeft mij gezegd—en die het mij zeiden, kan ik vertrouwen,—dat de Regent van Ngadjiwa niet alleen heeft gedobbeld... maar ook, dat deze maand de traktementen der hoofden te Ngadjiwa niet door hem zijn uitbetaald...

Zij zagen elkaâr strak aan, en de kalme, flinke blik van Van Oudijck ontmoette den transe-vonk van den Regent.

—De personen, die u inlichten, kunnen zich vergissen...

—Ik vermoed, dat zij mij niet zulke berichten zullen brengen zonder de onbetwijfelbaarste zekerheid... Regent, deze zaak is zeer kiesch. Nogmaals: u is het hoofd van uw familie. Onderzoek bij uw jongeren broêr in hoeverre hij zich vergrepen heeft aan het geld van het Gouvernement, en herstel zoo spoedig mogelijk alles. Ik laat expres de zaak aan u over. Ik zal uw broêr er niet over spreken om een lid van uw familie nog te sparen, zoolang ik kan. Het is aan u uw broêr terecht te wijzen, hem te wijzen op wat in mijn oogen een misdaad is, maar die u door uw prestige als chef der familie nog te niet kunt doen. Verbied hem te dobbelen en beveel hem zijn passie meester te worden. Of anders voorzie ik zeer treurige dingen en zal ik uw broêr moeten voordragen voor ontslag. U weet zelve hoe ongaarne ik dit zoû doen. Want de Regent van Ngadjiwa is de tweede zoon van den ouden Pangéran, dien ik hoog heb gesteld, evenals ik uw moeder, de Raden-Ajoe Pangéran, altijd alle verdriet zoû willen besparen.

—Ik dank u... murmelde Soenario.

—Bedenk goed wat ik u zeg, Regent. Als u niet uw broêr tot rede kunt brengen, tot zelfbeheersching in zijn hartstocht—als de traktementen der hoofden niet zoo spoedig mogelijk worden uitbetaald... dan zal IK moeten optreden. En zoû MIJNE waarschuwing niet helpen... dan zoû het de ondergang zijn van uw broêr. U weet zelve: een Regent ontslaan is een zoo groote exceptie, dat het schande over uwe familie zoû brengen. Werk met mij meê het geslacht der Adiningrats daarvoor te bewaren.

—Ik beloof het u... murmelde de Regent.

—Geef mij uw hand, Regent.

Van Oudijck drukte de dunne vingers van den Javaan. — Kan ik u vertrouwen? vroeg hij nog eens.

— In leven, in dood...

— Laat ons dan nu naar binnengaan. En deel mij zoo spoedig mogelijk uw bevindingen meê...

De Regent boog. Hij was olijfbleek van een stille geheimzinnige woede, die als een kratervuur in hem werkte. Zijn oogen, achter in Van Oudijcks rug, priemden met een mysterie van haat den Hollander toe, den minnen Hollander, den burgerman, den onreinen hond, den goddeloozen Christen, die niet hàd aan te roeren met eenige voeling van zijn vuile ziel iets van hèm, van zijn huis, van zijn vader, van zijn moeder, van hunne oer-heilige edelheid en adel... ook al hadden zij altijd gebogen onder den druk van wie sterker was...

3

— Ik heb op jullie gerekend, om te blijven eten, zei Eva.

— Natuurlijk, antwoordden de controleur Van Helderen en zijn vrouw.

De receptie — *geen* receptie, verdedigde zich Eva altijd — liep ten einde: de Van Oudijcks, het eerst, waren vertrokken; de Regent volgde. De Eldersma's bleven met hun intiem troepje alleen: dokter Rantzow, de hoofdingenieur Doorn de Bruijn, met hunne vrouwen, en de Van Helderens. Zij zetten zich in de voorgalerij met een zekere ontspanning neêr, en schommelden behagelijk. Whiskey-soda's, limonades, met groote brokken ijs, werden rondgediend.

— Altijd stampvol, receptie van Eva, zei mevrouw Van Helderen. Voller dan verleden bij residèn...

Ida Van Helderen was een typetje van blanke nonna. Zij probeerde altijd heel Europeesch te doen, netjes Hollandsch te spreken; zelfs gaf zij voor, dat zij slecht Maleisch sprak, en dat zij noch van rijsttafel, noch van roedjak hield. Zij was klein, regelmatig molligjes; zij was heel blank, bleek-blank, met groote zwarte verwonderde oogen. Zij was vol kleine geheimzinnige nukjes, haatjes, liefde-tjes; alles sprong in haar op met geheimzinnige drijfveertjes, niet na te gaan. Soms haatte zij Eva, soms was zij dol op haar. Staat was er totaal niet op haar te maken; iedere handeling, iedere beweging, ieder woord kon een verrassing zijn. Zij was altijd verliefd, tragisch. Zij nam al hare kleine gevoelentjes heel tragisch op, heel groot en somber—zonder het minste idee van verhouding—en stortte zich dan uit bij Eva, die lachte en haar troostte. Haar man, de controleur, was nooit in Holland geweest: hij had zijne opvoeding geheel te Batavia gehad aan het Gymnazium Willem III en aan de Indische Afdeeling. En het was zeer vreemd te zien, deze kreool, schijnbaar geheel Europeaan, lang, blond, bleek, met zijn blonde snor, met zijn blauwe oogen van levendige uitdrukking, vol belangstelling, met zijn manieren van een fijnere hoffelijkheid dan den gigrl-sport-chic van Europa, en toch zoo niets Indiesch in ideeën, woorden, kleeding; die sprak over Parijs en Weenen, alsof hij er jaren geweest was, terwijl hij Java nooit had verlaten, die dweepte met muziek—al was het hem ook moeilijk zich in Wagner te werken, als Eva dien speelde —; en wiens groote illuzie was het volgende jaar toch eindelijk eens naar Europa te gaan, met verlof, om de Fransche Expozitie te zien. Er was een verwonderlijke distinctie en ingeboren stijl in dezen jongen man, als was hij niet een kind van Europeesche ouders, die steeds in Indië waren geweest, als was hij een vreemdeling van een land onbekend, van een nationaliteit, die men zich niet dadelijk wist te herinneren... Nauwlijks was er een zekere molligheid aan zijn accent—invloed van het klimaat —; hij sprak zijn Hollandsch zoo correct, dat het bijna stijf zoû geweest zijn tusschen het slordige 'slang' van het moederland; en hij sprak zijn Fransch, zijn Engelsch, zijn Duitsch met meer gemak, dan de meeste Hollanders die talen spreken. Misschien had hij van een Fransche moeder dat exotisch beleefde en hoffelijke: ingeboren, prettig, natuurlijk. In zijn vrouw, ook van Fransche origine, gesproten uit een kreolenfamilie van Bourbon, was dat exotische een geheimzinnige mengeling geworden, die niets dan kinderlijkheid was gebleven: eene warreling van kleine gevoelentjes, kleine hartstochtjes, terwijl zij met haar groote, sombere oogen tragisch het leven probeerde te zien, dat zij alleen maar inkeek als een slecht geschreven novelletje.

Zij meende nu verliefd te zijn op den hoofd-ingenieur, den doyen van het troepje, al grijzende, met een zwarten baard, en zij, tragisch, stelde zich scènes voor met mevrouw Doorn de Bruijn, een zware, placide, melancholieke vrouw. Dokter Rantzow en zijn vrouw waren Duitschers; hij, dik, blond, vrij vulgair, met een buikje; zij, met een helder Duitsch gezicht van prettige matrone, levendig Hollandsch sprekende met een Duitsch accent.

Het was in dit clubje, dat Eva Eldersma heerschte. Behalve Frans van Helderen, de controleur, bestond het uit al heel gewone Indische en Europeesche elementen, menschen zonder kunstlijn, zooals Eva zeide, maar zij had niet anders kunnen kiezen, in Laboewangi, en daarom amuzeerde zij zich over de nonna-tragiekjes van Ida, en schikte zij zich naar de anderen. Haar man, Onno, als altijd moê van zijn werk, sprak niet veel meê, luisterde toe.

—Hoe lang is mevrouw Van Oudijck te Batavia geweest? vroeg Ida.

—Twee maanden, zei de doktersvrouw; heel lang dezen keer.

—Ik heb gehoord, zei mevrouw Doorn de Bruijn—placide, melàncholiek, en stil venijnig—dat dezen keer één Raad van Indië, één Directeur en drie jongelui uit den handel mevrouw Van Oudijck te Batavia hebben geamuzeerd.

—En ik kan jullie verzekeren, begon de dokter; dat als mevrouw Van Oudijck niet geregeld naar Batavia ging, zij een weldadige kuur zoû missen, ook al doet zij die kuur op haar eigen houtje, en niet... op mijn voorschrift.

—Laat ons geen kwaad spreken! viel Eva bijna smeekend in. Mevrouw Van Oudijck is mooi—van een rustig Juno-mooi, met de oogen van Venus—en mooie menschen in mijn omgeving vergeef ik veel. En u, dokter...—zij dreigde hem met den vinger —; geen ambtsgeheimen verklappen. U weet, dokters in Indië zijn dikwijls al te openhartig omtrent de geheimen van hun patiënten. Ik heb, als ik eens ziek ben, nooit iets anders dan hoofdpijn. Zal u dat nooit vergeten, dokter?

—De rezident was gepreoccupeerd, zei Doorn de Bruijn.

—Zoû hij weten... van zijn vrouw? vroeg Ida somber, met hare groote oogen vol zwart fluweelen tragiek.

—De rezident is dikwijls zoo, zei Frans van Helderen. Hij heeft zijn buien. Hij is soms prettig, vroolijk, joviaal, zooals verleden op de tournée. Dan heeft hij weêr zijn sombere dagen, werkt, werkt, werkt, en bromt, dat er niet anders gewerkt wordt dan door hem...
—Mijn arme miskende Onno! zuchtte Eva.
—Ik geloof, dat hij zich overwerkt, ging Van Helderen door. Laboewangi is een ontzettend druk geweest. En de rezident trekt zich te veel aan, zoowel in zijn huis, als buiten-af. Zoowel de verhouding met zijn zoon, als met den Regent.
—Ik zoû den Regent laten springen, zei de dokter.
—Maar dokter, zei Van Helderen. Zooveel weet je toch wel van onze Javaansche toestanden, om in te zien, dat dat zoo maar niet gaat. De Regentenfamilie is te één met Laboewangi en te hoog in aanzien bij de bevolking...
—Ja, ik ken de Hollandsche politiek... De Engelschen handelen in Britsch-Indië hooger en willekeuriger met hun Indische prinsen. De Hollanders ontzien ze veel te veel.
—Het zoû de vraag zijn, welke politiek op den duur de beste is, zei Van Helderen droog, die niet kon velen, dat een vreemdeling in een Nederlandsche kolonie iets afbrak. Toestanden van ellende en hongersnood als in Britsch-Indië kennen wij gelukkig bij ons niet.
—Ik zag den rezident ernstig spreken met den Regent, zei Doorn de Bruijn.
—De rezident is te gevoelig, zei Van Helderen. Hij gaat zeer zeker gebukt onder dat langzaam verval van die oude Javaansche familie, die familie, die fataal ondergaat, en die hij hoog zoû willen houden. De rezident, hoe koel praktisch ook, heeft daarin iets van een poëet. Hoewel hij het niet zoû willen toegeven. Maar hij herinnert zich het glorieuze verleden van de Adiningrats, hij herinnert zich die laatste mooie figuur nog, den ouden nobelen Pangéran, en hij vergelijkt hem met zijn zonen, de een, een dweper, de ander een dobbelaar...
—Ik vind onzen Regent—niet dien van Ngadjiwa: dat is een koelie—verrukkelijk! zei Eva. Ik vind hem een levende wajangpop. Alleen zijn oogen, daarvoor ben ik bang. Wat een verschrikkelijke oogen! Soms slapen ze, maar soms zijn ze als van een gek. Maar hij is zoo fijn, zoo voornaam. En de Raden-Ajoe ook is een exquis

poppetje: saja... saja... Ze zegt niets, maar ze ziet er decoratief uit. Ik ben altijd blij als ze mijn jour decoreeren, en ik mis iets, als ze er niet zijn. En dan de oude Raden-Ajoe Pangéran, grijs, waardig, een koningin...

—Een dobbelaarster van het eerste water, zei Eldersma.

—Ze verdobbelen alles, zei Van Helderen; zij en de Regent van Ngadjiwa. Ze zijn niet rijk meer. De oude Pangéran had prachtige waardigheids-insigniën voor zijn gala, magnifique lansen, een ju-weelen sirih-doos, kwispedoren—nuttige voorwerpen!—van on-schatbare waarde. De oude Raden-Ajoe heeft alles verdobbeld. Ik geloof, dat zij niets meer heeft dan haar pensioen, ik meen twee-honderd-veertig gulden. En hoe onze Regent al zijn neven en nich-ten in de Kaboepaten[1] onderhoudt volgens Javaansch gebruik is mij een raadsel.

—Welk gebruik? vroeg de dokter.

—Iedere Regent verzamelt zijn geheele familie als parasiten om zich heen, kleedt ze, voedt ze, geeft ze zakgeld... en de bevolking vindt dat waardig en chic.

—Treurig... die vervallen grootheid! zei Ida, somber.

Een jongen kwam zeggen, dat het diner gereed was en men be-gaf zich naar de achtergalerij, en zette zich aan tafel.

—En wat is er in het vooruitzicht, mevrouwtje? vroeg de hoofd-ingenieur. Welke plannen zijn er? Laboewangi is stil geweest, den laatsten tijd.

—Eigenlijk is het vreeslijk, zei Eva. Als ik jullie niet had, zoû het vreeslijk zijn. Als ik niet altijd plannen maakte, ideeën had, zoû het vreeslijk zijn, zoo een bestaan in Laboewangi. Mijn man voelt dat niet, hij werkt, zooals u, heeren, allen werken; wat kan men in Indië anders doen dan werken, trots de warmte. Maar voor ons vrouwen! Eigenlijk, wat een leven, als men zijn geluk niet geheel schept uit zichzelve, in zijn huis, in zijn kringetje—als men het geluk heeft dat kringetje te hebben. Niets van buiten af. Geen schilderij, geen beeld, dat men ziet; geen muziek, die men hoort. Wees niet boos, Van Helderen. Je speelt allerliefst violoncel, maar niemand in Indië

1 Woning van den Regent.

blijft op de hoogte. De Italiaansche opera speelt den Trouvère. De dilettanten-gezelschappen—in Batavia heusch heel goed—spelen... den Trouvère. En jij, Van Helderen... spreek het niet tegen. Ik heb je extaze gezien, toen de Italiaansche opera uit Soerabaia verleden keer in de Societeit... den Trouvère kwam spelen. Je was verrukt.

—Er waren mooie stemmen bij...

—Maar twintig jaar geleden—zoo hoor ik—was men hier ook verrukt over... den Trouvère. O, het is verschrikkelijk! Soms... in eens, beklemt het me. Soms voel ik in eens, dat ik mij niet gewend heb aan Indië, en dat ik nooit zal wennen, en heb ik een heimwee naar Europa, naar leven!

—Maar Eva... begon Eldersma, bang—bang, dat zij waarlijk eens gaan zoû, hem alleen laten in zijn dan totaal vreugdeloos werkleven te Laboewangi —; soms waardeer je toch ook Indië, je huis, het prettige, ruime leven...

—Materieel...

—En waardeer je hier je werkkring; ik meen, het vele, dat je hier doen kan.

—Wat? Feesten arrangeeren? Fancy-fairs arrangeeren?

—De eigenlijke rezidente ben jij, Eva, zei Ida dwepend.

—Nu komen wij gelukkig weêr op mevrouw Van Oudijck, plaagde mevrouw Doorn de Bruijn.

—En op het ambtsgeheim, zei dokter Rantzow.

—Neen, zuchtte Eva. Wij moeten iets nieuws hebben. Bals, feesten, pic-nics, bergtochten... we hebben al alles uitgeput. Ik weet niets meer. De Indische druk komt op me neêr. Ik ben in een van mijn neêrslachtige buien. Ik vind die bruine gezichten van mijn jongens in eens griezelig om me. Soms maakt Indië me bang. Voelen jullie dat geen van allen? Een vage angst, een geheimzinnigheid in de lucht, iets dreigends... Ik weet het niet. De avonden zijn soms zoo vol geheimzinnigheid en er is iets mysterieus in het karakter van den inlander, die zoo ver van ons staat, zooveel van ons verschilt...

—Artistieke gevoelens, plaagde Van Helderen. Neen, ik voel dat niet. Indië is mijn land.

—Type! plaagde hem Eva terug. Hoe ben je zooals je bent? Zoo curieus Europeesch; Hollandsch kan ik het niet noemen.

—Mijn moeder was een Française.

—Maar je bent toch een njò; hier geboren, hier opgevoed... En je hebt niets van een njò. Ik vind het heerlijk je ontmoet te hebben, ik hoû van je als varieteit... Help mij dan ook. Opper iets nieuws. Geen bal en geen bergtocht. Ik heb behoefte aan iets nieuws. Anders krijg ik het heimwee naar de schilderijen van mijn vader, naar den zang van mijn moeder, naar ons mooi artistiek huis in Den Haag. Zonder iets nieuws ga ik dood. Ik ben niet als je vrouw, Van Helderen, altijd verliefd.

—Eva! smeekte Ida.

—Tragisch verliefd, met haar mooie, sombere oogen. Altijd eerst op haar man en dan op een ander. Ik ben nooit verliefd. Zelfs niet meer op mijn man. Hij wel op mij. Maar ik heb geen liefdenatuur. Er wordt hier in Indië wel veel gedaan aan liefde, niet waar dokter. Dus... geen bal, geen bergtocht, geen liefde. Mijn God, wat dan, wat dan...

—Ik weet wel iets, zei mevrouw Doorn de Bruijn, en over hare placide melancholie kwam een plotselinge angst. En ter zijde keek zij mevrouw Rantzow aan, de Duitsche vrouw begreep haar blik...

—Wat dan? vroegen zij allen, nieuwsgierig.

—Tafeldans, fluisterden de beide dames.

Men lachte algemeen.

—Ach, zuchtte Eva, teleurgesteld. Een truc, een aardigheid, een spel voor een avond. Neen, ik moet iets hebben om minstens gedurende een maand mijn leven te vullen.

—Tafeldans, herhaalde mevrouw Rantzow.

—Wil ik u wat vertellen, zei mevrouw Doorn de Bruijn. Verleden, voor de aardigheid, probeerden wij een knaap te laten dansen. Wij beloofden elkaâr heel eerlijk te zijn. De tafel... bewoog, en spelde: tikte volgens het alfabet.

—Maar was het eerlijk? vroegen de dokter, Eldersma, Van Helderen.

—U moet ons vertrouwen, verdedigden zich de twee dames.

—Top, zeide Eva. Wij hebben met ons diner gedaan. Laat ons tafeldans doen.

—Wij moeten elkaâr belooven eerlijk te zijn... zei mevrouw Rantzow. Ik zie... dat mijn man antipathiek zal zijn. Maar Ida... een groot medium.

Zij stonden op.

—Moet het licht uit? vroeg Eva.

—Neen, zei mevrouw Doorn de Bruijn.

—Een gewoon knaapje?

—Een houten knaap.

—Met ons achten?

—Neen, laten wij eerst kiezen; bijvoorbeeld, jij Eva, Ida, Van Helderen en mevrouw Rantzow. De dokter is antipathiek, Eldersma ook. De Bruijn en ik kunnen jullie afwisselen.

—Vooruit dan, zei Eva. Een nieuwe ressource voor het maatschappelijk leven van Laboewangi. En eerlijk...

—Wij geven elkaâr, als vrienden, ons woord van eer... dat wij eerlijk zullen zijn.

—Top, zeiden zij allen.

De dokter grinnikte. Eldersma haalde zijn schouders op. Een jongen bracht een knaapje. Zij zetten zich om het houten tafeltje en legden luchtig de vingers op, elkaâr nieuwsgierig, wantrouwig aankijkende, mevrouw Rantzow plechtig, Eva geamuzeerd, Ida somber, Van Helderen onverschillig glimlachende. Eensklaps kwam een strakke trek over het mooie nonna-gezichtje van Ida.

De tafel trilde...

Men keek elkaâr verschrikt aan, de dokter grinnikte.

Toen, langzaam, lichtte de tafel een van hare drie pooten op, en zette die weêr voorzichtig neêr.

—Heeft iemand bewogen? vroeg Eva.

Zij knikten allen van neen. Ida was bleek geworden. —Ik voel trillingen in mijn vingers, murmelde zij.

De tafel, nog eens, lichtte haar poot op, draaide even knarsend op den marmeren vloer een nijdigen kwartcirkel, en zette de poot met een ruwen stamp neêr.

Zij keken elkaâr verwonderd aan.

Ida zat als wezenloos, starende, de vingers uitgespreid, als extatisch.

En de tafel, voor de derde maal, lichtte haar poot op.

4

Het was zeker heel vreemd.

Eva twijfelde even of mevrouw Rantzow de tafel oplichtte, maar toen zij de Duitsche doktersvrouw vragend aanzag, schudde deze het hoofd en zag zij, dat zij eerlijk was. Nog eens beloofde men elkaâr volle zekerheid... En toen men dus zeker van elkander was in vol vertrouwen, was het allervreemdst, dat de tafel voortging met nijdig knarsende halfcirkels en met de poot te heffen en te tikken op den marmeren vloer.

—Openbaart zich hier een geest? vroeg mevrouw Rantzow, met een blik naar de poot van de tafel.

De tafel tikte eens: ja.

Maar toen de geest zijn naam zoû spellen, de letters van zijn naam zoû tikken volgens de letters van het alfabet, kwam er:

—Z, X, R, S, A,

en was de openbaring niet te volgen.

Plotseling echter, ging de tafel haastig spellen, als zat iemand haar op de hielen... Men telde de tikjes en er kwam:

—Le...onie Ou...dijck...

—Wat is er van mevrouw Van Oudijck...?

Er kwam een ruw woord.

De dames schrikten, behalve Ida, die als in een transe zat.

—De tafel heeft gesproken? Wat heeft die gezegd? Wat is mevrouw Van Oudijck? riepen de stemmen door elkaâr.

—Het is ongelooflijk! murmelde Eva. Zijn wij allen eerlijk?

Ieder zwoer zijn eerlijkheid.

—Laten wij heusch eerlijk zijn, anders is er geen aardigheid aan... Ik woû zoo gaarne, dat ik zeker kon zijn...

Dat wilden zij allen: mevrouw Rantzow, Ida, Van Helderen, Eva. De anderen staarden nieuwsgierig toe, geloovende, maar de dokter geloofde niet: hij grinnikte.

Maar de tafel knarste nijdig en tikte en de poot herhaalde:

—Een...

En de poot herhaalde het ruwe woord.

—Waarom? vroeg mevrouw Rantzow.

De tafel tikte.

—Schrijf op, Onno! zei Eva tot haar man.

Eldersma zocht een potlood, papier, schreef op.

Er kwamen drie namen: een van een Raad van Indië, een van een Directeur, een van een jong mensch van den handel.

—Als in Indië de menschen niet kwaad spreken, spreken de tafels kwaad! zei Eva.

—De geesten... murmelde Ida.

—Dit zijn meestal spotgeesten, doceerde mevrouw Rantzow.

Maar de tafel tikte voort...

—Schrijf op, Onno! zei Eva.

Eldersma schreef.

—A-d-d-y! tikte de poot.

—Neen! riepen alle stemmen door elkaâr, heftig ontkennend. Nu vergist de tafel zich! Ten minste de jonge de Luce is nog nooit met mevrouw Van Oudijck samen genoemd.

—T-h-e-o! verbeterde toen de tafel.

—Haar stiefzoon! Het is verschrikkelijk! Dat is wat anders! Algemeen bekend! riepen de stemmen, toestemmende uit.

—Maar dat weten wij! zei mevrouw Rantzow, met haar blik naar de poot van de tafel. Kom, zeg nu iets, dat wij niet weten? Kom nu, tafel; kom nu, geest!

Zij sprak lief overtuigend tot de tafelpoot. Men lachte. De tafel knarste.

—Ernstig zijn! waarschuwde mevrouw Doorn de Bruijn.

De tafel bonsde neêr op Ida's schoot.

—Adoe! riep het mooie nonna-tje, als ontwakende uit hare transe. Tegen mijn buik...!

Men lachte, men lachte. De tafel draaide boos rond, en zij stonden van hunne stoelen op, de handen op het knaapje en volgden de nijdige walsbeweging van het tafeltje meê.

—Het... volgende... jaar... tikte de tafel.

Eldersma schreef op.

—Ontzettende... oorlog...

—Tusschen wie en wie...?

—Europa... en... China.

—Dat klinkt als een sprookje! grinnikte dokter Rantzow.

—La... boe... wangi, tikte de tafel.

—Wat? vroegen zij.

—Is... een... gat...

—Zeg nu iets ernstigs, tafel, smeekte mevrouw Rantzow lief, met hare prettige Duitsche matrone-manier.

—Ge... vaar... tikte de tafel.

—Waar?

—Dreigt... ging de tafel voort... Laboe... wangi.

—Gevaar dreigt Laboewangi?

—Ja! tikte de tafel eéns, nijdig.

—Welk gevaar?

—Opstand...

—Opstand? Wie staan er op?

—Binnen twee... maanden... Soenario...

Men werd aandachtig.

Maar de tafel, in eens, onverwachts, sloeg weêr tegen Ida's schoot aan.

—Adoe dan toch! riep het vrouwtje.

De tafel wilde niet meer.

—Moê... tikte ze.

Men bleef de handen opleggen.

—Uitscheiden... tikte de tafel.

De dokter, grinnikend, legde zijn korte, breede hand op, als een dwang.

—Vrek! schold de tafel uit, knarsend, draaiend. Ploert! schold ze verder.

En er kwamen eenige vieze woorden na, aan het adres van den dokter, als riep een straatjongen ze na; vuile woorden, zonder slot, noch zin.

—Wie verzint die woorden? vroeg Eva verontwaardigd.

Klaarblijkelijk verzon niemand ze, noch de drie dames, noch Van Helderen, altijd zeer in de puntjes en die klaarblijkelijk verontwaardigd was over de ongegeneerdheid van den spotgeest.

—Het is heusch een geest! zei Ida bleek.

—Ik schei uit, zei Eva zenuwachtig en hief hare vingers op. Ik begrijp niets van dien onzin. Het is wel vermakelijk... maar de tafel is niet gewend aan fatsoenlijk gezelschap.

—Wij hebben een nieuwe ressource voor Laboewangi! spotte Eldersma. Geen pic-nic meer, geen bal... maar tafeldans!

—Wij moeten ons oefenen! zei mevrouw Doorn de Bruijn.

Eva haalde de schouders op.

—Het is onverklaarbaar, zeide ze. Ik kan niet anders gelooven, dan dat wij allen eerlijk waren. Het is niets voor Van Helderen om zulke woorden te suggereeren.

—Mevrouw! verdedigde Van Helderen zich.

—Wij moeten het meer doen, zei Ida. Kijk, daar gaat een hadji het erf af...

Zij wees naar den tuin.

—Een hadji? vroeg Eva.

Zij zagen in den tuin. Er was niets te zien.

—O, neen, zei Ida. Toch niet. Ik dacht, dat het een hadji was... Het is niets: de maneschijn...

Het was al laat. Zij namen afscheid, lachende, vroolijk, zich verwonderende, maar geen verklaring vindende.

—Als de dames nu maar niet zenuwachtig zijn geworden! zei de dokter.

Neen, betrekkelijk waren zij niet zenuwachtig. Zij waren meer geamuzeerd, al begrepen zij niet.

Het was twee uur, nu zij gingen. De stad was doodstil, sluimerende in de fluweelen schaduw der tuinen, terwijl de maneschijn stroomde.

5

Den volgenden dag, toen Eldersma naar het bureau was en Eva huishoudelijk door haar huis liep, in sarong en kabaai, zag zij Frans van Helderen door den tuin komen.

—Mag ik? riep hij.

—Zeker! riep zij. Kom binnen. Maar ik ben op weg naar mijn goe-dang[1].

En zij toonde haar sleutelmandje.

—Ik moet over een half uur bij den rezident zijn, maar ik ben te vroeg... Daarom loop ik even aan.

Zij glimlachte.

—Maar ik ben bezig, hoor! zeide zij. Ga maar meê naar de goedang[1].

Hij volgde haar: hij droeg een zwart lustre jasje, omdat hij straks naar den rezident moest.

—Hoe is Ida? vroeg Eva. Heeft zij goed geslapen na de spiritisti-sche séance van gisteren?

—Zoo zoo, zei Frans van Helderen. Ik geloof niet, dat het goed voor haar is het weêr te doen. Zij werd telkens wakker met een schrik, ze viel me om den hals en vroeg vergeving, ik weet niet waarom.

—Het heeft mij heelemaal niet nerveus gemaakt, zei Eva. Hoewel ik er niets van begrijp...

Zij opende de goedang, zij riep hare kokkie, bedisselde met deze het eten. De kokkie was latta[2], en Eva had er pleizier in de oude meid te plagen.

—La... la-illa-lala! riep zij en de kokkie schrikte en riep terug, her-stelde zich oogenblikkelijk, vergiffenis smeekend.

—Boeang, kokkie, boeang![3] riep Eva en de kokkie, gesuggereerd, gooide een tetampa[4] met ramboetans en mangistans neêr, dadelijk zich herstellende, smeekende, de verspreide vruchten oprapend— en haar hoofd schuddende en smakkende met de tong.

—Kom, ga meê! zei Eva tot Frans. Anders breekt ze me straks mijn eieren. Ajo, kokkie, kloear![5]

1 Provizie-kamer.
2 Latta, een nerveuze ziekte van oogenblikkelijk gesuggereerde imitatie, met ook plotselinge herstellingen.
3 Gooi neêr!
4 Draagblad.
5 Naar buiten!

—Ajo, kloear! herhaalde de latta kokkie. Alla, njonja, minta ampon¹, njonja, alla soeda njonja!

—Kom nog even zitten, vroeg Eva.

    Hij volgde haar.

—U is zoo vroolijk, zeide hij.

—U niet?

—Neen, ik ben melancholiek, den laatsten tijd.

—Ik ook. Dat zei ik je gisteren. Het ligt in de lucht van Laboewangi. Wij moeten maar alles van onzen tafeldans verwachten.

    Zij zetten zich in de achtergalerij. Hij zuchtte.

—Wat is er? vroeg zij.

—Ik kan het niet helpen, zeide hij. Ik hoû van je, ik heb je lief.

    Zij zweeg even.

—Alweêr, zeide zij verwijtend.

    Hij antwoordde niet.

—Ik heb je gezegd, ik heb geen liefdenatuur. Ik ben koud. Ik hoû van mijn man, van mijn kind. Laat ons vrienden zijn, Van Helderen.

—Ik strijd er tegen: het geeft niets.

—Ik hoû van Ida, ik zoû haar voor niets ter wereld ongelukkig willen maken.

—Ik geloof niet, dat ik ooit van haar gehouden heb.

—Van Helderen...

—Misschien alleen van haar mooie gezichtje. Maar hoe blank ook, zij is een nonna. Met haar kuurtjes, haar kinderachtige tragiekjes. Ik heb dat vroeger zoo niet ingezien. Nu zie ik het in. Ik heb wel voor u Europeesche vrouwen ontmoet. Maar u is mij een openbaring geweest, van al het bekoorlijke, gratieuze, artistieke in een vrouw... Wat in u exotisch is, sympathizeert aan mijn exotisme.

—Ik stel je vriendschap op hoogen prijs. Laat dat zoo blijven.

—Soms ben ik net gek, soms droom ik... dat wij samen in Europa reizen, in Italië, in Parijs zijn. Soms zie ik ons samen, in een dichte kamer, bij een vuur, u pratende over kunst en ik over het modern-sociale van dezen tijd. Maar daarna zie ik ons intiemer.

—Van Helderen...

¹ Vergeving!

—Het geeft mij niet meer of u mij waarschuwt. Ik heb je lief, Eva, Eva...

—Ik geloof, dat in geen land zooveel lief wordt gehad als in Indië. Het is zeker door de warmte...

—Verpletter me niet onder je sarcasme. Geen vrouw heeft ooit zoo tot mijn geheele ziel-en-lichaam gesproken als jij, Eva...

Zij haalde de schouders op.

—Wees niet boos, Van Helderen, maar ik kàn niet tegen die banaliteiten. Laat ons verstandig zijn. Ik heb een charmante man, jij een lief vrouwtje. Wij zijn onderling goede, gezellige vrienden.

—Je bent zoo koel.

—Ik wil ons geluk van vriendschap niet bederven.—Vriendschap!

—Vriendschap. Er is niets wat ik buiten het geluk in mijn huis zoo hoog waardeer. Ik zoû zonder vrienden niet kunnen leven. Gelukkig met mijn man, met mijn kind, heb ik daarna vrienden het eerst noodig.

—Om je te bewonderen, om over ze te heerschen, zei hij boos.

Zij zag hem aan.

—Misschien, zeide zij koel. Ik heb misschien behoefte bewonderd te worden en te heerschen. Wij hebben allen onze zwakheden.

—Ik heb de mijne, sprak hij bitter.

—Kom, sprak zij, liever. Laat ons goede vrienden blijven.

—Ik voel mij diep ongelukkig, zeide hij dof. Het is of ik alles gemist heb in mijn leven. Ik ben nooit van Java afgeweest, en ik voel iets onvolkomens in mij, omdat ik nooit sneeuw en ijs heb gezien. Sneeuw... dat is mij iets als een vreemde, onbekende zuiverheid. Waarheen ik verlang, kom ik zelfs nooit langs. Wanneer zie ik Europa? Wanneer dweep ik niet meer met den Trouvère en ben ik eens te Bayreuth? Wanneer bereik ik jou, Eva. Ik strek naar alles voelhorens uit, als een insect zonder vleugels... Wat is verder mijn leven. Met Ida, met drie kinderen, in wie ik hun moeder voorzie, jaren lang controleur blijven, dan—misschien, assistentrezident worden... en het blijven. En dan eindelijk ontslag krijgen, of vragen, en te Soekaboemi gaan wonen, vegeteerende op een klein pensioen. Ik voel in mij alles verlangen naar het ledige...

—Je hebt toch je werk lief, je bent een goed ambtenaar. Eldersma zegt het altijd: wie in Indië niet werkt en zijn werk niet liefheeft, is verloren...

—Jij hebt geen natuur van liefde, en ik heb er geen van werken, van *niets* dan werken. Ik kan werken voor een doel, dat ik mooi voor mij zie, maar ik kan niet werken... om te werken en de leêgte van mijn leven te vullen.

—Je doel is Indië...

Hij haalde de schouders op.

—Een groot woord, zeide hij. Dat kan zijn voor iemand als de rezident, wien het meêloopt in zijn carrière, die nooit heeft zitten turen op ranglijsten en heeft zitten speculeeren, op den een zijn ziekte en den ander zijn dood... om promotie. Voor iemand als Van Oudijck, die waarlijk, in volle idealistische eerlijkheid meent, dat zijn doel Indië is, niet voor Holland, maar voor Indië zelf; voor den Javaan, dien hij, ambtenaar, beschermt tegen de willekeur van landheeren en planters. Ik ben cynischer aangelegd...

—Maar wees niet lauw over Indië. Het is geen groot woord: ik voel het zoo. Indië is geheel onze grootheid, van ons, Hollanders. Hoor vreemdelingen spreken over Indië, zij zijn allen verrukt over de glorie ervan, over onze wijze van kolonizeeren... Doe niet meê met onzen ellendigen Hollandschen geest in Holland, die niets van Indië weet, die altijd een woord van spot heeft voor Indië, in hun kleine, stijve, burgerlijke engdenkendheid...

—Ik wist niet, dat u zoo met Indië dweepte. Gisteren nog voelde u hier angst, en verdedigde ik mijn land...

—O, ik voel er de huivering van, de geheimzinnigheid in den avond, waarin iets schijnt aan te dreigen, ik weet niet wat: een bange toekomst, een gevaar voor ons, voor ons... Ik voel, dat ik—persoonlijk—ver van Indië af blijf staan, al wil ik het niet... Dat ik hier mis kunst, dat, waarin ik werd opgevoed. Dat ik hier mis in het leven van de menschen de mooie lijn, waarop mijn beide ouders mij altijd wezen... Maar onrechtvaardig ben ik niet. En Indië, als onze kolonie, vind ik groot; ons, in onze kolonie, vind ik groot...

—Vroeger misschien, nu verongelukt alles, nu zijn wij niet groot meer. U is een artistieke natuur: u zoekt, niettegenstaande u ze zelden vindt, tòch altijd de artistieke lijn in Indië. En dan komt dat groote, die glorie u voor den geest. Dat is de poëzie. Het proza is: een reusachtige maar uitgeputte kolonie, steeds uit Holland bestuurd met één idee: winstbejag. De werkelijkheid is niet: de overheerscher groot in Indië, maar de overheerscher kleine armzielige uitzuiger; het land uitgezogen, en de werkelijke bevolking—niet de Hollander, die zijn Indiesch geld opmaakt in Den Haag; maar de bevolking, de Indosche bevolking, verknocht aan den Indischen grond,—neêrgedrukt in de minachting van den overheerscher, die éens die bevolking uit zijn eigen bloed verwekte—maar nú dreigende op te staan uit dien druk en die minachting... U, artistiek, voelt het gevaar naderen, vaag, als een wolk, in de lucht, in den Indischen nacht; ik zie het gevaar al heel werkelijk oprijzen—voor Holland—zoo niet van Amerika en van Japan uit, dan uit Indië's eigen grond.

Zij glimlachte.

—Ik hoû ervan als je zoo praat, zeide zij. Ik zoû je eindelijk gelijk geven.

—Als ik met praten zoovéel bereiken kon! lachte hij bitter, opstaande. Mijn halfuur is om: de rezident wacht mij en hij houdt er niet van een enkele minuut te wachten. Adieu, vergeef mij.

—Zeg mij, zeide zij; ben ik coquet?

—Neen, antwoordde hij. U is die u is. En ik kan niet anders, ik heb u lief... Ik strek mijn arme voelhorens uit, altijd. Dat is mijn noodlot...

—Ik zal u helpen mij te vergeten, zeide zij, met een lieve overtuiging.

Hij lachte even, groette, ging. Zij zag hem oversteken den weg naar het rezidentie-erf, waar een oppasser hem tegemoet kwam...

—Eigenlijk is het leven toch één zelfbedrog, één dwalen in illuzie, dacht zij droef, melancholiek. Een groot doel, een werelddoel... of een klein doel voor zichzelf, voor zijn eigen lijf en ziel... o God, wat is alles weinig! En wat dwalen wij rond, zonder iets te weten. En elk zoekt zich zijn doeltje, zijn illuzie. Gelukkig is alleen een exceptie, als Léonie van Oudijck, die leeft niet meer dan een mooie bloem, een mooi beest.

Haar kindje dribbelde naar haar toe, een aardige, dikke, blonde jongen.

—Kind! dacht zij. Wat zal het jou zijn? Wat zal jouw beurt je geven? Ach, misschien niets nieuws. Misschien een herhaling van wat al zooveel malen geweest is. Het leven is een roman, die zich telkens herhaalt... O, als men zich zoo voelt, dan drukt Indië!

Zij omhelsde haar jongen, hare tranen dropen in zijn blonde krulletjes.

—Van Oudijck zijn rezidentie; ik mijn kringetje van... bewondering en heerschen;... Frans zijn liefde... voor mij... wij hebben allen ons speelgoed, zooals mijn kleine Onno met zijn paardje speelt. Wat zijn wij weinig, wat zijn wij weinig...! Ons geheele leven lang stellen wij ons aan, verbeelden ons van alles, denken lijn en richting en doel te geven aan ons arme dwaalleventje. O, hoe kom ik zoo, mijn kind? Mijn kind, en wat, wat zal het jou zijn??

III

I

Vijftien paal van Laboewangi, dertien paal van Ngadjiwa lag de suikerfabriek Patjaram, van de familie de Luce—half Indosch, half Solosch—vroeger millionair, door de laatste suikercrizis niet zoo rijk meer, maar toch nog een talrijk huisgezin onderhoudend. In deze familie, die zich steeds bij elkander hield—een oude moeder-en-grootmoeder, Solosche prinses; de oudste zoon, administrateur; drie dochters getrouwd en met haar mannen—employé's—levende in de schaduw der fabriek; drie jongere zonen, werkzaam op de fabriek; de talrijke kleinkinderen, spelende om en bij de fabriek; de achterkleinkinderen kiemende om en bij de fabriek—in deze familie waren de oude Indische tradities bewaard, die—vroeger algemeen—tegenwoordig zeldzamer worden door een drukker Europeesch verkeer. De moeder-en-grootmoeder was een dochter van een Soloschen prins, getrouwd met een jongen, energieken avonturier en bohémien, van een adellijke Fransche familie uit Mauritius, Ferdinand de Luce, die, na eenige jaren zwerven en zoeken zijn plaats in de wereld, als hofmeester op een boot naar Indië was getogen, na allerlei levensverwisseling gestrand was te Solo en er beroemd was geworden om een gerecht van tomaten, en een van gefarceerde lomboks[1]! Door zijn recepten verschafte Ferdinand de Luce zich toegang tot den Soloschen prins, wiens dochter hij later huwde, en zelfs tot den ouden Soesoehoenan. Na zijn huwelijk was hij grondbezitter geworden, volgens den Soloschen adat vazal van den Soesoehoenan, wien hij iederen dag rijst en vruchten voor de huishouding der Dalem[2] zond. Toen had hij zich gelanceerd in de suiker, radende de millioenen, die een goedgunstig lot voor hem verborgen hield. Hij was gestorven vóór de crizis, in allen rijkdom en eer.

De oude grootmoeder, in wie niets meer de jonge prinses herinnerde, die Ferdinand de Luce getrouwd had om vooruit te komen, werd door de bedienden en het Javaansche personeel van de fabriek nooit anders dan met een kruipenden eerbied genaderd, en ieder gaf haar den titel van Raden-Ajoe Pangéran. Zij sprak geen woord Hollandsch. Gerimpeld als een verschrompelde vrucht, met hare verdoofde oogen en hare verlepte sirihmond, leefde zij rustig hare laatste jaren voort, altijd in een donkeren zijden kabaai, met juweelen gesloten aan hals en nauwe mouwen, vóór hare getaanden blik het vizioen van haar vroegere Dalem-grootheid, door haar verlaten uit liefde voor dien Franschen edelman-kok, die haar vader verlekkerd had met zijn recepten; in haar gedoofd gehoor het aanhoudend geruisch der centrifuges—als van stoombootschroeven—gedurende den maandenlangen maal-tijd—om zich heen haar kinderen, kleinkinderen, achterkleinkinderen; de zonen en dochteren door de bedienden genoemd Raden en Raden-Adjeng, allen nog altijd omgeven door den bleeken aureool van hunne Solosche afkomst. De oudste dochter was gehuwd met een volbloed, blonden Hollander; de zoon, die op haar volgde, met een Armeniaansch meisje; de twee andere dochters waren gehuwd met Indo's, beiden bruin, hunne kinderen, bruin,—getrouwd, en ook kin-

1 Spaansche peper.
2 Paleis.

deren hebbend—zich mengende met de blonde familie der oudste dochter; en de glorie der geheele familie was de jongste zoon-en-broeder, Adrien of Addy, die Doddy van Oudijck het hofmaakte, en, trots de drukte van den maal-tijd, telkens te Laboewangi was.

In deze familie waren bewaard gebleven traditie's, die al uitgestorven zijn,—zooals men zich ze herinnert bij Indische familie's van jaren her. Hier vond men nog, op het erf, in de achtergalerij de tallooze baboe's, van wie er eene alleen bedak fijn wrijft, een andere voor doepa[1] zorgt, een derde sambal stampt, allen met droomende oogen, met lenige, spelende vingers. Hier was het nog, dat de rei der schotels aan de rijsttafel geen einde nam; dat een lange rei bedienden—de een na den ander—weêr een andere sajoer, weêr een andere lodèh[2], weêr een andere ajam[3] plechtig ronddiende, terwijl, achter de dames gehurkt, de baboe's in een aarden tjobè[4] sambal wreven naar de verschillende smaken en eischen der verwende verhemeltetjes. Hier was het nog de gewoonte, dat, als de familie de races bijwoonde te Ngadjiwa, elk der dames verscheen met een baboe achter zich, langzaam, lenig, plechtig; de eene baboe met een bedak-potje, de andere met een pepermunt-bonbonnière—een binocle—een waaier—een flacon, als een hofstoet met rijks-insignieën. Hier vond men ook nog de gastvrijheid van vroeger; de rei logeerkamers open voor wie aanklopte; hier kon men blijven zoolang men wilde; niemand vroeg naar reisdoel, naar datum van vertrek. Een groote eenvoud van ziel, een alomvattende hartelijkheid, gedachteloos en ingeboren, heerschte hier met een grenzelooze verveling en matheid, de ideeën geene, de woorden weinige, de zachte glimlach vergoedende idee en woord; het materieele leven zat-vol, den geheelen dag rondgedien van koele dranken en kwee-kwee's en roedjak, drie baboe's apart aangewezen om roedjak te maken en kwee-kwee. Tal van dieren over het erf: een kooi vol apen, eenige lorre's, honden, katten, tamme badjings, en een kant-

1 Wierook.
2 Groente-sausen.
3 Kip.
4 Vijzel.

jil: een klein exquis hertje, dat vrij rondliep. Het huis, gebouwd aan de fabriek, in den maal-tijd dreunende van het machine-ge-druisch—het stoomboot-schroefgeluid—was ruim en met de oude, ouderwetsche meubels gemeubeleerd: de lage houten bedden met vier gesculpteerde klamboe[1]-stijlen, de tafels met dikke pooten, de wipstoelen met bizonder ronde ruggen,—alles zooals men het niet meer zoû kunnen koopen, alles zonder één moderne tint, behalve— alleen gedurende den maal-tijd—het electrische licht in de voorga-lerij! De bewoners, altijd ongekleed, de heeren in het wit of blauw-gestreept; de dames in sarong en kabaai, zich bezig houdende met aap of lorre of kantjil, in eenvoud van ziel, met altijd de zelfde lieve aardigheid, langzaam en slepend, en het zelfde zachte lachje. De hartstochten, die er wel waren, sluimerden in, in dien zachten glim-lach. Dan, de maal-tijd voorbij, alle drukte voorbij—als de rissen der suikerkarren, getrokken door de prachtige sappi's[2], met glan-zende bruine huiden, altijd en altijd meer riet aangebracht hadden over den met ampas[3] bedekten weg, die vernield was door de bree-de karresporen —; de bibit[4] voor het volgende jaar gekocht, de machines stil—plotselinge herademing uit den stagen arbeid, de zoo lange, lange Zondag, de rust van maanden, de behoefte aan feest en pret: het groote diner bij de landvrouw, met een bal en tableaux-vivants; het geheele huis vol gasten, die bleven en bleven, bekend en onbekend: de oude, gerimpelde grootmama, de land-vrouw, de Raden-Ajoe, mevrouw de Luce, hoe men haar ook noe-men wilde—beminnelijk met hare doffe oogen en haar sirih-mond, beminnelijk tegen iedereen, achter zich steeds een anak-mas, een 'gouden kindje', een opgenomen, arm prinsesje, dat haar, de groote prinses uit Solo, een gouden sirih-doos achterna droeg: een klein slank vrouwtje van acht jaar, het voorhaar met een franje geknipt, met natte bedak het voorhoofd geblankt, al ronde borstjes onder het roze zijden kabaaitje en de gouden miniatuur-sarong om de

1 Gordijn.
2 Rund.
3 Rietvezels.
4 Zaad.

smalle heupjes, als een poppetje, een speelgoed voor de Raden-Ajoe, mevrouw de Luce, douairière de Luce. En voor de kampongs de volksfeesten, een al-oude mildheid, waarin geheel Patjaram deelde: volgens de traditie der millioenentijd, die altijd werd nagekomen, trots crizis en malaise.

Het was nu na den maal-tijd en na de feesten een betrekkelijke rust in huis, en eene slepende Indische kalmte was ingetreden. Maar voor de feesten waren overgekomen mevrouw Van Oudijck, Theo en Doddy en zij logeerden gedurende enkele dagen nog te Patjaram. Om de ronde marmeren tafel, waarop glazen stroop, limonade, whiskey-soda zat een groote cirkel van menschen: zij spraken niet veel, zij schommelden behagelijk op en neêr, nu en dan wisselend een enkel woord. Mevrouw de Luce en mevrouw Van Oudijck spraken Maleisch, maar niet veel: een zachte, goedmoedige verveling zeefde neêr op zoo vele schommelende menschen. Vreemd was het te zien die verschillende types; de mooie melkblanke Léonie naast de geel gerimpelde Raden-Ajoe-douairière; Theo, Hollandsch blank en blond met zijn volle lippen van sensualiteit, die hij van zijne nonna-moeder had; Doddy, als een rijpe roos al met hare vonkel-irissen in de zwarte pupillen; de zoon-administrateur, Achille de Luce, — groot, forsch, bruin, — wiens gedachte alleen ging over zijn machinerieën en zijn bibit; de tweede zoon, Roger, — klein, mager, bruin, — boekhouder, wiens gedachte alleen ging over de winst van dat jaar, met zijn Armeniaansche vrouwtje; de oudste dochter, al oud, — dom leelijk, bruin, — met haar volbloed Hollandschen man, die er uitzag als een boer; de andere zonen en dochteren, in alle nuances van bruin, en niet dadelijk uit elkaâr te kennen; om hen heen de kinderen, de kleinkinderen, de baboe's, de kleine gouden pleegkinderen, de lorre's en de kantjil — en over al deze menschen en kinderen en beesten als uitgeschud éene goedhartigheid van samenleving, maar ook over alle de menschen éen trots op hun Solosche stammoeder, die achter hun aller hoofden een bleeken aureool van Javaansche aristocratie deed glimmen, waarop niet het minst fier waren de Armeniaansche schoondochter en de boersch Hollandsche schoonzoon.

Het levendigst van al deze, door lang patriarchaal samenleven in

elkaâr versmeltende elementen, was de jongste zoon, Adrien de
Luce, Addy, in wien het bloed van de Solosche prinses en dat van
den Franschen avonturier zich harmonieus vermengd hadden,
menging, die hem wel geen hersenen had gegeven, maar een mooiheid van jongen sinjo, met iets van een Moor, iets verleidelijk
zuidelijks, iets Spaansch,—alsof in dit laatste kind de beide zoo
vreemde elementen van ras zich voor het eerst harmonieus hadden
gepaard, voor het eerst zich hadden gehuwd in volkomen bekend-
heid met elkaâr—alsof in hem, dit laatste kind na zoovele kinderen,
avonturier en prinses voor het eerst zich in harmonie hadden ontmoet. Iets van verbeelding of intellect scheen Addy niet te hebben,
onmachtig twee denkbeelden te vereenigen tot één groep van gedachte; voelen deed hij alleen met de vage goedhartigheid, die
neêrgezeefd was over de héele familie, en verder was hij als een
mooi dier, in zijn ziel en zijn hersenen ontaard, maar ontaard tot
niets, tot één groot niets, tot éene groote leêgheid, terwijl zijn lichaam geworden was als een wedergeboorte van ras, vol kracht en
mooiheid, terwijl zijn merg en zijn bloed en zijn vleesch en zijn
spieren geworden waren tot éene harmonie van fyzieke verleide-
lijkheid, zoo louter dom mooi zinnelijk, dat de harmonie dadelijk
sprak tot een vrouw. Deze jongen had maar te verschijnen, als een
mooie, zuidelijke god, of alle vrouwen zagen naar hem, en namen
hem op in het diepe van hare verbeelding, om hem zich later weêr
te roepen voor haar geest; deze jongen behoefde maar op een race-
bal te Ngadjiwa te komen, of alle jonge meisjes waren op hem
verliefd. Hij plukte de liefde, waar hij ze vond, volop in de kampongs van Patjaram. En alles wat vrouw was, was op hem verliefd,
van af zijn moeder tot zijn kleine nichtjes. Doddy van Oudijck was
smoorlijk op hem. Verliefd was zij van kindje van zeven al honderde malen geweest, op wien maar voorbijging voor den blik harer
vonkel-irissen, maar zooals op Addy nog nooit. Het straalde zoo uit
haar wezen, dat het was als een vlam, dat een ieder het zag, en
glimlachte. Het maal-feest was haar geweest éene verrukking—als
zij danste met hem; éene marteling—als hij danste met een ander.
Hij had haar niet gevraagd, maar zij dacht hèm te vragen ten huwelijk, en te sterven als hij niet wilde. Zij wist, de rezident, haar vader,

wilde niet; hij hield niet van die de Luce's, van die Solosche-Fransche boel, als hij zeide, maar als Addy wilde, zoû haar vader toegeven, omdat zij, Doddy, anders zoû sterven. Voor dat kind van liefde was die jongen van liefde de wereld, het heelal, het leven. Hij maakte haar het hof, hij zoende haar stilletjes op den mond, maar niet meer dan hij, gedachteloos, andere deed; hij zoende andere meisjes ook. En kon hij, dan ging hij verder, natuurlijk weg, als een verzengende jonge god, een god zonder gedachte. Maar voor de dochter van den rezident had hij nog eenig ontzag. Hij had noch moed, noch brutaliteit, zonder veel passie van keuze, vindende een vrouw een vrouw, en zoo zat van overwinning, dat hinderpalen hem niet prikkelden. Zijn tuin was vol van bloemen, die zich alle hieven naar hem toe; hij strekte de hand uit, bijna zonder te zien: hij plukte maar.

Terwijl zij schommelden om de tafel, zagen zij hem door den tuin aankomen en alle de oogen van die vrouwen gingen naar hem toe, als naar een jongen Verleider, die kwam in den zonneschijn, als een stralenkrans om hem heen. De Raden-Ajoe-douairière glimlachte en zag naar haar jongsten zoon, verliefd op haar kind, haar lieveling; achter haar, op den grond gehurkt, gluurde met groote oogen het gouden pleegkindje uit; de zusters keken uit, de nichtjes keken uit, en Doddy werd bleek, en Léonie van Oudijcks blanke melktint tintte zich met een rozen weêrschijn, die weggleed in den glans van haar glimlach. Werktuigelijk zag zij Theo aan; hunne oogen ontmoetten elkaâr. En deze zielen van liefde-alleen, van liefde der oogen, der monden, van liefde van het gloeiende vleesch, begrepen elkaâr, en Theo's jalouzie gloeide zoo fel Léonie tegen, dat de roze weêrschijn bestierf, dat zij bleek werd en bang: een plotseling onberedeneerde angst, die door hare gewone onverschilligheid heenhuiverde, terwijl de Verleider, in zijn stralenkrans van zonneschijn, nader kwam en nader...

2

Mevrouw Van Oudijck had beloofd nog een paar dagen te Patjaram te blijven, en zij zag hier eigenlijk tegen op, niet geheel thuis in dit element van ouderwetsche Indieschheid. Maar toen Addy verscheen, bezon zij zich. In het diepste geheim van zichzelve eerediende deze vrouw hare zinnelijkheid als in den tempel van haar egoïsme, offerde deze melkblanke kreole al het intieme van hare roze verbeelding aan haar onbluschbaar verlangen en in die eeredienst was zij als gekomen tot een kunst, een kennis, een wetenschap: die van met een enkelen blik vast te stellen, voor zich, wat haar aantrok in den man, die haar naderde; in den man, die haar voorbijging. In den eene was het zijn houding, was het zijn stem; in den andere was het de lijn van zijn nek op zijn schouders; in een derde was het zijn hand op zijn knie; maar wat het ook was, zij zag het dadelijk, met een enkelen blik; zij wist het oogenblikkelijk in een enkele seconde, zij had den voorbijganger geoordeeld in een ondeelbaar oogenblik, en zij wist dadelijk wien zij verwierp—en dat waren de meesten—en wien zij waardig keurde,—en dat waren er velen. En wien zij verwierp in dat ondeelbare oogenblik van haar opperste gerecht, met dien enkelen blik, in die enkele seconde, behoefde ook nooit te hopen: zij, priesteres, liet hem niet toe in den tempel. Voor de anderen was de tempel open, maar alleen achter het gordijn van hare correctheid. Hoe brutaal ook, zij was altijd correct, de liefde was altijd geheim; voor de wereld was zij niet anders dan de innemend glimlachende rezidentsvrouw, een beetje indolent; en die iedereen overwon met haar glimlach. Zag men haar niet, dan sprak men kwaad van haar; zag men haar, dan had zij dadelijk overwonnen. Tusschen allen, met wie zij het geheim van hare liefde deelde, was als een vrijmetselarij, als een mysterie van eeredienst: nauwlijks, even met elkaâr, fluisterden zij een paar woorden, bij eene zelfde herinnering. En glimlachend, melkblank, rustig, kon Léonie zitten in een grooten cirkel, om een marmeren tafel, met minstens twee, drie mannen, die wisten van het geheim. Het verstoorde niet hare rust en het bedierf niet haar glimlach. Zij glimlachte tot vervelens toe. Nauwlijks gleed haar blik van den een naar den ander, en oordeelde zij nog eens even na, met haar onfeilbare kennis van oordeel. Nauwlijks wolkten bij haar op de herinneringen aan de verleden uren, nauwlijks gedacht zij de afspraak

voor den volgenden dag. Het was het geheim, dat alleen bestond in
het mysterie van het samen-zijn, en dat immers nooit werd gesproken voor de profane wereld. Zocht in den cirkel een voet den
hare, zij trok den hare terug. Zij flirtte nooit, zij was zelfs wel eens
een beetje vervelend, stijf, correct, glimlachend. In de vrijmetselarij
tusschen de geïnitieerden en haar gaf zij het mysterie bloot, maar
voor de wereld, in de cirkels om de marmeren tafels, gaf zij zelfs
geen blik, geen handdruk, zweemde haar japon zelfs geen broeks-
pijp aan.

Zij had zich die dagen verveeld te Patjaram, waar zij de invitatie
voor het maal-feest had aangenomen, omdat zij vroegere jaren al
geweigerd had, maar nu zij Addy zag naderen, verveelde zij zich
niet meer. Natuurlijk kende zij hem al jaren lang en had zij hem zien
opgroeien van kind tot jongen, tot man, en had zij hem als jongen
zelfs wel eens gezoend. Al lang had zij hem geoordeeld, den verleider. Maar nu, terwijl hij kwam in den aureool van den zonneschijn, oordeelde zij hem nog eenmaal: zijn mooie, slanke dierlijk-
heid en het gloeien van zijn verleidersoogen in het schaduwbruin
van zijn jonge Moorengezicht, de krullende zwelling van zijn zoen-
lippen met het jonge dons van zijn knevel; het tijgersterke en lenige
van zijn Don-Juanleden: het vlamde haar alles tegen, zoodat zij de
oogen knipte. Terwijl hij groette, zich zette, een vroolijkheid van
woorden rondgooide in dien cirkel vol loome spraak en sluimerende gedachten,—alsof hij een handvol van zijn zonneschijn, van het
stofgoud zijner verleiding rondsmeet over allen, alle die vrouwen:
moeder en zusters en nichtjes en Doddy en Léonie,—zag Léonie
hem aan, zooals zij hem allen aanzagen, en haar blik gleed naar zijn
handen. Zij had die handen kunnen zoenen, zij verliefde in eens op
dien vorm van vingers, op die bruine tijgerkracht van palm; zij
verliefde in eens op geheel het jonge wilde-dierachtige, dat als een
geur van mannelijkheid wademde uit geheel dien jongen. Zij voelde haar bloed kloppen, nauwlijks betoombaar, trots hare groote
kunst zich koel en correct te houden, in de cirkels om de marmeren
tafels. Maar zij verveelde zich niet meer. Zij had een doel voor de
volgende dagen. Alleen... zoo klopte haar bloed, dat Theo haar blos
had gezien en de trilling van hare oogleden. Verliefd als hij op haar

was, had zijn oog haar ziel doordrongen. En toen zij opstonden om te rijsttafelen, in de achtergalerij, waar de baboe's al hurkten om in steenen potjes met stampers ieders verschillende oelèk¹ te wrijven, beet hij haar alleen dit woord toe:

—Pas op!!

Zij schrikte; zij voelde, dat hij haar dreigde. Dat was nooit gebeurd; allen, die gedeeld hadden in het mysterie, hadden haar altijd ontzien. Zij schrikte zoo, zij was zóó verontwaardigd om dat aanraken van het tempelgordijn—in een galerij vol menschen—dat het borrelde in hare rustige onverschilligheid, en dat zij tot opstand werd gewekt in hare altijd onbezorgde zelfkalmte. Maar zij zag hem aan, en zij zag hem blond, breed, groot, haar man in het jong, zijn Indische bloed alleen zichtbaar in de zinnelijkheid van zijn mond, en zij wilde hem niet verliezen: zij wilde zijn type hebben naast het type van den Moorschen verleider. Zij wilde hen beiden; zij wilde proeven het verschil van hun beider manne-bekoring; dat even ver-Indo'schte Hollandsche blond-en-blanke, en het wilde-dierachtige van Addy. Haar ziel trilde, haar bloed trilde, terwijl de lange rei der schotels plechtstatig rondging. Zij was zoo in opstand, als zij nog nooit was geweest. Het ontwaken uit hare placide onverschilligheid was als een wedergeboorte, als een onbekende emotie. Zij was verwonderd dertig te zijn, en dit voor het eerst te voelen. Een koortsachtige slechtheid bloeide in haar op, als met bedwelmende roode bloemen. Zij zag naar Doddy, zij zat naast Addy; zij kon bijna niet eten, het arme kind, gloeiende van liefde... O, de Verleider, die maar had te verschijnen...! En Léonie, in die koorts van slechtheid, jubelde te zijn de mededingster van hare zooveel jongere stiefdochter... Zij zoû voor haar passen, zij zoû zelfs Van Oudijck waarschuwen. Zoû het ooit tot een huwelijk komen? Wat kon het haar schelen: wat deerde haar, Léonie, huwelijk?! O, de Verleider! Nooit had zij hem, den oppersten, zoo gedroomd in haar roze uren van siësta! Dat was geen charme van cherubijntjes; dat was de sterke lucht van een tijgerbekoring: het goudgevonkel van zijn oogen, de spierlenigheid van zijn sluipende klauw... En zij glimlachte tegen

¹ Sambal van Spaansche peper.

Theo, met één blik van zich-geven: gróote zeldzaamheid in den cirkel van rijst-etende menschen. Zij gaf zich anders nooit, in publiek. Nu gaf zij zich even, blij om zijn jalouzie. Zij hield ook razend van hem. Zij vond het heerlijk, dat hij bleek en boos zag, van ijverzucht. En om haar heen was de zonnemiddag één gloed en de sambal prikkelde haar droog verhemelte. Een licht zweet parelde aan hare slapen, hare borst perelde onder de kant der kabaai. En zij had tegelijk henbeiden willen omhelzen, Theo en Addy, in eene omhelzing, in éene mengeling van verschillende lust, ze beiden drukkende tegen haar lijf aan van liefdevrouw...

3

Die nacht was als een dons van fluweel, loom neêrzevende uit de luchten. De maan, in haar eerste kwartier, vertoonde een heel smalle sikkel, horizontaal, als een Turksche halve-maan, aan wier punten het onverlichte gedeelte der schijf zich naïf uitstippelde tegen den nacht. Een lange laan van tjemara's strekte zich uit voor het landhuis, de stammen recht, het loover als uitgeplozen pluche en gerafeld fluweel, watte-achtig gedot tegen de wolken aan, die laag drijvende al een maand te voren de naderende regenmoesson aankondigden. Woudduiven kirden soms en een tokkè sloeg, eerst met twee rammelende voorslagen, als bereidde hij zich; dan met zijn vier-, vijfmaal herhaalden roep van:

—Tokkè, tokkè...! eerst krachtig, dan buigende en verzwakkende...

De gardoè[1] in zijn huisje voór aan den grooten weg, waaraan de slapende passer[2] nu zijn leêge stalletjes plekte, sloeg elf houten slagen op zijn tong-tong[3], en toen nog een heel laat karretje ging voorbij, riep hij met een schorre stem:

—Werr-da!

De nacht was als een dons van fluweel, loom neêrzevende uit de

1 Nachtwacht.
2 Markt.
3 Hol houtblok.

luchten, als een omwemelende geheimzinnigheid, als een beklemmende aandreiging van toekomst. Maar in die geheimzinnigheid, onder de geplozen zwarte watten, het gerafelde pluche der tjemara's, was als een onontkoombare verlokking tot liefde, in den windloozen nacht, als een fluisteren om dit uur niet te laten voorbijgaan... Wel als een spotgeest sarde de tokkè, droog komiek doende, en de gardoè met zijn: werda! deed schrikken, maar zachtjes kirden de woudduiven en geheel de nacht was als één dons van fluweel, als één groote alkoof, die het pluche der tjemara's gordijnen, terwijl de zwoelte der verre regenwolken—die geheele maand aan den einder—omduizelde met een drukkenden toover. Geheimzinnigheid en betoovering dreven in den donzenden nacht, zeefden neêr in de alkoof, die schemerde, versmeltende alle denken en ziel en warm vizioenende voor de zinnen...

De tokkè zweeg, de gardoè dommelde in: de donzen nacht heerschte, als een tooveres, gekroond met de sikkel der maan. Zij liepen zacht aan, twee gestalten van jeugd, de armen om elkaârs middel, mond zoekende mond in het dwingen van de betoovering. Zij schaduwden aan onder het geplozen fluweel der tjemara's, en zacht, in hun witte kleêren, blankten zij aan, als het paar van liefde, dat eeuwig is, en zich altijd herhaalt, overal. En hier vooral was het paar van liefde als onvermijdelijk in den toovernacht, was het als één met den nacht, opgeroepen door de tooveres, die heerschte —; hier was het fataal, opgebloeid als een dubbele bloem van noodlotliefde, in het donzen mysterie der dwingende luchten.

En de Verleider scheen te zijn de zoon van dien nacht, de zoon van die onontkoombare koningin van den nacht, die het meisje, zwak, voerde meê. In hare ooren scheen de nacht te zingen met zijn stem en hare kleine ziel smolt vol van hare zwakte, in de magische machten. Zij liep-aan tegen zijn zijde, voelende zijne lijfswarmte dringen door hare verlangende maagdelijkheid heen, en haar blik zwom naar hem op, met de smachtingen van haar vonkel-iris, die op-diamantte in haar pupil. Hij, dronken door de macht van den nacht, de tooveres, die was als zijn moeder, dacht haar eerst verder te voeren, aan geen werkelijkheid meer denkende, zonder ontzag meer voor haar, zonder vrees meer voor wie ook—dacht haar ver der te voeren, voorbij de gardoè, die dommelde, over den grooten weg, in de kampong, die daar school tusschen de statie-vederbossen der klapperboomen, als het baldakijn hunner liefde—haar te voeren naar een schuilplaats, een huis, dat hij kende, een bamboehut, die men voor hem zoû openen,

Toen zij eensklaps stilhield en schrikte,

En zijn arm omklemde en zich nog dichter drukte tegen hem aan en hem bezwoer van neen, dat zij bang was...

—Waarom? vroeg hij zacht, met zijn stem van fluweel, even donzig diep als geheel de nacht was, waarom dan niet, van nacht, van nacht eindelijk, zonder gevaar zoû het zijn...

Maar zij, ze rilde, ze sidderde en ze smeekte:

—Addy, Addy, neen... neen... ik durf niet verder... ik ben bang, dat de gardoè ons ziet, en dan... daar loopt... een hadji... met een witten tulband op...

Hij zag uit naar den weg; aan den overkant wachtte de kampong onder het baldakijn van de klapperboomen, met de bamboehut, die men zoû openen...

—Een hadji...? Waar Doddy? Ik zie niemand...

—Hij ging over den weg, hij keek naar ons om, hij zag ons, ik zag zijn oogen schitteren en hij is gegaan achter die boomen, in de kampong...

—Lieveling, ik heb niets gezien...

—Jawel, jawel, ik durf niet, Addy: o toe, laat ons teruggaan!!

Zijn mooi Moorsch gezicht verduisterde: hij zag al het hutje zich openen door de oude vrouw, die hij kende, die hem aanbad als iedere vrouw hem aanbad, van zijn moeder af tot zijn kleine nichtjes.

En nog eens poogde hij haar over te halen, maar zij wilde niet, zij bleef staan, zij klampte zich op hare voetjes. Toen keerden zij terug, en zwoeler waren de wolken, laag aan den horizon, en dichter was het dons van den nacht, als een warme sneeuw; voller, zwarter was het gerafel van de tjemara's. Het landhuis schemerde op, onverlicht, diep in slaap. En hij smeekte haar, hij bezwoer haar hem dien nacht niet te verlaten, dat hij sterven zoû, dien nacht, zonder haar... Al gaf zij toe, beloofde, hare armen om zijn hals... toen zij weêr schrikte en weêr uitriep:

—Addy... Addy... daar, alweêr... die witte figuur...

—Je schijnt overal hadji's te zien! spotte hij.

—Daar dan, kijk...

Hij keek, hij zag waarlijk nu in de donkere voorgalerij een witte figuur hen naderen. Maar het was een vrouw...

—Mama! schrikte Doddy.

Het was werkelijk Léonie en ze kwam langzaam naar hen toe.

—Doddy, zeide zij zacht. Ik heb overal naar je gezocht. Ik ben zoo bang geweest. Ik wist niet waar je was. Waarom ga je zoo laat nog wandelen? Addy... ging zij zacht voort, lief moederlijkjes als tegen twee kinderen. Hoe kan je zoo doen, en zoo laat nog met Doddy wandelen. Je moet het heusch nooit meer doen, hoor! Ik weet wel, dat het niets is, maar als iemand het zag! Je moet me belooven het *nooit* meer te doen?!

Zij smeekte het liefjes, innemend verwijtend, doende of zij hen wel begreep, of zij wel wist, dat zij voor elkaâr blaakten in den donzenden toovernacht, in hare woorden hen dadelijk vergevend. Zij zag er uit als een engel, met haar ronde, blanke gezicht in het loshangende golvende blonde haar; in de witte zijden kimono, die in soupele plooien om haar hing. En zij trok Doddy naar zich toe, en zoende het kind, en Doddy's tranen wischte zij af. En toen, zachtkens, duwde zij Doddy weg, naar hare kamer in de bijgebouwen, waar zij veilig sliep tusschen zoovele andere kamers vol dochters en vol kleinkinderen van de oude mevrouw de Luce. En terwijl Doddy zacht weenend ging, naar de eenzaamheid van die kamer, sprak Léonie nog tegen Addy, zacht verwijtend, liefjes waarschuwend als een zuster nu, terwijl hij, mooi Moorsch bruin, met een verlegen blague voor haar stond. Zij waren in den schemer der donkere voorgalerij en buiten wierookte de nacht de onontkoombare walmen van weelde, van liefde, van donzend mysterie. En zij verweet en zij waarschuwde, en zij zeide, dat Doddy een kind was, en dat hij geen misbruik mocht maken... Hij haalde zijn schouders op, hij verdedigde zich, met zijn blague: als stofgoud vielen zijn woorden op haar, terwijl als van een tijger zijn oogen vonkelden. Hem overredende toch voortaan arme Doddy te sparen, vatte zij zijne hand—zijn hand, waarop zij verliefd was—zijn vingers, zijn palm, die zij dien morgen, in hare verwarring, had kunnen kussen—en zij drukte die hand en zij weende bijna, en zij smeekte hem genade voor Doddy... Hij merkte het eensklaps, hij zag haar aan met den bliksem van zijn wilde-dieren-blik en hij vond haar mooi, hij vond haar vrouw, melkblank, en hij wist haar priesteres vol geheime kennis... En ook over Doddy sprak hij, haar dichter naderende, haar aanvoelende, drukkende tusschen zijn handen hare beide handen, haar doende begrijpen, dat hij begreep. En nog weenende doende en smeekende, leidde zij hem voort en zij opende hare kamer. Hij zag een flauw licht en haar meid, Oerip, die zich door de buitendeur verwijderde, en zich daar te slapen legde, als een trouw dier, op een matje. Toen lachte zij hem tegemoet, en hij, verleider, was verbaasd over den gloed van den lach van die blanke en blonde verleideres, die hare zijden kimono afwierp en als een beeld voor hem stond, naakt, hare armen breidende open...

Oerip, buiten, luisterde even. En zij wilde, glimlachende, zich leggen te slapen, droomende van de mooie sarongs, die de Kandjeng haar morgen zoû geven, toen zij even schrikte en over het erf zag loopen, en verdwijnen in den nacht, een hadji met witten tulband...

4

Dien dag zoû de Regent van Ngadjiwa, de jongere broeder van Soenario, op Patjaram een bezoek komen brengen, omdat mevrouw Van Oudijck den volgenden dag vertrok. Men wachtte hem af in de voorgalerij, schommelend om de marmeren tafel, toen zijn rijtuig de lange avenue der tjemara's binnenratelde. Zij stonden allen op. En nu vooral bleek het hoe hoog de oude Raden-Ajoe, de douairière, in aanzien was, hoe nauw verwant zij was aan den Soesoehoenan zelven, want de Regent stapte uit, en zonder een stap verder te doen, hurkte hij neêr op de eerste trap van de voorgalerij, en maakte eerbiedig de semba, terwijl, achter zijn rug, een volgeling, die de gesloten goud-en-witten pajong als een dichtgestraalde zon ophield, zich nog kleiner maakte en kromp in-een van vernietiging. En de oude vrouw, de Solosche prinses, die weêr de Dalem voor haar oogen zag schitteren, naderde hem, heette den Regent welkom in de hoffelijkheid van het paleis-Javaansch—de taal tusschen vorstelijke gelijken—tot de Regent oprees, en, achter haar, den familiekring naderde. En de wijze, waarop hij toen eerst groette de vrouw van zijn rezident, hoe beleefd ook, was bijna neêrbuigend, vergeleken bij zijn kruiperigheid van zoo even... Hij zette zich toen tusschen mevrouw de Luce en mevrouw Van Oudijck, en een slepend gesprek begon. De Regent van Ngadjiwa was een ander type dan zijn broeder Soenario: grooter, grover, zonder dat levende wajang-poppige, van dezen: hoewel jonger, zag hij er ouder uit, zijn trekken verstard van hartstocht, zijn oogen verbrand van hartstocht: hartstocht voor vrouwen, voor wijn, hartstocht voor opium, hartstocht vooral voor spel. En een stille gedachte scheen op te vonkelen in dat slepende loome gesprek, zonder idee en de woorden zoo weinig, telkens gescandeerd door het hoffelijke: saja, saja, waarachter zij allen verborgen hun geheime verlangen... Men sprak Maleisch, omdat mevrouw Van Oudijck niet Javaansch dorst praten: de fijne, moeilijke taal, vol tinten van etiquette, waaraan nauwlijks een enkele Hollander zich waagt tegenover Javanen van rang. Zij spraken weinig, zij schommelden zacht; een vage glimlach van hoffelijkheid duidde aan, dat ieder meê deed met het gesprek, ook al wisselden alleen mevrouw de Luce en de Regent nu en dan een enkel woord... Tot zij eindelijk, de de Luces, de oude mama, de zoon Roger, de bruine schoondochters, zich niet inhouden konden, zelfs niet voor mevrouw Van Oudijck en verlegen lachten, terwijl dranken en koek werden rondgediend; tot zij, trots hunne hoffelijkheid, elkaâr snel raadpleegden met een paar woorden Javaansch, over Léonie heen, en de oude mama eindelijk haar vroeg, zich niet meester meer, of zij het kwalijk zoû nemen, als zij een oogenblikje speelden. En zij zagen haar allen aan, de vrouw van den rezident, de vrouw van den gezagsman, die, zij wisten het, haatte hun dobbelspel: hun verderf, waarin verongelukte de hoogheid der Javaansche geslachten, die hij hoog wilde houden, trots henzelve. Maar zij, te onverschillig, dacht er niet aan met een enkel woord van tactvolle scherts hen te weêrhouden, haar man te wille:

zij, de slavin van haar eigen hartstocht, liet hen slaven zijn van den hunne, in de wellust van hun slavernij. Zij glimlachte alleen, en duldde gaarne, dat in den schemer van de wijde vierkante binnengalerij zich de spelers trokken terug; de dames, nu begeerig tellende haar geld in haar zakdoek, wisselende bij de heeren, tot zij zich zetten dicht bij elkaâr, en, de oogen op de kaarten, de oogen spiedende in elkanders oogen, speelden en speelden eindeloos door, winnende, verliezende, betalende of opstrijkende, den zakdoek met geld even open en weêr dicht, zonder woorden, alleen met het klein vierkant gedwarrel der kaarten, in den schemer van het binnenvertrek. Speelden zij slikoer of 'stooteren'? Léonie wist het niet, onverschillig, ver van die passie en blij, dat Addy naast haar bleef en Theo jaloersch hem aanzag. Wist hij wat, vermoedde hij iets; zoû Oerip altijd zwijgen? Zij genoot in de emotie en zij wilde hen beiden, zij wilde blank en bruin beide, en dat Doddy zat aan de andere zijde van Addy en, bijna verkwijnd, schommelde, deed haar een acuut en slecht pleizier. Wat was er anders in het leven, dan zich te laten gaan naar den drang van zijn weelde-verlangen? Zij had geen ambitie, onverschillig voor het hooge van hare pozitie; zij, de eerste vrouw der rezidentie, die al haar verplichting schoof op Eva Eldersma, wie het geen aandoening gaf, dat honderden op de receptie's te Laboewangi, te Ngadjiwa en elders haar begroetten met eene plichtpleging, die zweemde naar vorstelijk eerbetoon,—die stilletjes, in haar roze pervers gedroom—een roman van Mendès in de handen—lachte om die overdrijving der binnenlanden, waarin de rezidentsvrouw een koningin kan zijn. Zij had geene andere ambitie dan den man te hebben, dien zij waardig koos; geen ander zieleleven dan de eeredienst van haar lichaam, als een Afrodite, die priesteres van zichzelve zoû zijn. Wat kon het haar schelen of zij daar speelden, of de Regent van Ngadjiwa zich verwoestte! Zij vond het integendeel belangrijk op zijn verteerd gezicht die verwoesting gade te slaan en zij zoû zorgen zichzelve nog meer dan gewoonlijk te verzorgen, zich door Oerip te laten masseeren haar gelaat en haar leden, door Oerip nog meer te laten bereiden de blanke liquide bedak, de wondercrême, tooverzalf, waarvan Oerip wist het geheim en die het vleesch hield hard en rimpelloos en

blank als een mangistan. Zij vond het belangwekkend den Regent
van Ngadjiwa te zien opbranden als een kaars, dom, versuft van
vrouwen, wijn, opium, kaarten, misschien van kaarten het meest,
van het versuffende turen op kaarten, dobbelende, de kans berekenend, die niet te berekenen was, bijgeloovig berekenend, uittellen-
de volgens de wetenschap der petangans' den dag, het uur, dat hij
spelen moest om te winnen, het aantal van de medespelers, de hoe-
veelheid van zijn inzet... Nu en dan zag zij ter sluiks naar de gezichten der spelers, in de binnengalerij verdonkerd in schemer en winzucht, en zij bedacht, wat Van Oudijck zoû zeggen, hoe boos hij zoû
zijn, als zij hem hiervan vertelde... Wat deerde het hem of die Regentenfamilie zich ruïneerde? Wat deerde haar zijn politiek, de geheele Hollandsche politiek, die zoo gaarne in waardig aanzien
houdt den Javaanschen adel, door welken zij de bevolking regeert?
Wat deerde haar of Van Oudijck, denkende aan den ouden nobelen
Pangéran, weemoed voelde om den zichtbaren ondergang zijner
kinderen? Haar deerde het alles niets, haar deerde nu alleen zichzelve, en Addy, en Theo. Zij zoû dien middag haar stiefzoon, haar
blonde, toch zeggen, niet zoo jaloersch te zijn. Het werd zichtbaar,
zij was zeker, dat Doddy het zag. Had zij gisteren het arme kind niet
gered? Maar hoe lang zoû dat smachten duren? Zoû zij Van Oudijck
liever niet waarschuwen, als een goede, voorzichtige moeder...?
Hare gedachten dwaalden loom; de morgen was broeiend, in die
laatste zengende dagen der Oostmoesson, wanneer klamheid op de
leden parelt. Dan trilde haar lichaam. En Doddy latende met Addy,
troonde zij Theo meê, en berispte hem, dat hij zoo jaloersch keek.
Hij ziedde op, rood, de vuisten ballende, daarna smeekend, daarna
bijna huilend van machtelooze woede. Zij maakte zich een beetje
boos en vroeg wat of hij wilde...

Zij waren terzijde van het huis gegaan, in de lange zijgalerij; daar
waren apen in een kooi, pisangschillen er om heen gestrooid, van
de vruchten, die de beesten gegeten hadden, door de kleinkinderen
gevoed.

Reeds een paar maal had men gegongd voor de rijsttafel, en in de

1 Heilige noodlotsberekeningen.

achtergalerij hurkten al de baboes, wrijvende een ieders sambal. Maar om de speeltafel scheen men niets te hooren. Alleen werden de fluisterende stemmen hooger, scheller, en zoowel Léonie en Theo, als Addy en Doddy luisterden op. Een twist scheen plotseling los te barsten, trots het gesus van mevrouw de Luce, tusschen Roger en den Regent. Zij spraken Javaansch, maar zij lieten de hoffelijkheid varen. Zij scholden als koelies elkaâr voor valschspelers uit. Telkens hoorde men het sussend gedoe van de oude mevrouw de Luce, bijgestaan door hare dochters en schoondochters. Maar ruw werden stoelen verzet, een glas brak, Roger scheen de kaarten woest neêr te gooien. Alle de vrouwen daarbinnen susten met hooge stemmen, met doffe stemmen, fluisterend, met uitroepjes, met kreetjes van genade en verontwaardiging. Aan alle hoeken van het huis luisterden de bedienden, talloos. Toen zakte de twist; lange verklaringen redeneerden nog boos op tusschen den Regent en Roger; de vrouwen susten: cht...! cht...! verlegen voor de rezidentsvrouw, uitkijkende waar zij toch was. En eindelijk werd het stil en gingen zij stil zitten, hopende, dat de twist niet te veel gehoord zoû zijn. Tot ten laatste, heel laat, bij drieën, de oude mevrouw de Luce, de dobbelpassie nog lichtende in hare uitgedoofde oogen, maar waardig verzamelende al haar prestige van prinses, in de voorgalerij kwam, en, doende of er niets gebeurd was, vroeg of mevrouw Van Oudijck aan tafel kwam.

5

Ja, Theo wist. Hij had na de rijsttafel met Oerip gesproken en hoewel de meid eerst had willen ontkennen, bang de sarongs te zullen verliezen, had zij niet kunnen blijven liegen, heel zwakjes maar betuigend van neen, van neen... En nog vroeg in dien zelfden middag, had hij Addy opgezocht, razend van jalouzie. Maar gekalmeerd had hem de onverschillige rust van dien mooien jongen, met zijn Moorsche gezicht, al zoo zat van zijn overwinningen, dat hijzelve nooit ijverzucht voelde. Gekalmeerd had hem die totale afwezigheid van een enkele gedachte in dien Verleider, die oogenblikkelijk vergat, na het uur van liefde, zoo harmonisch vergat, dat Addy met oogen van naïve verbazing had opgekeken, toen Theo, rood, ziedende, in zijn kamer gekomen was en, voor zijn bed,—waarin hij lag geheel naakt, als zijne gewoonte was in zijn siësta, jong prachtig als brons, subliem als een antieke statue—had staan betuigen, dat hij hem op zijn gezicht zoû slaan... En zoo naïf was Addy's verbazing geweest, zoo harmonisch zijn onverschilligheid, zoo totaal scheen hij vergeten het liefde-uur van den vorigen nacht, zoo rustig had hij gelachen om het idee van te vechten om een vrouw, dat Theo was bedaard, en op den rand van zijn bed was gaan zitten. En toen had Addy—een paar jaren jonger, maar met zijn ongeëvenaarde ondervinding—hem toch gezegd, dat hij dat toch niet meer doen moest, zoo boos worden om een vrouw: een maîtresse, die zich gaf aan een ander. En bijna vaderlijk, meêlijdend, had Addy hem geklopt op den schouder, en omdat zij nu toch wisten van elkaâr, eens vertrouwelijk met elkaâr gesproken en elkander vertrouwelijk uitgehoord. Andere dingen vertrouwden zij elkander toe, over vrouwen, over meisjes. Theo vroeg of Addy Doddy zoû trouwen. Maar Addy zei, dat hij aan trouwen niet dacht, en dat de rezident ook niet zoû willen, omdat die van zijn familie niet hield en hen te Indiesch vond. Met een enkel woord liet hij toen uitkomen ook zijn trots op zijn Solosche afkomst, ook zijn trots op den aureool, die bleek glom achter alle hoofden der de Luce's. En Addy vroeg Theo of hij wel wist, dat hij in de kampong een broêrtje had loopen. Theo wist van niets. Maar Addy verzekerde het hem: een zoontje van papa, hoor, uit den tijd, toen de oude nog controleur was geweest te Ngadjiwa; een kerel van hun leeftijd, geheel ver-njoòd: de moeder was dood. Misschien wist de oude het zelf niet, dat hij nog een kind in de kampong had zitten, maar het was waar, iedereen wist het; de Regent wist het, de patih wist het, de wedono wist het, en de minste koelie wist het. Een werkelijk bewijs was er niet, maar wat zoo geweten werd door de heele wereld, was even waar als het bestaan van de wereld. Wat de kerel deed? Niets, vloeken, betuigend, dat hij een zoon was van den Kandjeng Toean Residèn, die hem in de kampong liet verrekken. Waarvan hij leefde? Van niets, van hetgeen hij hoogweg bedelde, van wat men hem gaf, en dan... van

allerlei praktijken: van door de districten rondgaan, door alle dessa's, en vragen of er niets te klagen viel en dan requestjes opstellen;
van lui op te porren naar Mekka te gaan en hen passage te laten
bespreken bij heel goedkoope stoombootonderneminkjes, waarvan hij stil agent was: hij ging dan tot in de verste dessa en toonde
er reclameplaten, waarop een stoomboot vol Mekka-gangers, en de
Kaaba, en het Heilige Graf van Mohammed. Zoo scharrelde hij
rond, dikwijls gemengd in standjes, eens in een ketjoe-partij, soms
gekleed met een sarong, soms met een oud gestreept katoenen pakje, en hij sliep nu hier en dan daar. En toen Theo verbaasd was, en
zeide nooit iets gehoord te hebben van dien halven broêr, en
nieuwsgierig was, stelde Addy voor hem eens op te gaan zoeken,
als hij misschien te vinden was in de kampong. En Addy, vroolijk,
nam vlug zijn bad, kleedde zich in een frisch wit pak, en zij gingen
over den weg, langs de rietvelden de kampong in. Het duisterde al
onder de zware boomen, de bananen hieven hun bladeren als frisch
groene roeispanen op, en onder het statie-baldakijn der klapperboomen, scholen de bamboe-huisjes, dichterlijk oostersch, idyl-
lisch met hun atap daken, de deurtjes dikwijls al dicht, en zoo ze
openstonden, het zwarte verschietje naar binnen omlijstend, met de
vage lijn van een baleh-baleh, waarop een duisterende figuur hurkte. De kale schurftige honden blaften; de kinderen, naakt, met bel-
letjes aan den onderbuik, liepen weg en gluurden uit de huisjes: de
vrouwen bleven rustig, den Verleider herkennend en vaag lachend,
knippend de oogen als hij voorbij ging in zijn glorie. En Addy
toonde het huisje waar zijn oude baboe woonde, Tidjem, de vrouw,
die hem hielp, die altijd haar deur voor hem opende, als hij haar
hutje noodig had, die hem aanbad, als zijn moeder hem aanbad en
zijn zusters en zijn kleine nichtjes. Hij toonde Theo het huisje en
dacht aan zijn wandeling van gisteren nacht, met Doddy, onder de
tjemara's. De baboe Tidjem zag hem en liep op hem toe, in verrukking. Zij hurkte bij hem neêr, zij omhelsde zijn been tegen haar
verlepte borst, zij wreef haar voorhoofd tegen zijn knie, zij kuste
hem op zijn witten schoen, zij zag hem aan in vervoering: haar
mooien prins, haar Raden, dien zij gewiegd had als klein mollig
jongske, in haar toen al verliefde armen. Hij klopte haar op den

schouder en gaf haar een rijksdaalder, en hij vroeg haar of zij wist waar si-Oudijck was, omdat zijn broeder hem wilde zien.

Tidjem stond op en zij wenkte hem meê: het was nog een heel eind loopen. En zij kwamen uit de kampong, op een open weg, waarlangs rails lagen en de krandjangs suiker vervoerd werden naar de prauwen, die aan een steiger daar, in den Brantas, lagen gereed. De zon ging onder, in een immense uitwaaiering van oranje straalbundels; als donker mollig fluweel gedoezeld tegen dien trots van gloed waren de verre geboomtelijnen, die de bibitvelden begrensden, nog niet beplant en liggende in sombere aarde-kleur van brake akkers uit; van de fabriek kwamen enkele mannen en vrouwen, zich begevende naar huis. Bij de rivier, bij den steiger, was onder een heiligen, vijfvoudigen, de vijf stammen in elkaâr vergroeiden, waringinboom met wijd uitwandelende wortels, een kleine passer van draagkeukentjes opgezet. Tidjem riep den veerman en hij zette hen over, over de oranje Brantas, in het laatste geel van de als een pauwestaart waaierende zon. Toen zij over waren, viel de nacht als met haastige wazen over elkaâr heen, en de wolken, die de geheele Novembermaand dreigden aan lage kimmen, drukten zwoel op de atmosfeer. En zij traden een andere kampong in, hier en daar opgelicht met een petroleumlichtje, neêrgezet, in een lang lampeglas, zonder ballon. Tot zij eindelijk kwamen bij een huisje, half van bamboe, half van Devoe-kist-planken; half met pannen, half met atap gedekt. Tidjem wees en, nog eens hurkend, en Addy's knie omhelzend en kussend, vroeg zij verlof terug te gaan. Addy klopte op de deur: een gebrom, een gestommel rommelde binnen op, maar toen Addy riep, werd de deur met een schop geopend en de beide jongelui traden binnen in de eenige kamer van het huisje—half bamboe, half petroleumplank: een baleh-baleh met een paar vuile kussens in een hoek, waarvoor een slap, chitsen gordijn bengelde—een wrakke tafel met een paar stoelen —, een petroleumlamp op, zonder ballon; en wat rommel van kleine benoodigdheden, gestapeld op een Devoe-kist in een hoek. Een verzuurde opiumlucht had alles doordrongen.

En aan de tafel zat si-Oudijck met een Arabier, terwijl een Javaansche vrouw op de baleh-baleh hurkte, zich een sirihblad bereidend. Eenige bladen papier, die op de tafel lagen tusschen den Arabier en den sinjo, frommelde de laatste haastig bijeen, zichtbaar wrevelig over het onverwachte bezoek. Maar hij herstelde zich en joviaal doende, riep hij uit:

—Zoo, Adipati, Soesoehoenan! Sultan van Patjaram! Suikerlord! Hoe maak je het, mooie vent, meidenkerel!

Zijn joviale stortvloed van begroetingen hield niet op, terwijl hij de papieren bij elkander graaide en den Arabier een teeken gaf, waarop deze door de andere deur, achter, verdween.

—En wien heb je daar bij je, Raden Mas Adrianus, lekkere Lucius...

—Je broêrtje, antwoordde Addy.

Si-Oudijck keek plotseling op.

—O zoo, zeide hij, en hij sprak half Hollandsch, gebroken, Javaansch, Maleisch door elkaâr; ik herken hem, mijn echte. En wat komt de kerel doen?

—Eens zien, hoe jij er uit ziet...

De twee broêrs zagen elkander aan, Theo nieuwsgierig, blij dit te hebben uitgevonden, als een wapen tegen den oude, zoo dit wapen eens noodig bleek; de andere, si-Oudijck, geheim in zich houdende, achter zijn bruine slimme loergezicht, al zijne jalouzie, al zijne bitterheid en haat.

—Woon je hier? vroeg Theo, om iets te zeggen.

—Neen, ik ben op het oogenblik bij haar, antwoordde si-Oudijck met een hoofdbeweging naar de vrouw.

—Is je moeder lang geleden gestorven?

—Ja. De jouwe leeft nog, niet waar? Ze is in Batavia. Ik ken haar. Zie je haar ooit?

—Neen.

—Hm... Hoû je meer van je stiefmoeder?

—Dat gaat nog al vrij wel, zei Theo droog. Ik geloof niet, dat de oude weet, dat je bestaat.

—Jawel, dat weet hij wel.

—Neen, ik geloof niet. Heb je ooit met hem gesproken?—Jawel. Vroeger al. Jaren geleden.

—En...?

—Het geeft niet. Hij zegt, dat ik zijn zoon niet ben...

—Dat zal dan ook wel moeilijk uit te maken zijn.

—Wettig ja. Maar het is een feit, en algemeen bekend. Bekend door heel Ngadjiwa.

—Heb je niets geen bewijs?

—Alleen de eed van mijn moeder, toen zij stierf, voor getuigen...

—Kom, vertel mij eens het een en ander, zei Theo. Loop een eind met ons meê, hier is het benauwd...

Zij gingen de hut uit, en door de kampongs slenterden zij terug, terwijl si-Oudijck vertelde. Zij liepen langs de Brantas, die avond-vaag slingerde onder een gepoeier van sterren.

Het deed Theo goed hiervan te hooren, van die huishoudster zijns vaders, uit diens controleurtijd, verstooten om een ontrouw, waaraan zij onschuldig was: het kind later geboren en nooit erkend, nooit gesteund; de jongen, zwervende van kampong tot kampong, romantisch prat op zijn ontaarden vader, dien hij uit de verte in het oog hield, hem volgende met zijn loerblik toen die vader assistent-rezident, rezident werd, trouwde, scheidde, weêr trouwde; te hooi en te gras wat leerende van schrijven en lezen van een magang, die hem bevriend was... Het deed den echten zoon goed hiervan te hooren, omdat hij in het diepst van zich, hoe blond en hoe blank ook, meer was de zoon van zijn moeder, de nonna, dan de zoon van zijn vader; omdat hij in het diepst van zich dien vader haatte, niet om die aanleiding of deze reden, maar om een geheimzinnige bloed-antipathie, omdat hij zich, trots zijn voorkomen en voordoen van blonden en blanken Europeaan, geheimzinnig verwant voelde aan dezen onechten broêr, een vage sympathie voor hem voelde, beiden zonen van een zelfde moederland, waarvoor hun vader niet voelde dan alleen met zijn aangeleerde ontwikkeling: de kunst-matig, humaan aangekweekte liefde der overheerschers voor den overheerschten grond. Van zijne kinderjaren af, had Theo zich zoo gevoeld, ver van zijn vader; en later was die antipathie een sluime-rende haat geworden. Het deed hem genoegen te hooren afbreken die onlaakbaarheid van zijn vader: edel mensch, hoog intègre amb-tenaar, die zijn huisgezin liefhad, die zijn rezidentie liefhad, die den Javaan liefhad, die hoog wilde houden de Regentenfamilie—niet alleen omdat zijn instructie hem in het Staatsblad voorschreef den

Javaanschen adel in aanzien te houden, maar omdat zijn eigen hart
het hem zeide, als hij zich den nobelen Pangéran heugde... Theo
wist wel, dat zijn vader zoo was, zoo onlaakbaar, zoo hoog, zoo
intègre, zoo edel, en het deed hem goed, hier, in den avond vol
geheim aan de Brantas, te hooren tornen aan die onlaakbaarheid,
aan dien hoogen, intègren adel; het deed hem goed te ontmoeten
een verstooteling, die hem in één oogenblik die hoog tronende
vaderfiguur vuil gooide met slijk en smerigheid, hem neêrtrok van
zijn voetstuk, hem laag deed zijn als ieder ander, zondig, slecht,
harteloos, onedel. Een slechte blijdschap was er om in zijn hart,
zooals er een slechte blijdschap was, dat hij bezat de vrouw van dien
vader, die die vader aanbad. Wat te doen met dat donkere geheim
wist hij nog niet, maar hij nam het tot zich als een wapen; hij wette
het, daar in dien avond, terwijl hij uithoorde den kleurling met zijn
loeroog, die uitvaarde en zich opwond. En Theo borg zijn geheim,
borg zijn wapen diep bij zich. Grieven kwamen bij hem los, en ook
hij nu, de echte zoon, schold op zijn vader, bekende hoe de rezident
hem, zijn zoon, niet meer hielp vooruit te komen dan hij den eersten
besten klerk zoû doen; hoe hij hem éénmaal had aanbevolen bij de
directie van een onmogelijke onderneming, een rijstland, waar hij,
Theo, niet langer had kunnen blijven dan een enkele maand, hoe hij
hem daarna overgelaten had aan zijn lot, hem tegenwerkte als hij
op concessie's jaagde, zelfs in andere rezidentie's dan Laboewangi,
zelfs in Borneo, tot hij nu genoodzaakt was thuis te blijven hangen
en klaploopen, niets vindende door zijn vaders schuld, getolereerd
in dat huis, waar alles hem antipathiek was...
—Behalve je stiefmoeder! viel droog in si-Oudijck.
Maar Theo ging voort, zich nu gevende op zijn beurt en den
broêr vertellende, dat al was hij erkend en gewettigd, het toch niet
vet soppen zoû zijn. Zoo wonden zij zich beiden op, blij elkander
ontmoet te hebben, bevriend in dit enkele uur. En naast hen liep
Addy, zich verwonderend over die vlugge sympathie, maar verder
zonder gedachte. Zij waren een brug overgegaan en met een om-
weg waren zij gekomen achter de fabrieksgebouwen van Patjaram.
Hier nam si-Oudijck afscheid van hen, van Theo met een handdruk, waarin deze een paar rijksdaalders liet glijden, die gretig wer-

den aangenomen, met een opflikkering van den loerblik, maar zonder een woord van dank. En langs de nu stille fabriek begaven Addy en Theo zich naar het landhuis: de familie liep buiten in den tuin en in de tjemara-laan. En terwijl de beide jongelui naderden, liep hen tegemoet het achtjarige gouden kindje, het pleegprinsesje van de oude mama, met haar franje van haar en haar gebedakte voorhoofdje, in haar rijke poppe-kleedijtje. Zij liep op hen toe en bij Addy bleef zij eensklaps staan en zag naar hem op. Addy vroeg wat zij wilde, maar het kind antwoordde niet, zag alleen naar hem op, en toen, uitstrekkende haar handje, vlijde zij hem over zijn hand met haar handje. Het was in het schuwe kind zoo duidelijk onweêrstaanbaar magnetisch: dat aanloopen, stilstaan, opkijken en vlijen, dat Addy luid oplachte, en zich bukte en haar luchtigjes kuste. Het kind, tevreden, huppelde terug. En Theo, nog opgewonden van dien middag, eerst door zijn gesprek met Oerip, door zijn verklaring met Addy, zijne ontmoeting met den halven broêr, zijne ontboezemingen over zijn vader—Theo, zich bitter voelende en interessant, was zoo geërgerd door dat onbelangrijke doen van Addy en het kleine kindje, dat hij, bijna boos, uitriep:

—Ach jij... jij wordt toch nooit iets anders dan een meidenvent!

IV

I

Het was Van Oudijck meestal meêgeloopen in het leven. Uit eene eenvoudige, Hollandsche familie, zonder geld, was zijn jeugd geweest een harde, maar nooit wreede school van reeds vroegen ernst, van dadelijk stevig-aan werken, van reeds dadelijk uitkijken naar de toekomst, naar de loopbaan, naar de plaats, die hij zoo spoedig mogelijk eervol zoû willen innemen tusschen zijn medemenschen. Zijne Indologische studiejaren te Delft waren even genoeg vroolijk geweest, om hem te laten denken, dat hij jong was geweest, en omdat hij meê had gedaan aan een maskerade, meende hij zelfs, dat hij al een heel losse jeugd had gehad, van veel geld stuk slaan en geboemel. Zijn karakter was samengesteld uit veel stil Hollandsche degelijkheid, een meestal ietwat sombere en saaie levensernst van verstandelijke praktijk: gewend uit te zien naar zijn eervolle plaats onder de menschen, was zijn ambitie rythmisch, gestadig ontwikkeld, tot een maathoudende eerzucht, maar ontwikkeld alleen in die lijn, langs welke zijn oog altijd gewoon was te turen: de hiërarchische lijn van het Binnenlandsch Bestuur. Het was hem altijd meê geloopen: van veel capaciteit, was hij veel gewaardeerd, was vroeger assistent-rezident dan de meeste en jong rezident geworden, en eigenlijk was zijn eerzucht bevredigd nu, omdat zijn betrekking van gezag geheel harmonieerde met zijn natuur, wier heerschzucht gelijkmatig met haar eerzucht was gegaan. Eigenlijk was hij nu tevreden, en hoewel zijn oog nog veel verder uit zag en voor zich zag schemeren een zetel in den Indischen Raad en zelfs de troon te Buitenzorg,—had hij dagen, waarin hij, levensernstig en tevreden, beweerde, dat rezident eerste-klasse te worden—behalve het hoogere pensioen—alleen iets voor had te Semarang en Soerabaia, maar dat de Vorstenlanden maar heel lastig waren, en Batavia zoo een eigenaardige en bijna verkleinde pozitie had, te midden van zoo vele hooge ambtenaren—Raden van Indië en Directeuren. En al zag zijn oog dus verder, zijn praktische middelmaattevredenheid zoû geheel bevredigd zijn, zoo men hem had kunnen voorspellen, dat hij rezident van Laboewangi zoû sterven. Hij had zijn gewest lief, en hij had Indië lief; naar Holland, naar het vertoon van Europeesche beschaving, verlangde hij nooit, toch zelve zeer Hollandsch gebleven, en vooral hatende alles wat halfbloed was. Het was de tegenstelling in zijn karakter, want hij had zijn eerste vrouw—een nonna—niet anders dan uit liefde genomen, en zijne kinderen, in wie het Indische bloed sprak,—uiterlijk bij Doddy, innerlijk bij Theo, terwijl René en Ricus geheel twee kleine sinjo's waren—had hij lief met een zeer sterk sprekend vaderlijk gevoel, met al het teedere en sentimenteele, dat in het diepe van hem sluimerde: behoefte om veel te geven en te ontvangen in den cirkel van zijn huiselijk leven. Langzamerhand was deze behoefte uitgebreid tot den cirkel van zijn gewest: er was in hem een vaderlijke trots op zijn assistent-rezidents en controleurs, onder wie hij populair was en die van hem hielden en alleen maar eenmaal in de zes jaren, dat hij rezident van Laboewangi was, had hij niet overweg gekund met een controleur, die kleurling was, en dien hij, na een poos geduld met hem en zich, had laten overplaatsen, had laten springen, als hij zeide. En hij was trotsch, dat hij, trots zijn straffe autoriteit, trots zijn straffen werkdrang, bemind was onder zijne ambtenaren. Des te meer deed hem leed die steeds geheimzinnige vijandschap met den Regent, zijn 'jongeren broeder', volgens de Javaansche titulatuur, en in wien hij ook gaarne den jongeren broeder gevonden had, die onder hem, den ouderen, bestuurde zijne Javaansche bevolking. Het deed hem leed, dat hij het zoo getroffen had en hij dacht dan aan andere Regenten; niet alleen aan den vader van dezen, den nobelen Pangéran, maar aan anderen, die hij kende: de Regent van D., ontwikkeld, zuiver Hollandsch sprekend en schrijvend, steller van klaar-duidelijke Hollandsche artikelen in couranten en tijdschriften; de Regent van S., jong, wat luchthartig en ijdel, maar zeer vermogend en veel goed doende, in de Europeesche samenleving als een dandy, galant tegen de dames. Waarom moest hij het zoo treffen in Laboewangi met deze stil nijdige, geheimzinnig fanatieke wajangpop, met zijn faam van heilige en toovenaar, dom verafgood door het volk, in welks welvaart hij geen belang stelde, en dat hem toch aanbad alleen om het prestige van zijn ouden naam—in wien hij altijd gevoelde een tegenwerking, nooit uitgesproken maar toch zoo duidelijk tastbaar onder zijn ijskoude correctheid! En daarbij dan nog in Ngadjiwa, de broêr, de speler, de dobbelaar —, waarom moest hij het zoo getroffen hebben met zijn Regenten?

Van Oudijck was in een sombere bui. Hij was gewoon nu en dan, geregeld, anonieme brieven te krijgen, venijnig uit stille hoekjes uitgespogen laster, nu een assistent-rezident, dan een controleur bekladderend; nu de Indische hoofden, dan zijn eigen familie besmeurend; soms in den vorm van vriendschappelijke waarschuwing, soms in die van hatelijke schaadvreugd, hem toch vooral de oogen willende openen voor de gebreken van zijne ambtenaars, voor de misdrijven van zijne vrouw.

Hij was er zoo gewoon aan, dat hij de brieven niet telde, ze vluchtig of nauwlijks las, en ze zorgeloos verscheurde. Gewoon voor zichzelven te oordeelen, maakten de nijdige waarschuwingen geen indruk, hoe zij ook als sissende slangen opstaken hare kop tusschen al de brieven, die de post hem dagelijks bracht; en voor zijne vrouw was hij zoo blind, Léonie had hij zoo altijd blijven zien in de rust van hare glimlachende onverschilligheid, en in het cirkeltje van huiselijke gezelligheid, dat zij zeer zeker om zich heen trok—in de holle leêgte van het met zijn stoelen en ottomane steeds recepiëerend rezidentie-huis —, dat hij nooit zoû kunnen gelooven aan het allerminste van al dien laster. Hij sprak er haar nooit over. Hij hield van zijn vrouw; hij was verliefd op haar, en daar hij haar in gezelschap steeds bijna stil zag, daar zij nooit flirtte of coquet was, blikte hij nooit in den verdorven afgrond, die haar ziel was. Trouwens, hij was thuis geheel blind. Hij had thuis die volslagen blindheid, die zoo dikwijls hebben mannen, zeer kundig en bekwaam in betrekking en werkkring, gewend scherp om te blikken in het wijde perspectief van hun arbeidsveld, maar bijziende thuis; gewoon te analyzeeren de massa der dingen, en niet de détails van een ziel; wier menschenkennis is gebazeerd op principe, en die de menschen in types verdeelen, als met een rolverdeeling in een ouderwetsch tooneelspel; die dadelijk doorgronden de arbeidsgeschiktheid hunner ondergeschikten, maar wie zelfs nooit aanzweemt iets van het in elkaâr geslingerd complexe, als verwarde arabesken, als verwilderde ranken van het zielsingewikkelde hunner huisgenooten, steeds blikkende over hun hoofden heen, steeds denkende over hun woorden heen, en zonder belang voor al het veeltintige, van emotie en haat en nijd en leven en liefde, dat regenboogt, vlak voor hun oog. Hij had zijn vrouw lief en hij had lief zijn kinderen, omdat hij behoefte had aan vaderlijkheid, aan vader-zijn, maar hij kende noch vrouw, noch kinderen. Van Léonie wist hij niets en nooit had hij bevroed, dat Theo en Doddy, onuitgesproken, hunne moeder, zoover, in Batavia, verongelukt tusschen onzegbare praktijken, trouw waren gebleven, en zonder liefde waren voor hem. Hij meende, dat zij wèl liefde hem gaven, en hij... als hij over ze dacht, werd een sluimerende teederheid in hem wakker.

De anonieme brieven kreeg hij iederen dag. Nooit hadden zij indruk gemaakt, maar den laatsten tijd verscheurde hij ze niet meer, maar las ze aandachtig en borg ze weg in een geheime lade. Waarom, had hij niet kunnen zeggen. Het waren beschuldigingen tegen zijn vrouw, het waren besmeuringen tegen zijn dochter. Het waren bangmakerijen, dat een kris in het duister mikte naar zijn leven. Het was hem waarschuwen, dat zijn spionnen geheel onvertrouwbaar waren. Het was hem zeggen, dat zijn verstooten vrouw gebrek leed en hem haatte; het was hem zeggen, dat hij een zoon had, naar wien hij nooit had omgekeken. Het was stil wroeten in al het geheime en duistere van zijn leven en werkkring. Ondanks zichzelven, maakte het hem somber. Het was alles vaag en hij had zich niets te verwijten. Voor zichzelven en voor de wereld, was hij goed ambtenaar, goed echtgenoot en goed vader, was hij goed mensch. Dat men hem verweet onrechtvaardig hier te hebben geoordeeld, daar wreed en onbillijk te hebben gehandeld, zijn eerste vrouw te hebben verstooten, een zoon in de kampong te hebben loopen, dat men met vuil wierp naar Léonie en Doddy—het maakte hem somber dezer dagen. Want er was met geen reden te grijpen, dat men zoo deed. Voor dezen man met zijn praktischen zin was het vage juist het ergerlijkste. Een open strijd zoû hij niet vreezen, maar dit schijngevecht in de schaduw maakte hem zenuwachtig en ziek. Hij kon niet bevroeden waarom het was. Er was niets. Hij kon zich het gelaat van een vijand niet denken. En elken dag kwamen de brieven, en iederen dag was een vijandelijkheid in schaduw om hem heen. Het was te mystiek voor zijn natuur om hem niet bitter en somber en treurig te maken. Toen verschenen, in mindere bladen, uitingen van een kleine, vijandige pers, beschuldigingen vaag of tastbaar onwaar. Een haat borrelde overal op. Hij kon niet bevroeden waarom, hij werd ziek van te peinzen waarom. En hij sprak er met niemand over en besloot zijn leed hierover diep in zich.

Hij begreep het niet. Hij kon niet bevroeden waarom het zoo was, waarom het zoo werd. Er was geen logica in. Want de logica zoû zijn, dat men hem niet haten zoû maar beminnen, hoe hoog streng men hem ook vond. En temperde hij zelfs niet die hooge strengheid zoo dikwijls onder den jovialen lach van zijn breeden snor, onder een gemoedelijkere vriendschappelijkheid van waarschuwing en terechtwijzing? Was hij op tournées niet de gezellige rezident, die de tournée met zijn ambtenaren beschouwde als een sport, als een heerlijke excursie te paard, door de koffietuinen, aandoende de koffie-goedangs; als een prettige feesttocht, die de spieren ontspande na zoo vele weken bureau-werk, het groote gevolg van districthoofden op hunne kleine paardjes, achter, de kittige dieren aapachtig vlug berijdend, vlaggetjes in de hand, de gamelan overal waar hij langs kwam uitsprenkelende blij kristallen verwelkomsttonen, en, 's avonds het met zorg bereide maal in de pasàngrahan[1] en, tot laat in den nacht, het omberpartijtje? Hadden zij hem dan niet gezegd, zijn ambtenaren, een oogenblik los van alle formaliteit, dat hij een leuke rezident was, te paard onvermoeid, jolig aan tafel, en zóo jong, dat hij van de tandakmeid wel aannam den slendang[2] en met haar tandakte een oogenblik, heel knap doende de hieratische lenigheden der handen en voeten en heupen—in plaats van zich met een rijksdaalder los te koopen en haar te laten dansen met den wedono? Nooit voelde hij zich prettig, als op tournée. En nu dat hij somber was, ontevreden, niet begrijpende wat stille krachten hem tegenwerkten in het duister—hem, den man van oprechtheid en licht, van eenvoudig levensprincipe, van ernstige arbeidsdegelijkheid—dacht hij spoedig op tournée te gaan en in dien sport zich te bevrijden van de hem neêrdrukkende somberheid. Hij zoû dan Theo vragen meê te gaan, om zich eens te verzetten een paar dagen. Hij hield van zijn jongen, al vond hij hem onverstandig, onbezonnen, onbesuisd, niet volhoudend in zijn werk, nooit tevreden met zijn superieuren, te tacteloos weêrstrevend zijn administrateur, tot hij zich weêr onmogelijk maakte op koffie-onderneming of suikerfabriek, waar hij werkzaam was. Hij vond, dat Theo zelve zijn weg moest vinden, als hij, Van Oudijck, gedaan had, in plaats van geheel te steunen op de protectie, het rezidentschap van zijn vader. Hij was geen man van nepotisme. Hij zoû zijn zoon nooit voortrekken boven een ander, die evenveel

1 Binnenlandsch hôtel, ten dienste der ambtenaren.
2 Sjerp, shawl.

recht had. Hij had neven, tuk op concessies in Laboewangi, vaak gezegd, dat hij liefst geen familie had in zijn gewest, en zij niets van hem hadden te wachten dan een volstrekte onpartijdigheid. Zoo was hij er gekomen, zoo verwachtte hij, dat zij er zouden komen, en Theo ook. Maar toch, in stilte sloeg hij Theo gade, met al zijne vaderlijkheid, met het bijna sentimenteele van zijn teederheid; in stilte betreurde hij het diep, dat Theo niet volhardender was, en niet meer uit zag naar zijn toekomst, naar zijn loopbaan, naar een eervolle plaats onder de menschen, hetzij van aanzien, hetzij van geld. De jongen leefde er maar op los, zonder gedachte aan morgen... Misschien was hij, uiterlijk, wat koel tegen Theo: nu, hij zoû eens vertrouwelijk met hem spreken, hem raad geven, en nu zoû hij vragen in alle geval, of Theo meêging op tournée. En het idee van een kleine zes dagen paard te rijden in de zuivere lucht om de bergen, de koffietuinen door, te inspecteeren de irrigatiewerken, te doen het hem alleraangenaamste van zijn werkkring, verruimde zijn ziel, verhelderde hem zijn blik, tot hij niet meer aan de brieven dacht. Hij was een man van het klare eenvoudige leven: hij vond het leven natuurlijk en niet verward ingewikkeld: langs een zichtbare trap van open geleidelijkheid was zijn leven gegaan, uitziende naar een blinkende top van eerzucht, en wat er krioelde, wat er woelde in schaduw en duister, wat er opborrelde uit afgrond, dicht bij zijn voet, had hij nooit kunnen en willen zien. Hij was blind voor het leven, dat er werkt onder het leven. Hij geloofde er niet aan, zoomin als een bergbewoner, die lang aan een stille vulkaan heeft gewoond, gelooft aan het inwendige vuur, dat diep geheimzinnig voortleeft en alleen ontsnapt als wat heete stoom en zwavellucht. Hij geloofde noch aan de kracht boven de dingen, noch aan de kracht in de dingen zelve. Hij geloofde niet aan het zwijgende Noodlot en niet aan de stille Geleidelijkheid. Hij geloofde alleen aan wat hij zag met het open oog: aan den oogst, de wegen, districten en dessa's, en aan de welvaart van zijn gewest; alleen aan zijn carrière, die hij als een stijgende lijn voor zich zag. En in deze onbenevelde klaarheid van simpele mannelijke natuur, in deze voor de geheele wereld zichtbare klaarduidelijkheid van rechtvaardige heerschzucht, rechtmatige eerzucht, en praktisch levensplichtbesef

was alleen deze zwakte: de teederheid, diep en vrouwelijk sentimenteel voor den huiselijken kring—dien hij, blind, niet zag in de
ziel—en alleen zag volgens zijn vastgesteld principe; zooals zijn
vrouw en zijn kinderen *moesten* zijn.

Ondervinding had hem niet geleerd. Want ook zijn eerste vrouw
had hij zoo lief gehad, als hij nu liefhad Léonie.

Hij had zijn vrouw lief, omdat ze was, zijn vrouw, de zijne: de
voornaamste van den kring. Hij had den kring lief, òm den kring en
niet als individuën, die zijn de schakels. Ondervinding had hem niet
geleerd. Hij dacht niet volgens de tintwisseling van zijn leven, hij
dacht volgens zijn ideeën en principes. Ze hadden hem man en
krachtig gemaakt, en ook goed ambtenaar. Ze hadden hem, volgens zijn natuur, ook meestal goed mensch laten wezen. Maar omdat hij had zooveel teederheid, onbewust, ongeanalyzeerd en alleen
diep gevoeld, en omdat hij niet geloofde aan de stille kracht, aan het
leven in het leven, aan wat er krioelde en woelde als vulkaanvuren
onder de bergen van majesteit, als troebelen onder een troon, omdat hij niet geloofde aan de mystiek der zichtbare dingen, kon het
leven hem vinden, onvoorbereid en zwak, als het afweek—goden-
rustig en sterker dan menschen—van wat hèm logisch dacht.

2

De mystiek der zichtbare dingen op dat eiland van geheimzinnigheid, dat Java is… Uiterlijk de dociele kolonie met het overheerschte ras, dat niet opgewassen was tegen den ruwen koopman, die, in
den glorietijd van zijn republiek, met de jonge kracht van een jeug-
dig volk, gretig en winzuchtig, rond en koel, plantte voet en vlag op
de in-een stortende keizerrijken, op de tronen, die wankelden, als
had de grond vulkanisch geaardbeefd. Maar, diep in zijn ziel, nooit
overheerscht, hoewel zich, voornaam minachtend glimlachend,
schikkend, lenig neêrvlijende onder zijn noodlot; diep in zijn ziel,
trots een in het stof kruipenden eerbied, vrij levend een eigen mys-
terie-leven, verborgen voor den Westerschen blik, hoe die ook het

geheim te doorgronden zoekt—als met een wijsbegeerte van toch vooral glimlachend voorname rust te bewaren, buigzaam toegevende, hoffelijk schijnbaar naderende—maar diep in zich heilig zeker van eigen meening, en zoo wijd verwijderd van alle overheerschers-gedachte, overheerschers-beschaving, dat een verbroedering tusschen meester en dienaar nooit zijn zal, omdat onoverkomelijk het verschil blijft, dat voortwoekert in ziel en bloed. En de Westerling, prat op zijn macht, op zijn kracht, op zijn beschaving, humaniteit, troont hoog, blind, egoïst, eigendachtig tusschen al de ingewikkelde raderen van zijn autoriteit, die hij uurwerkzeker laat grijpen in elkaâr, contrôle op iedere wenteling, tot voor vreemden, buitenaf, een meesterwerk, wereldschepping, schijnt te zijn die overheersching der zichtbare dingen: kolonizatie van den bloedvreemden, zielvreemden grond.

Maar onder al dit vertoon schuilt de stille kracht, en sluimert nu, en wil niet strijden. Onder al dien schijn der zichtbare dingen, dreigt het wezen der stille mystiek, als smeulend vuur in den grond en als haat en mysterie in het hart. Onder al deze rust van grootheid dreigt het gevaar, en rommelt de toekomst als de onderaardsche donder in de vulkanen, onhoorbaar voor het menschelijk oor. En het is alsof de overheerschte het weet en maar laat gaan de stuwkracht der dingen en afwacht het heilige oogenblik, dat komen zal, als waar zijn de geheimzinnige berekeningen. Hij, hij kent den overheerscher met eén enkelen blik van peildiepte; hij, hij ziet hem in die illuzie van beschaving en humaniteit, en hij weet, dat ze niet zijn. Terwijl hij hem geeft den titel van heer en de hormat van meester, kent hij hem diep in zijn democratische koopmansnatuur, en minacht hem stil en oordeelt hem met een glimlach, begrijpelijk voor zijn broeder, die glimlacht als hij. Nooit vergrijpt hij zich tegen den vorm van de slaafsche knechtschap, en met de semba doet hij of hij de mindere is, maar hij weet zich stil de meerdere. Hij is zich bewust van de stille kracht, onuitgesproken: hij voelt het mysterie aandonzen in den ziedenden wind van zijn bergen, in de stilte der geheimzwoele nachten, en hij voorgevoelt het verre gebeuren. Wat is, zal niet altijd zoo blijven: het heden verdwijnt. Onuitgesproken hoopt hij, dat God zal oprichten, wat neêr is gedrukt, een-

maal, eenmaal, in de ver verwijderde opendeiningen van de da-
geradende Toekomst. Maar hij voelt het, en hoopt het, en weet het,
in de diepste innigheid van zijn ziel, die hij nooit opensluit voor zijn
heerscher. Die hij ook niet zoû kunnen opensluiten. Die altijd blijft
als het onleesbare boek, in de onbekende, onvertaalbare taal, waarin wel de woorden de zelfde zijn, maar verschillend de tinten dier
woorden, en anders regenbogend de schakeeringen der twee gedachten: prisma's, waarin de kleuren verschillen, als brekende uit
twee zonnen: stralingen uit twee werelden. En nooit is er de harmonie, die begrijpt; nooit bloeit er de liefde, die eender voelt, en altijd
is er tusschen de kloof, de diepte, de afgrond, het verre, het wijde,
waaruit aandonst het mysterie, waarin als in een wolk, de stille
kracht eens zal openbliksemen.

– –

Zoo voelde Van Oudijck niet de mystiek der zichtbare dingen.
En onvoorbereid en zwak kon het goddelijk rustige leven hem
vinden.

3

Ngadjiwa was een vroolijker plaats dan Laboewangi: er lag een
garnizoen; uit het binnenland, van de koffie-landen, kwamen dikwijls administrateurs en employé's eens afzakken om pret te maken; tweemaal 's jaars hadden de races er plaats, waarvan de feeste-
lijkheden een geheele week in beslag namen: ontvangst van den
rezident, paardenverloting, bloemencorso en opera, twee of drie
bals, die de feestvierders onderscheidden in bal-masqué, gala-bal
en soirée-dansante: een tijd van vroeg opstaan en laat naar bed
gaan, van in enkele dagen honderde guldens verteeren met écarté
en aan den totalizator... Die dagen spatte-uit de zucht tot pleizier en
prettige levensvreugd; naar die dagen zagen maanden lang uit kof-
fie-planters en suiker-employé's; voor die dagen spaarde men het
halve jaar. Van alle kanten stroomde het vol, in de twee hôtels;
ieder huisgezin borg logé's; met hartstocht wedde men, in een
vloed van champagne, het publiek, ook de dames, de race-paarden

kennende, zoo goed als waren zij allen haar eigendom; op de bals geheel thuis, allen kennende allen, als op familie-partijen, terwijl de walsen en Washington-post en Graziana gedanst werden met de sleepende gratie der Indosche danseurs en danseuses, de maat kwijnend, de slepen zacht zwevend, de glimlach van rustige verrukking om de halfgeopende monden, met dien droomerigen wellust van dansen, dien zij zoo bevallig gebaren, dansers en danseressen van Indië, en niet het minst zij, wie het Javaansche bloed stroomt door de aderen. De dans is bij hen niet de woeste sport, plomp gesprongen met luiden lach bonsende tegen elkaâr, niet het ruwe verwar der lanciers van onze Hollandsche jongenlui-bals, maar het is—vooral bij de Indo's—niets dan hoffelijkheid en gratie: een kalme uitbloei van bewegingsbevalligheid; een gratieus teekenende arabesk van precieze pas op zuivere maat over de vloeren der societeitszalen; een harmonie van bijna achttiend'eeuwsche, jong-nobele dansgolving, en -sleeping, en -zweving, op het toch zoo primitieve boem-boem der Indische muzikanten. Zoo danste Addy de Luce, alle oogen van vrouwen en meisjes gevestigd op hem, hem volgende, hem smeekende met den blik ook hàar meê te nemen in het gegolf en gedein, dat was als droomend meêgaan op water... Dat was uit het bloed van zijn moeder, dat was nog iets van de gratie van srimpi's[1] tusschen wie zijn moeder hare kinderjaren geleefd had, en de mengeling van het Westersch modeme en Oostersch antieke gaf hem bekoring, onweêrstaanbaar...

Nu, op het laatste bal, de soirée dansante, danste hij zoo met Doddy, en, na haar, met Léonie. Het was al laat in den nacht, vroeg in den morgen: buiten bleekte de dag. Een vermoeidheid lag over de zaal uitgespreid en Van Oudijck gaf ten laatste te kennen aan den assistent-rezident Vermalen, bij wien hij met zijn familie logeerde, dat hij gaan wilde. Hij bevond zich op dat oogenblik in de voorgalerij der societeit, sprekende met Vermalen, toen de patih[2] eensklaps uit de schaduw van den tuin op hem afkwam en, zichtbaar ontroerd, neêrhurkte, de semba maakte en sprak:

1 Vorstelijke danseressen.
2 Rijksbestierder, volgende in rang op den Regent.

—Kandjeng! Kandjeng! Geef mij raad, zeg mij toch wat ik doen moet! De Regent is dronken en loopt op straat en vergeet geheel zijn waardigheid.

De feestvierders gingen naar huis. De rijtuigen rolden aan; men steeg in; de rijtuigen rolden weg. Op den weg, voor de societeit, zag Van Oudijck een Javaan: het bovenlijf bloot; hij had zijn hoofd- doek verloren en zijn lange zwarte haren zwierden los, terwijl hij heftig gebaarde en luid sprak. Groepen in de duisterende schaduw verzamelden zich, toekijkende van verre.

Van Oudijck herkende den Regent van Ngadjiwa. De Regent had reeds gedurende het bal zich zonder beheersching gedragen, nadat hij met kaartspel veel had verloren en allerlei wijn door el- kaâr had gedronken.

—Was de Regent al niet naar huis? vroeg Van Oudijck.

—Zeker, Kandjeng! klaagde de patih. Ik had den Regent al naar huis gebracht, toen ik zag, dat hij zich niet meer beheerschen kon. Hij was op zijn bed al neêrgestort; ik meende, in diepen slaap. Maar zie, hij is ontwaakt en opgestaan; hij heeft de Kaboepaten verlaten en is weêr hierheen gekomen. Zie hem, hoe hij doet! Hij is dronken, hij is dronken en hij vergeet wie hij is, wie zijn vaders waren!

Van Oudijck begaf zich naar buiten, met Vermalen. Hij naderde den Regent, die heftige gebaren uitsloeg en met luide stem uitsprak een onverstaanbare rede.

—Regent! zei de rezident. Weet u niet meer waar en wie u is?

De Regent herkende hem niet. Hij vaarde tegen Van Oudijck uit, hij riep al de vervloekingen des hemels over zijn hoofd.

—Regent! zei de assistent-rezident. Weet u niet wie tot u spreekt en tot wien u spreekt?

De Regent schold Vermalen uit. Zijn bloeddoorschoten oogen bliksemden dronken woede en krankzinnigheid. Met den patih pro- beerden Van Oudijck en Vermalen hem in een rijtuig te helpen, maar hij wilde niet. Prachtig subliem in zijn ondergang, verheer- lijkte hij zich in de krankzinnigheid zijner tragedie, stond hij als uitgebarsten uit zichzelven, half naakt, met de zwierende haren, met het groote gebaar zijner dolle armen, was niet grof en niet dierlijk meer, maar werd tragisch, heldhaftig, vechtend met zijn

noodlot, op den rand van een afgrond... De overmaat zijner dron-
kenschap scheen hem door een vreemde kracht te heffen uit zijne
langzame verdierlijking, en, beschonken, verhief hij zich, torende
hij hoog, dramatisch, boven die Europeanen. Van Oudijck zag hem
in stupefactie aan. Nu werd de Regent handgemeen met den patih,
die hem bezwoer... Op den weg verzamelde zich de bevolking, stil,
ontzet: de laatste gasten kwamen uit de societeit, waar de lichten
donkerden. Onder hen bevonden zich Léonie Van Oudijck, Doddy
en Addy de Luce. Zij hadden alle drie nog den vermoeiden wellust
van den laatsten wals in de oogen.

—Addy! zei de rezident. Je kent den Regent intiem. Probeer of hij je
herkent.

De jonge man sprak den beschonken waanzinnige toe, in zacht
Javaansch. Eerst ging de Regent voort met zijn woorden van ver-
vloeking, werd reusachtig zijn gebaar van razernij; toen scheen hij
echter in de zachtheid van die taal een bekende herinnering te hoor-
en. Hij zag Addy lang aan. Zijn gebaar zakte, zijn verheerlijking van
beschonkenheid doofde uit. Het was eensklaps of zijn bloed begreep het bloed van dien jongen man, of hunne zielen elkander
verstonden. De Regent knikte weemoedig en begon te klagen, lang
uit, de armen omhoog geheven. Addy wilde hem in een rijtuig
helpen, maar de Regent weêrstreefde: hij wilde niet. Toen nam
Addy zijn arm in zijn arm met zachten drang, en liep langzaam met
hem voort. De Regent, al klagende, met tragisch wanhoopsgebaar,
liet zich geleiden. De patih volgde, met een paar volgelingen, die
den Regent uit de Kaboepaten waren nageloopen, machteloos...
De stoet verdween in het donker.

Léonie, met een glimlach, moê, steeg in het rijtuig van den assistent-rezident. Zij herinnerde zich de speeltwist op Patjaram; zij had
er pleizier in zoo zichtbaar te zien gebeuren een langzame ondergang, een zichtbare slooping door hartstocht, dien geen tact en
correcte maat leidde. En voor zichzelve voelde zij zich sterker dan
ooit, omdat zij genoot van hare passie's en ze leidde en van ze
maakte de slaven van haar genot... Zij minachtte dien Regent en het
was haar een romantische voldoening, litterair pleizier, te bespie-
den de fazen van dien ondergang. In het rijtuig zag zij naar haar

man, die somber zat. En zijn somberheid verrukte haar, omdat zij hem sentimenteel vond, met zijn hooghouden van Javaanschen adel. Een sentimenteele instructie, en die nog sentimenteeler Van Oudijck opvatte. En zij genoot in zijn verdriet. En van haar man zag zij naar Doddy en zij bespiedde in den dansmoeden blik van haar stiefkind eenjalouzie op dien aller-, allerlaatsten wals van haar, Léonie, met Addy. En zij was verrukt over die jalouzie. Zij voelde zich gelukkig, omdat op haar het verdriet geen vat had, evenmin als de hartstocht. Zij speelde met de dingen van het leven en ze gleden van haar af en ze lieten haar even onberoerd en kalm glimlachend en rimpelloos melkblank als altijd.

Van Oudijck ging niet naar bed. Zijn hoofd in vuur, één woede van verdrietelijkheid in zijn hart, nam hij dadelijk een bad, kleedde zich in nachtbroek en kabaai en liet zich in de galerij voor zijn kamer koffie brengen. Het was zes uur, een heerlijke koelte van ochtendfrischheid baadde de lucht. Maar een ontstemming was zoo hevig in hem, dat als in congestie zijne slapen klopten, zijn hart bonsde, dat zijn zenuwen trilden. De scène van dien nachtmorgen schemerde steeds voor zijn oog, triltikkende als een biograaf, met de wemelveranderingen der houdingen. Wat er hem vooral in ontstemde, was de onmogelijkheid ervan, het onlogische, het nooit gedachte. Dat een Javaan van geboorte, trots al de edele traditie in zijn aderen, zich kòn gedragen als de Regent van Ngadjiwa dien nacht, was hem nooit mogelijk voorgekomen, zoû hij nooit hebben geloofd, als hij het niet met eigen oogen gezien had. Voor dezen man van vooruit vastgestelde logiek was deze waarheid eenvoudig wanstaltig als een nachtmerrie. Gevoelig in hooge mate voor verrassing, die hem niet logisch dacht, was hij boos op de realiteit. Hij vroeg zich af of hijzelve niet gedroomd had, niet dronken was geweest. Dat het schandaal gebeurd was maakte hem razend. Maar zoo het dan zoo was, welnu, dan zoû hij den Regent voor ontslag voordragen... Het kon niet anders.

Hij kleedde zich, sprak met Vermalen en ging met dezen naar de Kaboepaten; beiden drongen zij door tot den Regent, niettegenstaande de aarzeling der volgelingen, niettegenstaande de inbreuk op de etiquette. Zijne vrouw, de Raden-Ajoe, zagen zij niet. Maar zij vonden den Regent in zijn slaapvertrek. Hij lag op zijn bed, de oogen open, somber bijkomende, nog niet genoeg tot het leven teruggekeerd, om geheel te bevroeden de vreemdheid van dat bezoek; de rezident, de assistent-rezident voor zijn bed. Toch herkende hij hen, maar hij sprak niet. Terwijl zij hem beiden poogden te doen inzien het hoogst onbehoorlijke van zijn gedragingen, staarde hij henbeiden onbeschaamd aan en volhardde in zijn zwijgen. Het was zoo vreemd, dat de beide ambtenaren elkaâr aanzagen en met den blik afvroegen of de Regent niet krankzinnig was, of hij wel toerekenbaar was. Hij had nog geen woord gesproken, hij zweeg steeds. Hoewel Van Oudijck hem dreigde met ontslag, bleef hij zwijgen, starende met onbeschaamde oogen in de oogen van den rezident. Hij opende niet de lippen, hij volhardde in een volkomen geluideloosheid. Nauwlijks schetste een glimlach van ironie zich om zijn mond. De ambtenaren, werkelijk denkende, dat de Regent krankzinnig was, trokken de schouders op, verlieten het vertrek.

In de galerij ontmoetten zij de Raden-Ajoe, een klein onderdrukt vrouwtje, als een geslagen hond, een getrapte slavin. Zij naderde weenende; zij vroeg, zij smeekte vergeving. Van Oudijck zeide haar, dat de Regent steeds zweeg, wat hij hem gedreigd had, zweeg met een onverklaarbaar, maar klaarduidelijk voorgenomen zwijgen. Toen fluisterde de Raden-Ajoe, dat de Regent een doekoen[1] geraadpleegd had, die hem een djimat[2] gegeven had en verzekerd had, dat zoo hij maar volhardde in een volkomen zwijgen, zijne vijanden geen vat op hem zouden hebben. Bang smeekte zij hulp, vergeving, hare kinderen verzamelend rondom zich heen. Na den patih ontboden te hebben en hem te hebben opgedragen den Regent zooveel mogelijk te bewaken, gingen de ambtenaren heen.

Hoe dikwijls Van Oudijck ook al te doen had gehad met het bijgeloof der Javanen, steeds maakte het hem razend, als tegenstrijdig aan wat hij noemde de wetten van natuur en leven. Ja, alleen zijn bijgeloof kon een Javaan afbrengen van het correcte spoor zijner ingeboren hoffelijkheid. Wat men hem nu ook onder het oog

1 Inlandsche geneeskundige.
2 Talisman.

zoû willen brengen, de Regent zoû zwijgen, volharden in het volkomen zwijgen, hem opgelegd door de doekoen. Zoo meende hij
veilig te zijn, voor wie hij meende, dat waren zijn vijanden. En dit
vooropgezette idee van vijandschap met wien hij zoo gaarne had
willen beschouwen als jong-broederlijke medebestuurder, ontstemde Van Oudijck het meest.

Hij ging, met Léonie en Doddy, terug naar Laboewangi. Thuis
gevoelde hij een enkel oogenblik het prettige van weêr in zijn eigen
huis te zijn, een genot van eigen huiselijkheid, dat hem steeds zeer
streelde: het materieele pleizier van zijn eigen bed te zien, zijn eigen
schrijftafel en stoelen, zijn eigen koffie te drinken, bereid als hij het
gewoon was. Die kleine streelingen brachten hem even in goed
humeur, maar aanstonds voelde hij weêr al zijne bitterheid toen hij
onder een stapel brieven op zijn bureau herkende de verdraaide
handschriften van een paar duistere schrijvers. Werktuigelijk
opende hij ze het eerst, en walgde toen hij las den naam van Léonie,
samengekoppeld met dien van Theo. Niets was voor die ellendelin-
gen heilig: zij vonden uit de monsterlijkste combinatie's, de on-
natuurlijkste lasteringen, en gruwlijkste betichtingen tot bloed-
schande toe. Bij al dit vuil, dat men naar zijn vrouw en zijn zoon
smeet, stegen zij beiden hooger en zuiverder in zijne liefde, tot een
top van onschendbaarheid, beminde hij beiden met nog grooter en
inniger teederheid. Maar al zijn omgewoelde bitterheid gaf hem
geheel zijne ontstemming terug. Feitelijk was ze, omdat hij voor
ontslag moest voordragen den Regent van Ngadjiwa, en dit niet
gaarne deed. Maar deze enkele noodzakelijkheid verbitterde zijn
geheele bestaan, maakte hem zenuwachtig en ziek. Als hij niet kon
volgen de lijn, die hij had vastgesteld, als het leven afweek van de
door hem — Van Oudijck — a priori vastgestelde gebeurlijkheden,
maakte hem deze onwilligheid, deze opstand van het leven zenuwachtig en ziek. Hij had zich nu eenmaal voorgenomen na den dood
van den ouden Pangéran omhoog te heffen het zinkende geslacht
der Adiningrats, zoowel uit liefdevolle herinnering aan den uit-
stekenden Javaanschen prins, zoowel om zijne rezidents-instructie,
als om een gevoel van nobele menschelijkheid en verborgen poëzie
in zichzelven. En nooit had hij het gekund. Dadelijk had hem tegen-

gewerkt—onbewust, door de kracht der dingen—de oude Raden-Ajoe Pangéran, die alles verspeelde, verdobbelde, die zich en de haren ruïneerde. Als een vriend had hij haar terecht gewezen. Zij was niet ontoegankelijk voor zijn raad geweest, maar hare passie was sterker gebleken. Haar zoon, Soenario, de Regent van Laboewangi, had Van Oudijck reeds dadelijk, nog voor den dood van zijn vader, geoordeeld als onbekwaam voor de werkelijke betrekking van Regent: klein hoogmoedig op zijn bloed, onbeduidend, nooit op de hoogte van het werkelijke leven, zonder talent van regeeren of hart voor den minderen man, zeer fanatiek, altijd bezig met doe-koens, met heilige berekeningen—petangans —; altijd gesloten en levende in een droom van duistere mystiek, en blind voor wat welvaart en gerechtigheid zoû zijn voor zijn Javaansche onderdanen. En de bevolking toch aanbad hem, zoowel om zijn adel, als omdat hij een roep had van heiligheid en van een vèrreikende macht te bezitten: een goddelijke tooverkracht. Stil, in het geheim, verkochten de vrouwen van de Kaboepaten in flesschen het water, dat bij het bad gestroomd was over zijn lichaam, als een geneesmiddel, heilzaam voor verschillende ziekte. Zoo was de oudste broeder, en de jongere had zich dien vorigen nacht geheel vergeten, bezeten van waanzin door spel en drank... Met deze zonen wankelde ten ondergang het eens zoo schitterend geslacht: hunne kinderen waren jong; enkele neven waren patih in Laboewangi, in naburige rezidentie's, maar in hen vloeide ook geen drup meer van het edele bloed. Neen, hij, Van Oudijck, had nooit gekund, wat hij zoo gaarne had willen doen. Zij, wier belang hij voorstond, werkten zelven hem tegen. Het was met hen gedaan.

Maar waarom het zoo zijn moest, begreep hij niet en ontstemde hem, maakte hem bitter.

Hij had zich nu eenmaal voorgesteld een heel andere lijn, een mooie lijn van stijging—zooals hij zijn eigen leven ook voor zich zag—en de lijn van het leven krinkelde verward naar omlaag. En hij begreep niet wat sterker zoû kunnen zijn dan hij, als hij wilde. Was het hem niet altijd zoo gegaan in zijn leven en loopbaan, dat wat hij sterk wilde, gebeurd was met de logica, die hijzelve van dag tot dag gesteld had aan de dingen, die gebeuren gingen? Zijn eer-

zucht had nu gesteld die logica van de stijgende lijn, want zijn eerzucht had als doel zich gesteld die oprichting van dat Javaansche
geslacht...

Zoû hij falen? Te falen in de streving naar een doel, dat hij zich
als ambtenaar gesteld had—hij zoû het zich nooit vergeven. Tot
nog toe had hij steeds kunnen bereiken wat hij wilde. Maar wat hij
nu wilde bereiken, was—hemzelven onbewust—niet alléén een
doel van ambtenaar, een deel van zijn werkkring. Wat hij nu wilde
bereiken, was een doel, waarvan de idee sproot uit zijne menschelijkheid, uit het edele van hemzelven. Wat hij nu wilde bereiken
was een ideaal, een ideaal van Westerling in het Oosten, en van
Westerling, die het Oosten zag, zooals hij het zien wilde en alleen
zien kon.

En dat er krachten waren, die zich verzamelden tot éene kracht,
die hem tegenwerkte, die spotte met zijn voorstelling, die lachte om
zijn ideaal, en die des te sterker was naarmate zij dieper verborgen
bleef—hij zoû het nooit willen toegeven: zijn natuur was niet om ze
te erkennen en zelfs hare klaarduidelijkste openbaring zoû voor zijn
ziel een raadsel zijn, en mythe blijven.

4

Van Oudijck was dien dag naar het bureau geweest, toen hij, thuis-
komende, dadelijk tegemoet werd gekomen door Léonie.
—De Raden-Ajoe Pangéran is hier, zeide zij. Al sedert een uur,
Otto. Zij zoû je gaarne willen spreken. Zij heeft op je gewacht.
—Léonie, zeide hij. Zie eens deze brieven in. Ik ontving dikwijls
van die pamfletten, en ik heb je er nooit over gesproken. Maar
misschien is het beter, dat je er niet onbekend meê blijft. Misschien
is het beter, dat je weet. Maar, ik bid je, trek je er niets van aan. Ik
hoef je niet te verzekeren, dat ik geen oogenblik ook maar het minste geloof van al die smerigheid. Wees er dus niet ontstemd over en
geef mij straks die brieven persoonlijk terug. Laat ze niet slingeren... En laat de Raden-Ajoe Pangéran in mijn kantoor komen...
Léonie, de brieven in de hand, voerde de prinses meê uit de

achtergalerij. Zij was een waardige, grijze vrouw, met een trotsche koninklijkheid in haar nog slank figuur, de oogen somber zwart; den mond, door het betelsap als breeder geteekend, en waarin de afgevijlde, zwart gelakte tanden grijnsden, was als een maskergrimas en bedierf het edel-hooge van hare uitdrukking. Zij droeg een zwart satijnen kabaia met juweelen gesloten. Het waren vooral hare grijze haren, hare sombere oogen, die haar een bizondere mengeling gaven van eerbiedwaardigheid en smeulenden hartstocht. Er lag over haren ouderdom een tragiek. Zelve voelde zij een noodlot tragisch drukken op haar en de haren en hare eenige hoop stelde zij in de vérreikende, gode-machtige kracht van haar oudsten zoon, Soenario, den Regent van Laboewangi. Terwijl zij nu Van Oudijck voorging in het kantoor, zag Léonie, in de middengalerij, de brieven in. Het waren verzen in vuile taal, over haar en Addy en Theo. Altijd in den egoistischen droom van haar eigen leven, bemoeide zij zich nooit veel met wat de menschen dachten en spraken, vooral omdat zij wist, dat zij ze met hare verschijning, met haar glimlach, aanstonds weêr allen tot zich terug won. Zij had die rustige innemendheid, die niet te weêrstaan was. Zij sprak zelve nooit kwaad, uit onverschilligheid; zij was harmonisch vergoêlijkend voor alles en iedereen; en zij was bemind—als men haar zag. Maar de vieze brieven, uitgespogen uit een duisteren hoek, vond zij onaangenaam, lastig, ook al geloofde Van Oudijck niet. Wat, als hij eens gelooven ging? Zij moest daarop zijn voorbereid. Zij moest vooral voor dien mogelijken dag bewaren hare innemendste rustigheid, geheel hare onkwetsbaarheid en onschendbaarheid. Van wie zouden die brieven kunnen zijn? Wie haatte haar zoo, wie had er belang bij om zóó van haar te schrijven aan haar man? Hoe vreemd, dat het bekend was... Addy, Theo? Hoe wist men? Oerip? Neen, Oerip niet... Maar wie, wie dan? Was dan eigenlijk alles bekend? Zij had immers altijd gemeend, dat wat gebeurde in de geheime alkoven, nooit openbaar zoû zijn voor de wereld. Zij had zelfs gemeend—een naïveteit—dat de mannen nooit spraken onder elkaâr over haar; wel over andere vrouwen, maar niet over haar... In haren geest waren zulke naïve illuzies, trots al hare ondervinding: een naïveteit, die harmonieerde met het poëtische—half pervers, half kinderlijk—van hare rozekleurende verbeelding. Kon zij dan niet altijd geheim houden de verborgenheden van haar mysterie, de verborgenheden der werkelijkheid? Een oogenblik hinderde het haar, de werkelijkheid, die zich, trots hare correctheid, toch openbaarde... Gedachten en droomen bleven altijd geheim. Het werkelijke gebeuren gaf zoo veel last. Een oogenblik dacht zij voortaan voorzichtiger nog te zijn, zich te onthouden... Maar voor haar blik zag zij Theo, zag zij Addy, haar blonde en haar bruine liefde, en zij voelde zich te zwak... Zij wist, dat zij hierin hare hartstochten niet kon overwinnen, hoewel zij ze leidde. Zouden ze toch, niettegenstaande al haren tact, eenmaal haar ondergang zijn? Maar zij lachte om dat idee; zij had een vast vertrouwen op hare onkwetsbaarheid, hare onschendbaarheid. Het leven gleed steeds van haar af.

Maar toch wilde zij zich voorbereiden, op wat gebeuren kon. Zij stelde geen hooger ideaal aan haar leven dan te zijn zonder pijn, zonder smart, zonder armoê, en hare passie's te maken tot de slaven van haar genot, zoodat zij zoo lang mogelijk genot zoû hebben, zoo lang mogelijk dit leven zoû leven kunnen. Zij bedacht wat zij zeggen en doen zoû als Van Oudijck haar eens ondervroeg, in twijfel om de anonieme brieven. Zij bedacht of zij met Theo toch maar niet breken zoû. Addy was haar genoeg. En zij verloor zich in hare voorbereidingen, als in vage combinaties van een tooneelspel, dat gebeuren ging. Tot zij eensklaps luide de stem van de Raden-Ajoe Pangéran hoorde klinken in het kantoor, tegen de kalme stem van haar man in. Zij luisterde, nieuwsgierig, voorgevoelende een drama, en zoo rustig blij, dat ook dit drama van haar afgleed. Zij sloop in Van Oudijcks slaapkamer; de tusschendeuren stonden altijd voor de luchtigheid open en een schutsel alleen scheidde slaapkamer en kantoor. Langs het schutsel gluurde zij uit. En zij zag de oude prinses, opgewonden als zij nog nooit een Javaansche vrouw gezien had. De Raden-Ajoe, in het Maleisch, bezwoer Van Oudijck; deze, in het Hollandsch, verzekerde haar, dat het onmogelijk was. Léonie luisterde aandachtiger. En zij hoorde nu, hoe de oude vorstin smeekte, dat de rezident genade zoû hebben met haar tweeden zoon, den Regent van Ngadjiwa. Zij bezwoer Van Oudijck toch te denken aan haar gemaal, den Pangéran, dien hij bemind had als een vader, die hem bemind had als een zoon — met genegenheid, inniger dan het gevoel van 'ouderen en jongeren broeder'; zij bezwoer hem te denken aan hun roemrijk verleden, aan de glorie der Adiningrats, steeds de trouwe vrienden der Compagnie, in oorlog hare bondgenooten, in vrede hare trouwste vazallen: zij bezwoer hem niet ten ondergang te doemen hun geslacht, waarop na den dood van den Pangéran drukte een noodlot en het dreef een afgrond van heilloos verderf in. Voor den rezident stond zij als eene Niobe, als een tragische moeder, opgeheven de armen in de zielswarmte van hare betuigingen, tranen weenende uit hare sombere oogen, en alleen de breede mond, geverfd met het bruine betelsap, was als een maskergrijns. Maar in dien grijns ontwelden haar de vloeiende zinnen van betuiging, bezwering, en hare handen wrongen zich smeekende samen, en hare vuist klopte in boete op de borst. Van Oudijck antwoordde haar met een vaste, maar zachte stem, haar zeggende hoe innig hij zeker had liefgehad den ouden Pangéran, hoe hoog hij stelde het oude geslacht, hoe niemand liever dan hij hoog zoû willen houden hunne hoogheid. Maar toen werd hij strenger en hij vroeg haar aan wie de Adiningrats te wijten hadden het noodlot, dat hen nu achtervolgde? En de oogen in hare oogen, zeide hij haar, dat het was aan haar! Zij deinsde terug, opvlammend in woede, maar hij zeide het haar nog eens en nog eens. Hare zonen waren hàre kinderen; bigot en trotsch en speelziek. En in het spel, in dien lagen hartstocht, verongelukte hunne grootheid. In de onverzadelijkheid van hun winzucht wankelde hun geslacht ten ondergang. Hoe dikwijls ging niet een maand voorbij, dat te Ngadjiwa de Regent niet uitbetaalde de traktementen der hoofden? Zij betuigde, het was waar: op háar aandringen had haar zoon het geld der kas genomen, geleend, om speelschulden te voldoen. Maar zij bezwoer ook, het zoû nooit meer gebeuren! En waar, vroeg Van Oudijck, had ooit een Regent, afstammeling van een aloud geslacht, zich zoo gedragen als op het race-bal de Regent van Ngadjiwa? Zij klaagde, de moeder: het was waar, het was waar; het noodlot klemde zich vast aan hun schreden en had met waanzin haar zoon beneveld, maar nooit, nooit zoû het meer gebeuren. Zij zwoer bij de ziel van den ouden Pangéran, dat het nooit meer gebeuren zoû, dat haar zoon zijne waardigheid zoû herwinnen. Maar heftiger werd Van Oudijck en hij verweet haar, dat zij nooit goeden invloed had uitgeoefend op hare zonen en hare neven. Dat zij de slechte geest was van haar geslacht, omdat een demon van speelzucht en winzucht haar vast had in zijn klauwen. Zij begon op te gillen van smart, de oude vorstin, die op den rezident, den Hollander van geen bloed en geboorte, neêrzag; smart, omdat hij zoo dorst spreken en recht er toe had. Zij sloeg hare armen uit, zij smeekte hem om genade; zij smeekte niet haar jongeren zoon voor te dragen voor ontslag bij de Regeering, die doen zoû als de rezident zeide, op zoû volgen den raad van zoo hoog geacht ambtenaar: zij smeekte ontferming te hebben en nog geduld te willen oefenen. Zij zoû spreken met haar zoon, Soenario met zijn broeder: zij zouden tot rede brengen zijn door drank en spel en vrouwen verwilderde zinnen. O, zoo de rezident maar ontferming had, zoo hij zich maar liet vermurwen! Maar Van Oudijck bleef onverbiddelijk. Geduld had hij zoo lang al geoefend. Het was nu ten einde. Sedert haar zoon, onder invloed van de doekoen, vertrouwende op zijn djimat, hem weêrstaan had met zijn insolente zwijgen, dat hem, naar zijn vertrouwen, onkwetsbaar voor vijanden maakte—zoû hij toonen, dat hij, de rezident, de machthebbende van de Regeering, de vertegenwoordiger der Koningin, de sterkste was, trots doekoen en djimat. Het kon niet anders: zijn geduld was ten einde, zijn liefde voor den Pangéran liet niet toe meerdere toegeeflijkheid; zijn gevoel van eerbied voor hun geslacht kon hij niet overdragen op een onwaardigen zoon. Het was beslist: de Regent zoû ontslagen worden.

De vorstin had hem aangehoord, niet kunnende gelooven aan zijne woorden, ziende gapen voor haar den afgrond. En met een kreet als van een gewonde leeuwin, met een gil van smart, trok zij uit haar wrong de juweelen pinnen, zoodat hare lange grijze haren stroomende vielen om haar heen; met één scheurenden ruk trok zij open de satijnen kabaia; zich niet meer meester van smart, van wanhoop, die haar omwolkte uit den gapenden afgrond, stortte zij neêr voor de voeten van den Europeaan, greep krachtig met beide handen zijn voet, plantte die met ééne beweging, die Van Oudijck wankelen deed, op haar neêrgebogen nek en riep uit, gilde uit, dat zij, de dochter der sultans van Madoera voor eeuwig zoû zijn zijn slavin, dat zij zwoer niets te zullen zijn dan zijn slavin, zoo hij slechts dezen keer nog genade had met haren zoon en haar geslacht niet stootte in den afgrond van schande, die zij gapen zag om zich heen. En zij klemde den voet van den Europeaan, als met een wanhopige kracht, en zij hield, als een juk van slavernij, dien voet met de zool en de hak van den schoen gedrukt in hare stroomende grauwe haren, op haar ter aarde gebogen nek. Van Oudijck trilde van ontroering. Hij begreep dat deze hooghartige vrouw nooit zoo, zichtbaar spontaan, zich vernederen zoû tot de diepste vernedering, die zij bedenken kon, zich niet zoû laten gaan tot de heftigste werkelijkheidsuiting van smart, die een vrouw ooit kon openbaren—het haar los, en den voet van den heerscher geplant op haar nek—als zij niet geschokt was in het diepst van haar ziel, als zij zich niet wanhopig gevoelde tot zelf-vernietiging toe. En hij aarzelde een oogenblik. Maar ook maar een oogenblik. Hij was een man van overdachte beginselen, van a priori vastgestelde logiek: onveranderbaar in besluitneming, nooit toegankelijk voor een impulsie. Met heel veel eerbied bevrijdde hij eindelijk zijn voet uit den klemmenden greep der vorstin, stak haar beide zijn handen toe, en hief haar vol ontzag en met zichtbaar medelijden, zichtbare ontroering, op van den vloer. Hij deed haar zitten, en, gebroken, opsnikkende viel zij neêr. Zij dacht een oogenblik te hebben gewonnen, bespeurende zijne zachtheid. Maar toen hij kalm, maar beslist, het hoofd schudde als ontkenning, begreep zij, dat het gedaan was. Zij hijgde naar adem, half in zwijm, steeds de kabaia open, de haren los. Op dit oogenblik trad Léonie binnen. Zij had het drama voor hare oogen zien spelen en zij was litterair ontroerd. Zij gevoelde iets als medelijden. Zij naderde de vorstin, die zich stortte in hare armen, vrouw zoekende vrouw in de radelooze wanhoop van die onvermijdelijke rampzaligheid. En Léonie, de mooie oogen naar Van Oudijck, murmelde één woord van voorspraak en fluisterde: geef toe! Het was in hare dorre ziel ééne levende opbloeiïng van medelijden. Geef toe, fluisterde zij nog eens. En voor de tweede maal weifelde Van Oudijck. Nooit had hij zijn vrouw iets geweigerd, hoe kostbaar het was, wat zij vroeg. Maar dit was de opoffering van zijn beginsel: het nooit terugkomen op een besluit, het vast doorzetten van eenmaal gewild gebeuren. Zoo had hij altijd beheerscht de toekomst. Zoo gebeurde het altijd als hij wilde. Zoo had hij nooit getoond eenige zwakheid. En hij zeide, dat het niet kon.

Misschien, als hij had toegegeven, was zijn leven anders geworden. Want hij, onverzettelijk, raadde niet de heilige oogenblikken, dat de mensch niet moet zijn zijn eigen wil, maar zich vroom moet laten gaan naar den drang der stille machten. Die oogenblikken eerbiedigde, erkende, kende hij niet en nooit. Hij was de man van het heldere, logisch doordenkende, mannelijk eenvoudige plichts-besef, de man van het heldere eenvoudige leven. Dat schuilen on-der het eenvoudige leven al de krachten, die te zamen zijn de al-machtige stille kracht, zoû hij nooit weten. Dat er volkeren zijn, die ze meer beheerschen, die kracht, dan de Westersche, zoû hij be-spotten. Dat er enkelen zijn in die volkeren, individuen, in wier hand ze haar almacht verliest en werktuig wordt,—om de voor-onderstelling alleen zoû hij ophalen zijn schouders, en doorgaan. Geene ondervinding zoû hem leeren. Hij zoû misschien een oogen-blik niet begrijpen... Maar dan, dadelijk weêr, vatte hij vast in zijn mannehand de ketting van zijn logiek en schakelde de ijzeren feit-schalmen samen...

Misschien, als hij had toegegeven, ware zijn leven anders ge-weest.

Hij zag Léonie de oude vorstin, gebroken, in snikken, uitbren-gen zijn kantoor.

Een diep gevoel, een algeheel hem ontroerend medelijden, deed vochtig worden zijn oogen. En voor die vochtige oogen verscheen hem het beeld van den Javaan, dien hij lief had gehad als een vader.

Maar toegeven deed hij niet.

5

Er waren berichten van Ternate en Halmaheira, dat eene ontzetten-de zeebeving de groep der eilanden daar had geteisterd, dat gan-sche dorpen waren weggespoeld, dat duizenden waren zonder dak.

In Holland hadden de telegrammen grooter emotie gewekt dan in Indië, alsof men er meer gewend was aan het beven der zee, aan de opheffingen der aarde. Men had veel gesproken over Dreyfus, men begon te spreken over Transvaal, maar over Ternate sprak men ternauwernood. Toch was in Batavia gevormd een hoofdcomité en Van Oudijck belegde een vergadering. Vastgesteld werd zoo spoedig mogelijk in de societeit en haren tuin een weldadigheidsfeest te geven. Mevrouw Van Oudijck, als naar gewoonte, droeg alles over aan Eva Eldersma en bemoeide zich met niets. Een ontroering van drukte voer veertien dagen door Laboewangi. In het doodstille plaatsje van Indisch-binnenlandsche sluimering begon een woeling van kleine hartstochtjes, ijverzuchtjes en vijandschapjes te ontwaken. Eva had haar club van getrouwen; de Van Helderens, de Doorn de Bruijns, de Rantzows, waar tegenover ijverden allerlei heel kleine côterietjes. Die was gebrouilleerd met die; die wilde niet meêdoen, omdat die meêdeed; die drong zich op om meê te doen alleen omdat mevrouw Eldersma niet denken moest almachtig te zijn en diè en diè en diè vonden, dat Eva veel te veel pretentie had en zich niet moest verbeelden de eerste van de plaats te zijn, omdat mevrouw Van Oudijck haar alles overliet. Eva had echter gesproken met den rezident en verklaarde wel te willen organizeeren, maar met een onbeperkte volmacht. Zij had er niets op tegen, dat de rezident een ander zoû nemen om het feest op touw te zetten, maar als hij *haar* nam—was de onbeperkte volmacht de voorwaarde: want rekening te houden met twintig verschillende opinie's en smaken—zoû maken dat men nooit tot een einde kwam. Van Oudijck, lachende, gaf toe, maar drukte haar op het hart de menschen niet boos te maken, ieders gevoelen te eerbiedigen, zooveel mogelijk verzoenend te zijn, opdat het weldadigheidsfeest een aangename herinnering achter zoû laten. Eva beloofde: zij was niet van een twistzieke natuur.

Iets te doen, iets op touw te zetten, iets tot stand te brengen, haar artistieke energie te uiten was haar lust en haar leven, was haar de troost in het duffe Indische leven. Want hoewel zij veel in Indië had liefgekregen en mooi vond, miste het sociale leven voor haar, haar kleine clubje uitgezonderd, alle bekoring. Maar nu, op groote schaal, te bereiden een feest, waarvan men tot in Soerabaia zoû hooren, streelde hare ijdelheid en hare werklust.

Zij zeilde door alle moeilijkheden heen, en omdat men inzag, dat zij het het beste wist en het meest praktische deed, gaf men haar toe. Maar terwijl zij bezig was met het uitdenken van hare fancy-fair-kiosken en tableaux-vivants, en terwijl de drukte van feestberei-ding voer door de notabele families van Laboewangi, scheen ook in de ziel der inlandsche bevolking iets te varen, maar niet zoo lucht iets als van feestvierende liefdadigheid. De schout, die iederen morgen aan Van Oudijck zijn kort rapport inbracht, meestal in een paar woorden: — dat hij zijne ronde gedaan had, en dat alles in orde was gebleken — had de laatste dagen langere gesprekken met den rezident, scheen hem gewichtiger dingen te hebben mede te deelen; voor het kantoor fluisterden de oppassers geheimzinniger; de rezi-dent ontbood Eldersma en Van Helderen; de secretaris schreef naar Ngadjiwa aan Vermalen, den assistent-rezident; aan den majoor-kommandant van het garnizoen; en de controleur-kotta ging vaker en vaker rond door de stad, op uren, dat hij het niet gewoon was. In hare drukte bespeurden de dames weinig van de geheimzinnigheid, die er omging, en alleen Léonie, die zich met het feest niet bemoei-de, merkte op in haren man eene ongewone stille bezorgdheid. Zij had een snel en scherp doorzicht, en omdat Van Oudijck — gewoon dikwijls te spreken over zaken in den huiselijken kring — de laatste dagen stilzwijgend was, vroeg zij eens, waar de Regent van Ngadji-wa was, nu hij op voordracht van Van Oudijck ontslagen was door de Regeering, en wie hem zoû vervangen. Hij antwoordde vaag-weg en zij werd op haar hoede en beangstigde zich. Op een mor-gen, gaande door de slaapkamer van haar man, trof haar het fluiste-rend gesprek van Van Oudijck met den schout, en zij luisterde even, haar oor aan het schutsel. Het gesprek was gedempt, omdat openstonden de tuindeuren; op de tuintrappen zaten de oppassers; een paar heeren, die den rezident moesten spreken, liepen in de zijgalerij op en neêr, na hunne namen op een lei geschreven te hebben, die de hoofdoppasser al had binnengebracht. Maar zij moesten wachten, omdat de rezident met den schout sprak... Léo-nie, aan het schutsel, luisterde. En zij werd bleek toen zij een paar woorden opvatte. Stil ging zij naar hare kamer, angstig. Aan de rijsttafel vroeg zij of het wel noodig zoû zijn, dat zij het feest bijwoonde, want zij had den laatsten tijd zoo een kiespijn, en zij moest naar Soerabaia, voor den dentist. Het zoû wel een tijd duren: zij was in langen tijd niet bij den dentist geweest. Maar Van Oudijck, streng in zijn sombere bui van geheime bezorgdheid en stilzwijgen, zei haar, dàt het niet kon: dat zij op een avond, als dien van het feest, aanwezig moest zijn, als vrouw van den rezident. Zij pruilde, boudeerde en hield den zakdoek tegen den mond, zoodat Van Oudijck zenuwachtig werd. Dien middag sliep zij niet, las zij niet, droomde zij niet, van ongewone opwinding. Zij was bang, zij wilde weg. En bij de middagthee, in den tuin, begon zij te huilen, zeide, dat zij hoofdpijn had van kiespijn, dat zij ziek werd, dat zij het niet meer kon uithouden. Van Oudijck, nerveus, bezorgd, werd aangedaan; hij kon nooit hare tranen zien. En hij gaf toe, als altijd aan haar, waar het hare persoonlijke zaken betrof. Den volgenden dag vertrok zij naar Soerabaia, logeerde er in het rezidentie-huis en deed waarlijk den dentist hare tanden soigneeren.

Dat was altijd goed, eens in het jaar. Zij besteedde er dezen keer ongeveer vijfhonderd gulden aan.

Nu, ter loops, meenden ook de andere dames iets te raden van wat er omging in Laboewangi achter een waas van geheimzinnigheid. Want Ida van Helderen deelde het Eva Eldersma meê, hare tragische blanke-nonna-oogen van angst ontzet: dat haar man en ook Eldersma en de rezident vreesden voor een opstand der bevolking, opgestookt door de Regentenfamilie, die het nooit vergeven zoû, dat de Regent van Ngadjiwa ontslagen was. De mannen lieten zich echter niets ontvallen, en stelden hunne vrouwen gerust. Maar eene donkere woeling bleef borrelen onder de schijnbare kalmte van hun binnensteedsche leventje. En langzamerhand lekten de praatjes uit en beangstigden de Europeesche bevolking. Vage berichtjes in de couranten—commentaren op het ontslag van den Regent—hielpen meê. Onderwijl ging voort de drukte van feestbereiding, maar men was er niet bij met hart en ziel. Men leefde in drukte en onrust en werd ziek van zenuwachtigheid. Des nachts sloot men beter de huizen, legde men wapens bij de hand, werd men plotseling angstig wakker, luisterend naar de geluiden van den nacht, die donsde in het wijde buiten. En men veroordeelde de haastigheid van Van Oudijck, die na de scène van het race-bal, geen geduld meer had kunnen oefenen, die niet geaarzeld had den Regent, wiens huis verknocht was aan den grond van Laboewangi, één met Laboewangi, voor ontslag te durven voordragen.

De rezident had uitgeschreven, als feest voor de bevolking, een passer-malam[1] op de aloon-aloon[2], die enkele dagen zoû duren en samenviel met den Fancy-fair. Dat zouden zijn volksfeesten, vele stalletjes en kramen, de Komedie-Stamboul[3] waar Duizend-en-Een-Nacht-tooneelspelen werden gegeven. Hij had dit gedaan om de Javaansche bevolking een zoo door haar gewaardeerd genoegen te doen, tegelijk dat de Europeanen feest vierden. Het was nu enkele dagen vóór den Fancy-fair en den dag te voren zoû, toevallig, de koempoelan[4] plaats hebben in de Kaboepaten.

Een angst, een drukte, een zenuwachtigheid gaf in het anders steeds stille plaatsje een emotie, die de menschen bijna ziek maakte. Moeders brachten hare kinderen weg en waren zelve in tweestrijd. Maar de Fancy-fair deed de menschen blijven. Zouden zij den Fancy-fair willen missen? Zoo zelden was er eens een pretje. Maar als waarlijk... een opstand uitbrak! En men wist niet wat te doen: men wist niet òf ernstig op te nemen de troebele dreiging, die men raadde; òf luchthartig met ze te spotten.

Den dag vóór de koempoelan vroeg Van Oudijck belet bij de Raden-Ajoe Pangéran, die bij haar zoon inwoonde. Zijn rijtuig reed langs de opstallen en kramen der aloon-aloon, en door de sierpoorten der passer-malam: de naar elkaâr buigende bamboestammen, waaraan de smalle strook dundoek, die kabbelt in den wind: de versiering, die in het Javaansch dan ook 'kabbeling' heet. Dien avond zoû de eerste feestavond zijn. Men was bezig aan de laatste toebereidselen en in de drukte van het hameren en schikken, hurk-

1 Avond-markt.
2 Plein voor de Regentswoning.
3 Maleische schouwburg.
4 Maandelijksche bestuursvergadering.

ten de inboorlingen niet altijd neêr voor het rijtuig van den rezident, en lette men niet op de gouden pajong, die de oppasser vasthield op den bok, als een dichtgestraalde zon. Maar toen het rijtuig langs den vlaggestok inreed de oprijlaan van den Kaboepaten en men zag, dat de rezident zich naar den Regent begaf, schoolden groepen samen, en sprak men fluisterend en heftig. Aan den ingang van de oprijlaan verdrong men zich, spiedde uit. Maar de bevolking zag niets dan door de schaduw der waringins in de verte schemeren de leêge pendoppo¹, met hare rissen van afwachtende stoelen. De schout, die op zijn fiets plotseling voorbijreed, deed de samenscholingen als instinctmatig stuiven uit een.

In de voorgalerij wachtte de oude vorstin den rezident. Een kalmte lag over haar waardig gelaat en liet niet lezen, wat in haar woelde en omging. Zij wees den rezident te zitten en met enkele gewone frazen begon het gesprek. Toen verschenen vlug kruiphurkende over den grond vier bedienden: de een met een flesschendrager vol flesschen; de tweede met een blad waarop tal van glazen; een derde met een zilveren ijsvat vol brokken ijs; de vierde, zonder iets, maakte de semba. De vorstin vroeg den rezident wat hij drinken wilde en hij zei, dat hij gaarne een whiskey-soda had. De laatste bediende, steeds kruiphurkende tusschen de drie anderen door, bereidde den drank, schonk-in de scheut whiskey, deed als een kanon openspringen de ajer-blanda²-flesch, en liet in het glas een ijsbrok neêr, als een kleine gletscher. Geen woord werd nog gesproken. De rezident liet den drank eerst koelen, en de vier bedienden kruiphurkten weg. Toen, eindelijk, nam Van Oudijck het woord en hij vroeg de vorstin of hij zoû kunnen spreken in geheel vertrouwen, of hij zoû kunnen zeggen, wat hij had op het hart. Zij, beleefd, smeekte het hem te doen. En met zijn vaste, maar gedempte stem, zeide hij haar, in het Maleisch, in heel hoffelijke zinnen, vol vriendschap en bloemrijke beleefdheid, hoe hoog en groot zijne liefde voor den Pangéran was geweest, en nog was voor diens

1 Overdekte vierkante ruimte, voor de Regentswoning, voor vergaderingen en feesten.

2 Soda-water

roemrijk geslacht, ook al had hij, Van Oudijck, tot zijn innigste spijt, moeten handelen tegen die liefde in, omdat hem zijn plicht dat gebood. En hij vroeg haar, zoo een moeder dat kon, hem geen kwaad hart toe te dragen om die beoefening van zijn plicht; hij vroeg haar, integendeel, moederlijk voor hem te voelen, den Europeeschen ambtenaar, die als een vader bemind had den Pangéran, en met hem, den ambtenaar—zij, de moeder van den Regent —, samen te werken door haar zoo grooten invloed aan te wenden tot heil en welvaart van de bevolking. In zijne vroomheid en verren blik naar de dingen van het onzienlijke, vergat Soenario wel eens de feitelijke werkelijkheid, die lag voor de hand; welnu, hij, de rezident, vroeg haar, de machtige invloedrijke moeder, samen te werken met hem in wat Soenario zag over het hoofd, samen te werken, in eensgezindheid en liefde. En, in de sierlijkheid van zijn Maleisch, opende hij haar zijn hart geheel, zeide hij haar de woeling, die reeds dagen lang borrelde onder de bevolking, als een slecht gif, dat haar niet anders dan slecht, dronken kon maken en haar wellicht zoû leiden tot dingen, tot daden, die in diep berouw zouden moeten eindigen. En met dìt laatste woord van 'diep berouw', deed hij haar voelen, onder zijn woorden, dat de Regeering de sterkste zoû zijn, dat een ontzettende straf neêr zoû vallen op al wie schuldig zoû blijken te zijn, hoog en laag. Maar hoog hoffelijk bleef zijn taal en eerbiedig zijn woord, als van een zoon tegen eene moeder. Zij, hoewel ze hem verstond, waardeerde de tactvolle gratie van zijne manieren, en de met bloemen bestrooide diepte en ernst van zijne taal deed hem stijgen in hare achting en verwonderde haar bijna—in een lagen Hollander, van bloed noch afkomst. Maar hij ging voort, en niet zeide hij haar, wat hij wel wist, dat zij was de aandrijfster in deze duistere woeling—maar wel vergoêlijkte hij die woeling, en zeide, dat hij ze begreep, dat de bevolking meê met haar leed, in haar verdriet omtrent den onwaardigen zoon, die toch ook afstammeling was van het edele geslacht; en dat het zoo natuurlijk was, dat de bevolking diep voelde voor hare oude vorstin, ook al was dat gevoel nu onverstandig en onberedeneerd. Want de zoon wàs onwaardig, de Regent van Ngadjiwa was onwaardig geweest, en wat gebeurd was, had niet anders kunnen gebeuren. Zijn stem werd even streng en zij boog het grijze hoofd, bleef zwijgen, scheen aan te nemen. Maar nu werden teederder weêr zijne woorden en nogmaals vroeg hij haar hare medewerking, te willen aanwenden haar invloed ten beste. Hij vertrouwde op haar geheel. Hij wist, dat zij hoog hield de traditie van haar geslacht, de trouw aan de Compagnie, de onkreukbare trouw aan de Regeering. Welnu, hij vroeg haar zoo aan te wenden hare macht en invloed, zoo te gebruiken de liefde en vereering, die men haar toedroeg, dat zij, mede met hem, den rezident, tot stilte zoû brengen wat in het duistere woelde; dat zij tot bedachtzaamheid brengen zoû wat niet nadacht; dat zij tot vrede zoû stillen, wat in het geheim dreigde, onbezonnen en lichtzinnig, tegen het waardige en sterke gezag. En terwijl hij vleide en dreigde tegelijkertijd, gevoelde hij, dat zij,—hoewel zij nog nauwlijks sprak één woord, en alleen zijne woorden maar scandeerde met haar: saja,—kwam onder zijn sterkeren invloed van man van tact en van gezag, en dat hij haar deed nadenken. Hij gevoelde, dat onder het nadenken de haat in haar neêrviel, de wraakzucht in haar verlamde, en dat hij brak de energie en den trots van het oude bloed der Madoereesche sultans. Hij liet schemeren voor hare oogen, onder al de bloem van zijne taal, den geheelen ondergang, de zware straf, de toch sterkere macht van het Gouvernement. En hij plooide haar tot de oude lenigheid van te bukken onder de heerschersmacht. Hij leerde haar, in hare opwelling om op te staan en van zich te werpen het gehate juk, dat het beter was koel, verstandig te zijn en bezadigd zich opnieuw te schikken. Zij knikte zacht ja, met het hoofd, en hij voelde, dat hij haar had overmachtigd. Een trots er om werd in hem wakker. En nu ook sprak zij, en beloofde, met hare inwendig weenende, gebroken stem. Dat zij hem liefhad als een zoon, dat zij zoû doen als hij verlangde, haar invloed buiten de Kaboepaten in de stad zeker zoû aanwenden tot stilling van deze dreigende troebelen. Zij sprak zich ervan vrij, en zeide, dat ze ontsproten uit onnadenkende liefde van de bevolking, die meêleed met haar, om haar zoon. Zij zeide hem nu na zijne woorden: alleen sprak zij niet van onwaardig. Want zij was moeder. En nogmaals herhaalde zij het, dat hij haar vertrouwen kon, dat zij zoû doen naar zijn verlangen. Toen deelde hij haar meê, dat hij morgen met zijne ambtenaren, met de inlandsche hoofden ter koempoelan zoû komen, en hij zeide, dat hij haar zoo vertrouwde, dat zij allen, Europeanen, ongewapend zouden zijn. Hij zag haar in de oogen. Hij dreigde haar meer met dit te zeggen dan dat hij van wapens hadde gesproken. Want hij dreigde haar, zonder er een woord van te zeggen, alleen met de intonatie van het Maleisch, met de straf, de wraakneming van de Regeering, zoo één haar gekrenkt zoû worden van den minste harer ambtenaren. Hij was opgestaan. Zij ook stond op, wrong de handen, bezwoer hem zoo niet te spreken, bezwoer hem ten volle te vertrouwen haar en haar zoon. En zij liet Soenario roepen. De Regent van Laboewangi kwam en nogmaals herhaalde Van Oudijck, dat hij hoopte op vrede en nadenken. En in den toon van de oude vorstin tegen haar zoon, voelde hij, dat zij wilde, dat het nadenken en de vrede er zijn zoû. Hij voelde haar, de moeder, almachtig in de Kaboepaten.

De Regent boog het hoofd, stemde toe, beloofde, zeide zelfs, dat hij reeds had laten sussen, dat hij altijd betreurd had die opwinding van het volk, dat het hem zeer leed deed, nu de rezident het toch bespeurd had, niettegenstaande zijne—Soenario's—sussingen. De rezident drong niet verder door in deze onoprechtheid. Hij wist, dat de woeling aangestookt werd van uit de Kaboepaten, maar hij wist ook, dat hij had overwonnen. Nog eens, echter, drukte hij den Regent zijne verantwoordelijkheid op het hart, in het geval, dat er iets gebeuren mocht in de pendoppo, morgen, gedurende de koempoelan. De Regent bezwoer hem aan zoo iets niet te denken. En nu, om in vriendschap te scheiden, smeekte hij Van Oudijck nog eens te gaan zitten. Hij zette zich. Bij deze beweging stiet Van Oudijck als toevallig tegen het glas, dat geheel parelde van ijskoude, en dat hij nog niet aan de lippen had gezet. Het viel kletterend op den grond. Hij verontschuldigde zich over zijne lompheid. De Raden-Ajoe Pangéran had zijne beweging opgemerkt en haar oude gelaat werd bleek. Zij zeide niets, maar zij wenkte een volgeling. En op nieuw verschenen kruiphurkend de vier bedienden, bereidden een tweede glas whiskey-soda. Van Oudijck zette het glas dadelijk aan den mond.

Er was een pijnlijke stilte. In hoeverre de beweging van den rezident, waarmeê hij het glas had omgestooten, gerechtvaardigd was geweest, zoû altijd blijven een raadsel, zoû hij nooit en nimmer weten. Maar hij wilde de vorstin toonen, dat hij, hier komende, op alles was voorbereid, vóor hun gesprek; dat hij, nà dat gesprek, haar geheel en in alles vertrouwen wilde. Zoowel in den drank, dien zij hem bood, als morgen op de koempoelan, waar hij met zijne ambtenaren allen ongewapend verschijnen zouden; als in haren invloed ten beste, die rust en vrede onder de bevolking zoû brengen. En als om te toonen, dat zij hem begreep, en dat geheel zijn vertrouwen gerechtvaardigd zoû zijn, stond zij op en fluisterde een paar woorden tot een volgeling, dien zij gewenkt had. De Javaan verdween en kwam weldra de geheele voorgalerij kruiphurkende door, dragende een lang voorwerp in gele hoes. De vorstin nam het uit zijn handen en overhandigde het Soenario. En deze trok uit de gele zijden hoes een wandelstok, dien hij aanbood aan den rezident als een bewijs van hun broederlijke vriendschap. Van Oudijck nam aan, wetende het symbool. Want de gele zijden hoes was van de kleur en de stof van het gezag: zijde en geel of goud; de stok zelve was van een hout, dat beveiligt tegen slangenbeten en onheil, en de zware knop was gewerkt in het metaal van gezag—goud—in den vorm van de oude sultanskroon. Deze stok, aangeboden op dit oogenblik, beteekende, dat de Adiningrats zich opnieuw onderworpen en dat Van Oudijck hen vertrouwen kon.

En toen hij afscheid nam, was hij zeer trotsch en waardeerde hij hoog zichzelven. Want met tact, met diplomatie, met kennis van den Javaan had hij overwonnen: alleen met woorden zoû hij den dreigenden opstand hebben bezworen. Dat zoû een feit zijn.

Dat was ook zoo, dat zoû zoo zijn: een feit. Dien eersten avond van de passer-malam, vroolijk lichtende van honderde petroleumlampjes, lokkelijk dampende van laag drijvende bakluchten, vol van het bonte gewarrel der feestende bevolking—dien eersten avond was niets dan feest en onder elkaâr besprak de bevolking het lange vriendschapsbezoek van den rezident aan den Regent en aan zijn moeder; want het rijtuig met de pajong had men lang zien wachten in de oprijlaan, en volgelingen van den Regent vertelden van het geschenk van den wandelstok.

Dat was ook zoo: het feit was, en gebeurde, zooals Van Oudijck het had vooruit bedacht en gedwongen. En dat hij trotsch was, was menschelijk. Maar wat hij niet had gedwongen en vooruit bedacht, dat waren de stille krachten, die hij nooit raadde, die hij ontkennen zoû, altijd, in het natuurlijk eenvoudige leven. Wat hij *niet* zag en hoorde en voelde, dat was de heel stille kracht, die wel neêrsloeg, maar toch smeulde, als een vulkanisch vuur onder de schijnbaar rustige dreven van bloemen en vriendschap en vrede: de haat, die een macht zoû hebben van ondoordringbaar mysterie, waartegen hij, Westerling, ongewapend was.

6

Van Oudijck hield van zekere effecten. Hij sprak niet veel dien dag over zijn bezoek aan de Kaboepaten, en ook niet toen dien avond Eldersma en Van Helderen hem kwamen spreken over de koem-poelan, die den volgenden morgen plaats zoû grijpen. Zij hadden een zekere ongerustheid en vroegen of zij zich wapenen zouden. Maar Van Oudijck, zeer streng en beslist, verbood wapens meê te nemen, en zeide, dat het niemand geoorloofd was. De ambtenaren gaven toe, maar niemand was op zijn gemak. De koempoelan had echter plaats in volkomene ongestoordheid en harmonie; alleen was er een grootere bevolking op de been tusschen de kramen van de passer-malam, was er meer politie bij de sierpoorten, met de kabbelende strooken dundoek. Maar er gebeurde niets. De vrou-wen in huis waren angstig en herademden toen hunne mannen veilig weêr waren thuis. En Van Oudijck had zijn effect bereikt. Hij legde nu een paar bezoeken af, zeker van zijne zaak, vertrouwende op de Raden-Ajoe Pangéran. Hij stelde de dames gerust, en zeide haar nu alleen te denken aan den Fancy-fair. Maar zij vertrouwden het niet. Sommige families, des avonds, sloten alle hunne deuren en bleven met de kennissen en kinderen en baboe's in de midden-galerij, gewapend, luisterend, op hun hoede. Theo, met wien zijn vader, in een bui van vertrouwelijkheid, had gesproken, maakte er toen met Addy een pretje van. De beide jongelui, op een avond, liepen de huizen af, van wie zij wisten, dat het angstigst waren, en zij drongen door in de voorgalerij, en zij riepen om open te doen: en in de middengalerijen hoorden zij de snaphanen al overhalen. Zij hadden een dollen avond.

Toen eindelijk had de Fancy-fair plaats. Op het tooneel van de societeit had Eva georganizeerd een serie van drie tableaux uit de Artur-Sage: Viviane, en Ginevra en Lancelot; in den tuin was in het midden een Madoereesche prauw, in den vorm van een Viking-schip, waar men punch à la romaine dronk; een naburige suikerfa-briek, nog altijd pret makende, bekend om den joligen toon, die er heerschte, had gezorgd voor een komplete Hollandsche poffertjes-kraam—als een heimwee-wekkende herinnering aan Holland: de dames als Friesche boerinnen, de employés van de fabriek allen als koksjongens gekleed; en de emotie voor Transvaal was gevierd door een Majuba-heuvel met heeren en dames in fantastisch Boe-ren-kostuum. Van de immense zeebeving in Ternate was geen sprake, hoewel de helft van de opbrengst aan de geteisterde streken was toebedacht. Onder de lichtende lolengfestoenen, die slinger-den boven den tuin was een groote pret en lust tot veel geld uit-geven, vooral voor Transvaal. Maar onder die lustigheid huiverde toch een angst. Groepjes verzamelden zich, blikken keken spiedend uit naar buiten, waar op den weg zich verdrongen: Indo's, Javanen, Chineezen, Arabieren, rondom de draagkeukentjes, die walmden. En angstig, onder een glas champagne, of een bord poffertjes, luis-terde men in de richting van de aloon-aloon, waar de passer-malam woelde in volle kracht. Toen Van Oudijck verscheen met Doddy, ontvangen met het Wien Neêrlandsch Bloed, goedmoedig rijks-daalders en bankjes strooiende, vroeg men hem telkens iets, ge-heimzinnig aan het oor. En, missende mevrouw Van Oudijck, vorschte men onder elkaâr uit, waar zij was. Zij had zoo een kies-pijn, zeide men: zij was daarom naar Soerabaia. Men vond het niet aardig van haar; men hield niet van haar als men haar niet zag. Zij werd dien avond zeer besproken: men vertelde de afschuwelijkste schandalen van haar. Doddy nam op de Madoereesche prauw haar plaats in als verkoopster, en Van Oudijck, met Eldersma, Van Hel-deren, een paar controleurs van buiten, ging rond, en trakteerde

zijn Binnenlandsch Bestuur. Als men hem de geheimzinnige in-
lichtingen vroeg, met de angstige blikken naar buiten, met het luisterend oor naar de aloon-aloon, stelde hij majesteitelijk glimlachend gerust: er zoû niets gebeuren, hij verpandde er om zijn eerewoord. Men vond hem wel erg vertrouwend, erg zeker van zijne
zaak, maar de joviale glimlach om de breede snor van den rezident
stelde gerust. Hij dreef een ieder aan van zijn goede stad Laboewangi alleen te denken aan de pret en de liefdadigheid. En toen,
eensklaps, verscheen de Regent, Raden Adipati Soenario en zijne
vrouw, de jonge Raden-Ajoe, en aan den ingang boeketjes, pro-
gramma's en waaiertjes betaalde met een bankje van honderd gulden, ging eene ontspanning door het geheele publiek van den tuin.
Het bankje van honderd van den Regent was spoedig overal bekend. En nu herademde men; nu begreep men, dat alle angst over-
bodig zoô zijn.

Dat geen opstand dien avond uit zoû breken. Men vierde den
Regent en zijn glimlachende jonge vrouw, die schitterde van hare
mooie juweelen.

Van louter ontspanning, herademing, dolheid, gaf men steeds
meer en meer geld uit, wilde men evenaren de enkele schatrijke
Chineezen—die van vóor de opiumregie, eigenaars van de witte
marmer- en stucpaleizen—als zij met hunne vrouwen, in gebor-
duurde grijze en groene Chineesche gewaden, het glimmende haar
vol bloemen en steenen, sterk riekende naar sandelgeuren, strooi-
den met rijksdaalders. Het geld vloeide, tikkelde als met zilveren
droppelingen in de bussen der blijde verkoopsters. En de Fancy-
fair was een succes. En toen Van Oudijck eindelijk, langzaam aan
hier en daar, aan Doorn de Bruijn, aan Rantzow, aan de ambtenaren van buiten iets losliet van zijn bezoek aan de Kaboepaten, van
zijn gesprek met de Raden-Ajoe Pangéran—nederig en eenvoudig
doende, maar toch ondanks zichzelven stralende van blijden hoogmoed, van vreugde over zijn zege—toen bereikte hij zijn grootste
effect.

Het verhaal ging rond door den tuin, van den tact, van de knap-
heid van den rezident, die met zijn woord alleen de revolutie bezworen had. Hij werd als op de handen gedragen. En hij schonk

overal rond champagne, hij kocht alle waaiertjes op, hij kocht al de loten van de tombola, die nog niet waren verkocht. Men aanbad hem, het was zijn oogenblik van succes en populariteit. En hij schertste met de dames, hij maakte ze het hof. Het feest duurde lang, tot zes uur in den lichten morgen. De vroolijke poffertjeskoks waren dronken en dansten om de poffertjeskachel heen.

En toen Van Oudijck eindelijk naar huis ging, gevoelde hij zich in een stemming van zelftevredenheid, van kracht, van blijdschap; vervoering over zichzelven. In zijn kleine wereld voelde hij zich koning en tevens diplomaat en tevens bemind door allen, wien hij rust en vrede verzekerd had. Deze avond deed hem stijgen in zijne zelfachting en hij waardeerde zich hooger dan ooit. Hij voelde zich zoo gelukkig als hij zich nooit had gevoeld.

Hij had het rijtuig naar huis gezonden, en wandelde met Doddy naar huis. Enkele vroege verkoopers gingen ter passer. Doddy, half slapende, doodmoê, sleepte zich meê aan den arm van haar vader...

Toen, dichtbij, ging haar iemand voorbij, en hoewel zij meer voelde dan zag, huiverde zij plotseling. Zij zag op. De figuur was voorbij. Zij zag om en zij herkende den rug van den hadji, die zich haastte...

Zij voelde zich koud tot flauw vallens toe. Maar toen, moê, slapende loopende, bedacht zij, dat zij half droomde, droomde van Addy, van Patjaram, van den maannacht onder de tjemara's, waar aan het einde van de laan de witte hadji haar verschrikt had...

V

I

Eva Eldersma was in een stemming van lusteloosheid en spleen als zij nog nooit in Indië had ondervonden. Na al haar arbeid, drukte, succes van den Fancy-fair—na de huiverende angsten voor opstand—sluimerde het plaatsje gemoedelijk weêr in, als was het weltevreden weêr te kunnen dommelen als altijd. Het was December geworden en de zware regens waren begonnen, als altijd, den vijfden December: de regenmoesson, onveranderlijk, trad in op St. Nicolaas. De wolken, die, een maand lang, zich al zwellende en zwellende hadden opgetast aan de laagte der kimmen, gordijnden hare watervolle zeilen hooger tegen de uitspansels aan, en scheurden open als met éene razernij van vèr uitlichtende electriciteiten, plasten kletsstralende neêr als daar niet meer omhoog op te houden rijkdommen van regen, nu de te volle zeilen scheurden en al de waterweelde giet-stroomde als uit éen scheur neêr. Des avonds was Eva's voorgalerij overvlogen door een dollen zwerm van insecten, die zich, vuurdronken, ten ondergang stortten in de lampen, als in een apotheoze van vlammendood, en met haar wiekbewegende, stervende lichamen de lampenglazen vulden en bestrooiden de marmeren tafels. Een koelere lucht ademde Eva in, maar een waasmist van vocht, uit aarde en bladeren, sloeg aan op de muren, scheen te zweeten uit meubels, te tanen op spiegels, te vochtvlakken op zijde, te schimmelen op schoenen, of de neêrrazende stroomenkracht der natuur al het kleine en fijn-glinsterende en bevallige van menschenwerk zoû bederven. Maar boomen en loover en gras leefden op, leefden uit, woekerden welig omhoog, in duizende tintelingen van nieuw groen en in de oplevende zege van de groene natuur was de neêrduikende menschenstad van open villahuizen nat en paddestoelvochtig, verweerde tot schimmelgroen al de blankheid der gekalkte pilaren en bloemepotten.

Eva zag aan de langzame, geleidelijke ruïne van haar huis, hare meubels, hare kleêren. Dag aan dag, onverbiddelijk, bedierf er iets, rotte wat weg, beschimmelde, verroestte er iets. En geheel de esthetische filozofie, waarmede zij eerst zich geleerd had van Indië te houden, te waardeeren het goede in Indië, te zoeken ook in Indië naar de mooie lijn, uiterlijk, en naar het inwendige mooi, van ziel, was niet meer bestand tegen het stroomen van het water, tegen het uit-een kraken van haar meubels, tegen het vlakkig worden van haar japonnen en handschoenen, tegen al de vocht, schimmel en roest, die haar bedierf hare exquize omgeving, die zij om zich heen als troost had ontworpen, geschapen, als troost voor Indië. Al het beredeneerde, verstandelijke van zich te schikken, van toch iets liefs en moois te vinden in het land van al te overmachtige natuur en geld- en pozitie-zoekende menschen, verongelukte, stortte in, nu zij elk oogenblik gedwongen werd kribbig te zijn, als huis-vrouw, als elegante vrouw, als artistieke vrouw. Neen, onmogelijk was het in Indië zich te omringen met smaak en exquiziteit. Zij was hier nog slechts een paar jaar, en zij voelde nog wel wat kracht te strijden voor hare Westersche beschaving, maar toch begreep zij al beter dan de eerste dagen van hare aankomst het zich-maar-laten-gaan, van de mannen na hun drukke werk, van de vrouwen in hare huishouding. Zeker, de geluideloos loopende bedienden, werkende met zachte hand, gewillig, nooit brutaal, zij trok ze voor boven de luidruchtig stampende meiden in Holland, maar toch voelde zij in geheel haar huis een Oosterschen tegenstand tegen hare Wester-sche ideeën. Het was altijd een strijd, om niet onder te gaan in het-maar-laten-gaan, in het maar laten verwilderen van het te groote erf, achter onvermijdelijk behangen met groezelig wasch-goed der bedienden, en bestrooid met afgeknabbelde manga's; in het maar laten vervuilen en ontverven van haar huis, te groot, te open, te bloot aan weêr en wind om met Hollandsche zindelijkheid te worden verzorgd; in het maar blijven schommelen ongekleed, in sarong en kabaai, de bloote voeten in muiltjes, omdat het heusch te warm, te zwoel was zich te kleeden in een japon of peignoir, die men doortranspireerde. Voor haar was het, dat aan tafel 's avonds haar man steeds gekleed was, zwart jasje en hoogen boord, maar als zij zag zijne vermoeide trekken, waaruit al meer en meer de strakke ooververmoeide bureau-trek staarde, boven dien hoogen boord, maande zij hem zelve een volgenden keer aan zich maar niet te kleeden na zijn tweede bad, en duldde zij hem aan tafel in een wit jasje, of zelfs in nachtbroek en kabaai. Zij vond dat iets vreeslijks, iets onzegbaar verschrikkelijks, het schokte geheel hare bescha-ving, maar heusch, hij was te moê, en het was te drukkend zwoel om anders van hem te vergen. En zij—pas twee jaren in Indië—begreep meer en meer het zich laten gaan—in kleeding, in lichaam, in ziel—nu zij iederen dag iets meer verloor van haar Hollandsche frissche bloed en haar Westersche energie, nu zij wel toegaf, dat men in Indië werkte als misschien in geen ander land, maar alleen werkte, met dat doel voor oogen: pozitie—geld— ontslag—pensioen—en terug, terug naar Europa. Wel waren er anderen, geboren in Indië, nauwlijks één enkel jaar eens uit Indië weg geweest, die niets van Holland wilden hooren, die aanbaden hun land van zon. Zoo wist zij, waren de de Luce's, en zoo—wist zij—waren er anderen. Maar in haar kring van ambtenaren en planters was het bij iedereen het zelfde levensdoel—pozitie—geld—en dan weg, weg naar Europa. Iedereen rekende uit de jaren, die hij nog zoû werken moeten. Iedereen zag in de toekomst de illuzie van de Europeesche rust. Een enkele, als Van Oudijck—een ènkele ambtenaar, die misschien zijn werk liefhad òm zijn werk, en omdat het harmonieerde met zijn karakter—vreesde den toekomstigen pensioen-tijd, die dom vegeteeren zoû zijn. Maar Van Oudijck was een uitzondering. De meesten dienden en plantten, voor een latere rust. Haar man immers ook, beulde zich af, om als hij assistent-rezident was geworden, over enkele jaren zijn pensioen te nemen; beulde zich af voor zijne illuzie van rust. Nu, zij voelde hàar energie haar ontzinken, met iederen druppel bloed, dien zij voelde trager door haar matte aderen vloeien. En in deze eerste dagen van de natte moesson, nu de gooten van het huis onophoudelijk waterden de dik klaterende stralen, die haar irriteerden met hun gekletter, nu zij zag bederven in vocht en schimmel, al dat materieele, dat zij met smaak om zich heen koos, als hare artistieke troost in Indië, nu kwam zij in eene ontstemming van lusteloosheid en spleen als zij nog nimmer had doorgemaakt. Zij had niet genoeg aan haar kindje, te klein nog om iets van ziel voor haar te zijn. Haar man werkte, werkte altijd. Hij was voor haar een goede, lieve man, een brave man, een man van grooten eenvoud, dien zij misschien alleen om dien eenvoud genomen had, om die kalme rust van zijn glimlachend Friesche blonde gezicht en de stoerheid van zijne breede schouders, na een paar opgewonden jonge romans van dwepen en misverstand en woordenwisselingen van hoog-zielevoelen, romans uit haar jongemeisjestijd. In deze eenvoudigen man had zij, die *niet* rustig en eenvoudig was, den eenvoud en rust van haar leven gezocht. Maar zijne kwaliteiten voldeden haar niet. Vooral, nu, langer in Indië, en verslagen wordende in den strijd met het land, dat hare natuur niet sympathisch was, voldeed zijn rustige liefde van echtgenoot haar niet.

Zij begon zich ongelukkig te voelen. Zij was te veelzijdig vrouw om geheel haar geluk te kunnen vinden in haar kleine jongentje. Het vulde wel, met zijne kleine zorgjes voor nu, en met de gedachten aan zijne toekomst, een deel van haar leven. Zij had zelfs uitbedacht een geheele theorie van opvoeding. Maar het vulde niet haar leven geheel. En een heimwee naar Holland omving haar, een heimwee naar hare ouders, een heimwee naar het mooie kunsthuis, waar men altijd ontmoette schilders, schrijvers, toonkunstenaars — uitzondering van artistieke salon in Holland, waar een oogenblik te samen kwamen de anders altijd in Holland geïzoleerde kunstelementen.

Als een vage verre droom trok het vizioen haar voorbij, terwijl zij hoorde naar de aankondigende donderingen der barstenszwoele lucht, terwijl zij uitkeek naar den watervloed, die daarna neêrgoot. Hier had zij niets. Hier voelde zij zich misplaatst. Hier had zij in haar clubje van getrouwen, die zich om haar verzamelden, omdat zij vroolijk was, niets van diepere sympathie, van inniger conversatie — dan alleen met Van Helderen. En met hem wilde zij voorzichtig zijn, om hem geene illuzie's te geven.

Alleen Van Helderen. En zij dacht aan alle de andere menschen om haar heen in Laboewangi. Zij dacht aan menschen, menschen van overal. En, pessimistisch, in deze dagen, vond zij in allen het egoïste, het eigen-ikkerige, en het minder beminnelijke, het opgesloten in zichzelven; zij kon het zich nauwlijks uitdrukken, afgeleid door de forsche watermacht van den regen. Maar zij vond in ieder bewuste en onbewuste dingen van onbeminnelijkheid. Ook in hare getrouwen. Ook in haar man. In mannen, jonge vrouwen, jonge meisjes, jongelui om haar heen. Ieder was zijn eigen ik. In niemand was het harmonisch voor zich én voor een ander. In die vond zij dit niet goed, in die dat hatelijk; die en die veroordeelde zij geheel. Het was een kritiek, die haar troosteloos en weemoedig maakte, want ze was tegen haar natuur in: zij had gaarne lief. Ze leefde gaarne samen, spontaan, harmonisch met vele anderen: oorspronkelijk was er in haar een liefde voor de menschen, een liefde voor de menschheid. Groote kwesties wekten emotie in haar. Maar al wat zij gevoelde vond geen weêrklank. Leêg en alleen bevond zij zich, in een land, een stad, een omgeving, waar alles en alles—groote dingen, kleine dingen—hinderde haar ziel, haar lichaam, haar karakter, haar natuur. Haar man werkte. Haar kind ver-Indieschte al. Hare piano was ontstemd.

Zij stond op, probeerde de piano, met lange gamma's, die uitliepen in den Feuerzauber van de Walküre. Maar de regen raasde sterker dan haar muziek opzong. Toen zij weêr opstond, wanhopig van lusteloosheid, zag zij Van Helderen staan.

—Je laat me schrikken, zeide zij.

—Mag ik blijven rijsttafelen? vroeg hij. Ik ben thuis alleen. Ida is voor hare malaria naar Tosari en de kinderen zijn meê. Ze is gisteren gegaan. Het is een dure historie. Hoe ik dit een maand vol moet houden, weet ik niet.

—Laat de kinderen hier komen, als zij een paar dagen zijn boven geweest...

—Is je dit geen last?

—Natuurlijk niet... Ik zal het Ida schrijven...

—Het is heusch allerliefst van je... Je zoû er mij zeker meê helpen. Zij lachte mat.

—Ben je niet wel?

—Ik voel mij doodgaan, zeide zij.

—Hoe meen je?

—Ik voel mij iederen dag wat sterven.

—Waarom?

—Het is hier verschrikkelijk. Wij hebben naar de regens verlangd, en nu ze er zijn, maken ze me dol. En—ik weet het niet —: ik hoû het hier niet meer uit.

—Waar?

—In Indië. Ik heb mij geleerd om in dit land het goede, het mooie te zien. Het was alles tevergeefs. Ik kan nu niet meer.

—Ga naar Holland, sprak hij zacht.

—Mijn ouders zouden me zeker gaarne terugzien. Voor mijn jongen zoû het goed zijn, want iederen dag verleert hij meer en meer zijn Hollandsch, dat ik zoo energiek begonnen was hem te leeren, en praat hij Maleisch—of erger nog: sinjó'sch. Maar mijn man kan ik hier niet alleen laten. Hij zoû niets hebben zonder mij. Tenminste—dat geloof ik—dat is nog zoo iets als een illuzie. Misschien is het niet zoo.

—Maar als je ziek wordt...

—Ach... ik weet het niet...

Er was eene ongewone doodmoêheid in geheel haar wezen.

—Misschien overdrijf je! begon hij opgewekt. Kom, misschien overdrijf je. Wat is er, wat hindert je, wat maakt je zoo ongelukkig. Laten wij eens een inventaris opmaken.

—Een inventaris van mijn ongelukken. Mijn tuin is een moeras. Drie stoelen van mijn voorgalerij kraken uit-een. Witte mieren hebben mijn mooie Japansche matten opgegeten. Een nieuwe zijden japon is, onverklaarbaar, met vochtvlekken uitgeslagen. Een andere is, louter van de warmte, geloof ik, vergaan tot losse draadjes. Daarbij verschillende kleinere misères van dien aard. Om mij te troosten heb ik mij gestort in den Feuerzauber. Mijn piano was valsch; ik geloof, dat er kakkerlakken tusschen de snaren rondwandelen.

Hij lachte een beetje.

—Wij zijn idioot, hier, wij Westerlingen in dit land. Waarom brengen we hier geheel den nasleep van onze dure beschaving, die het hier toch niet uithoudt! Waarom wonen wij hier niet in een frisch bamboe-huisje, slapen op een tiker[1], kleeden ons in een kaïin pandjang en chitsen kabaai, met een slendang over den schouder, en een bloem in het haar. Al jullie kultuur, waarmeê je rijk wilt worden,— dat is een Westersch idee, dat mislukt op den duur. Al onze administratie—dat is vermoeiend in de warmte. Waarom—als wij hier willen zijn—leven wij maar niet eenvoudig en planten wij padi en leven wij van niets...

—Je praat als een vrouw, lachte hij een beetje.

—Het is mogelijk, zeide zij. Ik spreek zoo half uit aardigheid. Maar dat ik hier voel, tegen mij in, tegen al mijne Westerschheid in, een

1 Mat.

kracht, die mij tegenwerkt... dat is zeker. Ik ben hier soms bang. Ik voel mij hier altijd... op het punt overweldigd te worden, ik weet niet waardoor: door iets uit den grond, door een macht in de natuur, door een geheim in de ziel van die zwarte menschen, die ik niet ken... In de nachten vooral ben ik bang.

—Je bent nerveus, zeide hij teeder.

—Misschien, sprak zij mat terug, ziende, dat hij haar niet begreep, en te moê het verder te verklaren. Laat ons over iets anders spreken. Die tafeldans is toch vreemd.

—Ja, zeide hij.

—Verleden toen wij het deden met ons drieën—Ida, jij, en ik...

—Het was zeker heel vreemd.

—Herinner je je dien eersten keer? Addy de Luce... dat schijnt nu toch waar te zijn met mevrouw Van Oudijck... En de opstand... De tafel voorspelde het toen.

—Zoû het niet, onbewust, onze suggestie zijn?

—Ik weet het niet. Maar te denken, dat wij allen eerlijk zijn, en dat die tafel gaat tikken en met ons praat, volgens een alfabet.

—Ik zoû het toch niet dikwijls doen, Eva.

—Neen. Ik vind het onverklaarbaar. En toch verveelt het me al. Zoo went een mensch aan het onbegrijpelijke.

—Alles is onbegrijpelijk...

—Ja... en alles is banaal.

—Eva, zeide hij, zacht lachend verwijtend.

—Ik geef den strijd heelemaal op. Ik zal maar kijken naar den regen... en schommelen.

—Vroeger zag je het mooie in mijn land.

—In jouw land? Dat je gaarne morgen zoû verlaten, om naar de Parijsche Tentoonstelling te gaan.

—Ik heb nooit iets gezien.

—Je bent zoo nederig van daag.

—Ik ben treurig, om jou.

—O toe, wees het niet.

—Speel nog wat...

—Hier, drink dan je bittertje. Schenk je in. Ik zal spelen op mijn valsche piano, die harmonisch zal klinken met mijn ziel, ook in de war...

Zij ging terug naar de middengalerij en speelde uit Parzifal. Hij, voor, bleef zitten en luisterde. De regen raasde neêr. De tuin stond blank. Een heftige donderslag scheen de wereld uit een te doen kraken. De natuur was oppermachtig en in haar reuzeopenbaring waren de twee menschen in dit vochtige huis klein, was zijne liefde niets, hare weemoed niets, en de mystieke muziek van de Graal was als een kinderwijsje in den daverenden mystiek van dien donderslag, waarmeê het noodlot zelve met goddelijke cymbalen scheen te varen over de in den zondvloed verdronkene menschen.

2

De twee kinderen van Van Helderen, een jongen en een meisje, zes en zeven, waren in huis bij Eva en Van Helderen zelve kwam geregeld een keer per dag eten. Hij sprak nooit meer over zijn innig gevoel als wilde hij niet verstoren de streelende lieflijkheid van hun iederen dag samen zijn. En zij nam het aan, dat hij iederen dag met haar samen was, onmachtig hem af te weeren. Hij was de eenige man in haar omgeving, met wien zij spreken en luid denken kon, en hij was haar een troost in deze dagen van spleen. Zij begreep niet hoe zij zoo geworden was, maar zij kwam langzamerhand in een totale apathie, in een soort nihilizeerend niets noodig vinden. Zij was nooit zoo geweest. Hare natuur was van levendigheid en opgewektheid, van zoeken het mooie en bewonderen, van poëzie en muziek en kunst: dingen, die zij, van klein kindje af, van hare kinderboeken af, om zich heen had gezien en gevoeld en besproken. In Indië was zij langzamerhand alles gaan missen, waaraan zij behoefte had. Een nihilisme, om te zeggen: waarvoor alles: waarvoor de wereld en de menschen en de bergen; waarvoor al dat kleine dwarrelen van leven?... maakte zich wanhopig van haar meester. En als zij dan las van het sociale drijven, in Europa de groote sociale kwestie, in Indië de opkomende kwestie der Indo's, dacht zij: waarom de wereld, als de mensch zoo eeuwig de zelfde blijft: klein en lijdend en neêrgedrukt in al de ellende van zijn menschelijkheid. Zij zag niet het doel. De helft der menschheid leed armoede en streed zich uit dat duister omhoog: naar wat...? De andere helft vegeteerde dom suffende weg in het geld. Tusschen beiden was een trap van tinten, van de duistere armoede tot den suffenden rijkdom. Over ze heen regenboogden de eeuwige illuzies: liefde, kunst, groote vraagteekens van recht en vrede en ideale toekomst... Zij vond het alles om niets, zij miste het doel en zij dacht: waarom dat alles zoo, en waarom de wereld, en de arme menschen...

Zij had zich nog nooit zoo gevoeld, maar er was niet tegen te strijden. Langzaam, iederen dag, maakte Indië haar zoo, ziek van ziel. Frans van Helderen was haar eenige troost. Deze jonge controleur, die nooit geweest was in Europa, die geheel zijne opvoeding had gehad te Batavia, zijn examens had gedaan te Batavia, blond, gedistingeerd, met zijn lenige hoffelijkheid, — met zijn type van onzegbare vreemde nationaliteit, was om zijne bijna exotische ontwikkeling dierbaar geworden aan hare vriendschap. Zij zeide hem hoe zij die vriendschap heerlijk vond en hij antwoordde niet meer met zijne liefde. Er was te veel liefs, zoo, in hunne verhouding. Er was in iets idealistisch, waaraan zij beiden behoefte hadden. In hunne omgeving van gewoonheid glansde die vriendschap voor hen uit als een heel exquize glorie, waarop zij beiden trotsch waren. Hij kwam veel — vooral nu zijne vrouw op Tosari was — en in de avond-schemeringen wandelden zij naar den vuurtoren, die aan zee stond als een kleine Eiffel-kandelaber. Over die wandelingen werd veel gesproken, maar zij stoorden er zich niet aan. Op het fondament van den vuurtoren zetten zij zich, zagen uit naar de zee, en luisterden naar de verte. Prauwen, spookachtig, met zeilen als nachtvogels, gleden in het kanaal, met het zeurige zingen der visschers. Een weemoed van levensgelatenheid, van kleine wereld en kleine menschen, waarde om onder de sterretintelluchten, waar, mystiek, het Zuiderkruis opdiamantte, of, Turksch half, de maan soms hoornde. En boven dien weemoed van zeurzingende visschers, wrakwankele prauwen, van kleine menschen onder aan den kleinen glimptoren, dreef een grondelooze immensiteit: luchten en eeuwige lichten. En uit de immensiteit dreef het onzegbare aan, als het bovenmenschelijk goddelijke, waarin al het klein menschelijke verzonk, versmolt.

—Waarom eenige waarde te hechten aan het leven, als ik morgen misschien dood ben, dacht Eva; waarom al dat gewirwar en die drukte van menschen, als morgen misschien alles dood is...

En zij zeide het hem. Hij antwoordde, dat een ieder leefde niet voor zich en zijn tijdstip van heden, maar voor allen, en voor de toekomst... Maar zij lachte bitter, haalde de schouders op, vond hem banaal. En zij vond zichzelve ook banaal, te denken zulke dingen, die al zoo dikwijls waren gedacht. Maar toch, niettegenstaande haar zelfkritiek, bleef haar drukken die obsessie van het nuttelooze van leven, als morgen alles kon dood zijn. En eene atoomkleinte vernederde hen, henbeiden, daar zittende, kijkende in de wijdte van luchten en eeuwige lichten.

Toch hadden zij lief die oogenblikken, waren ze in hun leven alles, want als zij niet te veel voelden hunne kleinte, spraken zij over boeken, muziek, kunst en over de groote hooge dingen van het leven. En zij voelden, dat zij, niettegenstaande den leestrommel en de Italiaansche opera, van Soerabaia, niet meer waren op de hoogte. Zij voelden de groote hooge dingen heel ver van hen. En een heimwee, voor beiden nu, zich niet meer zoo klein te voelen, beving hen, naar Europa. Beiden hadden zij gaarne weg gewild, weg naar Europa toe. Maar zij konden geen van beiden. Het kleine dagelijksche leven hield hen gevangen. Toen, als van zelve, harmonisch samen, spraken zij over wat ziel en wezen was en al het geheimzinnige ervan.

Al het geheimzinnige. Zij voelden het aan de zee, in de lucht, maar, stil, zochten zij het ook in de trippelende poot van een tafel. Zij begrepen niet, dat geest of ziel zich kon openbaren door een tafel, waar zij ernstig de handen oplegden, en die door hun fluïde van dood tot leven werd. Maar àls zij oplegden de handen, leefde de tafel, en zij moesten wel gelooven. Volgens vreemd alfabet kwamen verward dikwijls de letters, die zij aftelden, en de tafel, als bestuurd door een spotgeest, had telkens neiging te plagen, te verwarren, plotseling op te houden en grof te zijn en vuil. Samen lazen zij boeken over spiritisme, en zij wisten niet of zij gelooven zouden of niet.

Het waren stille dagen van stille eentonigheid in het regenruischende stadje. Hun leven met elkaâr was als iets oneigenlijks, als een droom, die waasde door den regen heen. En het was Eva als een plotseling ontwaken toen, op een middag, zij buiten loopend in de vochtige laan, en wachtende op Van Helderen, Van Oudijck haar naderen zag.

—Ik was juist op weg naar u toe, mevrouwtje! sprak hij opgewonden. Ik woû u juist wat komen vragen. Wil u mij weêr eens helpen?

—Waarmeê, rezident?

—Maar zeg mij eerst, is u niet wel? U ziet er tegenwoordig niet goed uit.

—Het is niets ernstigs, zeide zij, mat lachend. Het zal wel weêr overgaan. Waarmeê kan ik u helpen, rezident?

—Er moest iets gedaan worden, mevrouwtje-lief en wij kunnen niet zonder u. Mijn vrouw zei van morgen ook: vraag het maar aan mevrouw Eldersma...

—En wat dan?

—U weet, mevrouw Staats, van den overleden stationchef. De arme vrouw blijft achter met niets, alleen met haar vijf kinderen en eenige beren.

—Hij heeft zich van kant gemaakt?

—Ja. Het is heel treurig. En wij moeten haar helpen. Er is veel geld daarvoor noodig. Lijsten laten rondgaan, dat zal niet veel geven. De menschen zijn vrijgevig genoeg, maar zij hebben den laatsten tijd al zoo veel geofferd. Met den Fancy-fair waren ze dol. Op het oogenblik zal er niet veel te geven zijn, met het einde van de maand. Maar in het begin van de volgende maand, begin Januari, mevrouwtje, een komedie-voorstelling van Thalia. Heel vlug, een paar aardige salonstukjes, en zonder onkosten. Een entrée van ƒ 1,50, ƒ 2,50 misschien, en als *u* het op touw zet, is de zaal vol, komen ze van Soerabaia. Daar moet u me meê helpen, niet waar, mevrouwtje.

—Maar rezident, zei Eva moê. Pas die tableaux-vivants. Niet boos zijn, maar ik heb er geen lust in, altijd komedie te spelen.

—Jawel, jawel, het moet... drong Van Oudijck opgewonden voor zijn plan, een beetje hoog, aan.

Zij werd kribbig. Zij hield van hare onafhankelijkheid en vooral in deze dagen van spleen was zij te mistroostig, in deze dagen van droom voelde zij zich te wazig om dadelijk lief gevolg te geven aan dat verzoek van zijn gezag.

—Heusch, rezident, ik weet dezen keer niets, antwoordde zij kort. Waarom doet mevrouw Van Oudijck het niet zelf...

Zij schrikte, toen zij, kribbig, dat zeide. Naast haar loopende, ontstelde hij, en zijn gezicht betrok. De opgewonden vroolijke trek, de joviale lach om zijn dikken snor was plotseling weg. Zij zag, dat zij wreed was geweest en had wroeging. En voor het eerst, plotseling, zag zij in, dat hij, hoe verliefd ook op zijn vrouw, niet goed keurde, haar zich onttrekken aan alles. Zag zij in, dat hij er onder leed. Het was of dat licht voor haar werd, in zijn karakter: zij zag het voor het eerst en duidelijk.

Hij wist niet te antwoorden: zoekende naar zijne woorden, zweeg hij.

Toen zeide zij, aanhalig:

—Niet boos zijn, rezident. Het was niet aardig van me. Ik weet wel, dat mevrouw Van Oudijck die beslommeringen vervelend vindt. Ik neem ze haar gaarne uit de handen. Ik zal alles doen wat u verlangt.

Zenuwachtig, had zij de tranen in de oogen.

Hij zag haar, glimlachend nu, wat schuin onderzoekend aan.

—Wat is u toch nerveus. Maar ik wist wel, dat u een goed hart had. En mij niet zoû laten zitten met mijn plan. En die goede moeder Staats zoû willen helpen. Maar niet duur zijn, mevrouwtje, en geen onkosten, geen nieuwe décors. Alleen uw geest, uw talent, uw mooie dictie van Fransch of Hollandsch — wat u wilt. Daar zijn we nu eenmaal trotsch op in Laboewangi en al dat moois — wat u ons kosteloos geeft — is geheel voldoende om de voorstelling te doen slagen. Maar wat is u nerveus, mevrouwtje? Waarom huilt u? Is u niet wel? Zeg mij, kan ik wat voor u doen?

—Mijn man niet zoo veel werk geven, rezident. Ik heb nooit iets aan hem.

Hij maakte een gebaar van niet helpen kunnen.

—Het is zoo, het is vreeslijk druk, gaf hij toe. Is dat de zaak?

—En mij het goede van Indië leeren inzien.

—Is het dan dàt?

—En nog een heele boel meer...

—Heeft u heimwee? Bevalt Indië u niet langer, bevalt Laboewangi u niet meer, waar wij u allen op de handen dragen...? U oordeelt over Indië verkeerd. Probeer eens het goede in te zien.

—Ik heb het geprobeerd.

—Gaat het niet langer?

—Neen...

—U is te verstandig om niet het goede van dit land te zien.

—U heeft dat land te lief om onpartijdig te zijn. En ik kan ook niet onpartijdig zijn. Maar zeg mij de goede dingen.

—Waarmeê zal ik beginnen. Het goede, wat men kan doen als ambtenaar voor land en volk, en dat in voldaanheid terugslaat op onszelve. Het heerlijke, mooie werken voor dat land en dat volk: het vele en harde werken, dat hier vol een leven vult... Ik spreek niet van al het bureau-werk van uw man, die secretaris is. Maar ik spreek hem later, als hij assistent-rezident is!

—Hoe lang moet dat nog duren...!

—Het ruime materieele leven dan?

—Waaraan de witte mieren knagen.

—Dat is valsch vernuft, mevrouw...

—Wel mogelijk, rezident. Alles is ontstemd in en om mij, mijn vernuft, mijn piano, en mijn arme ziel.

—De natuur dan?

—Ik voel mij er zoo niets in. De natuur overweldigt me en eet me op.

—Uw eigen werkkring?

—Mijn werkkring... een van de goede dingen van Indië...

—Ja. Ons, materieele menschen van praktijk, nu en dan eens te bezielen met uw geest.

—Rezident, wat een komplimentjes! Is dat alles om de tooneeluit-voering!

—En met dien geest goed te doen aan moeder Staats?

—Zoû ik geen goed kunnen doen in Europa?

—Zeer zeker, zeide hij kort. Ga maar naar Europa, mevrouw. Word in Den Haag maar lid van Armenzorg; met een blikje op uw deur en een rijksdaalder... in den hoeveel tijd?

Zij lachte.

—Nu wordt u onrechtvaardig. Ook in Holland wordt veel goed gedaan.

—Maar voor één ongelukkige doen wat wij, wat *u* nu doen zal... wordt dat ooit in Holland gedaan? En zeg mij niet, dat hier minder wordt armoê geleden.

—Dus...?

—Dus is er hier veel goeds voor u. Uw werkkring. Het werken voor anderen, materieel en moreel. Laat Van Helderen niet te veel met u dwepen, mevrouw. Hij is een charmante jongen, maar te litterair in zijn maandelijksche contrôle-rapporten. Ik zie hem daar aankomen en ik moet weg. Dus ik reken op u?

—Geheel en al.

—Wanneer de eerste vergadering, met het Tooneelbestuur, en de dames?

—Morgenavond, bij u, rezident?

—Top. Ik zal de lijst rond laten zenden. Wij moeten veel geld maken, mevrouw.

—Wij zullen ze helpen, moeder Staats, zeide zij zacht.

Hij drukte haar de hand, ging weg. Zij voelde zich week, zij wist niet waarom.

—De rezident heeft me voor je gewaarschuwd, omdat je te litterair was! plaagde zij Van Helderen.

Zij zetten zich in de voorgalerij. De lucht brak open: een blank gordijn van regen daalde in rechte plooien van water. Een plaag van sprinkhanen sprong door de galerij. Een wolk van zeer kleine vliegjes ruischte in de wandhoeken als een eolische harp. Eva en Van Helderen legden de handen op het tafeltje en het hief met een ruk zijn poot op, terwijl de torren om hen heen zwermden.

3

Lijsten gingen rond. De tooneelvoorstelling werd ingestudeerd, na drie weken gespeeld en het Tooneelbestuur reikte den rezident een som van bijna vijftienhonderd gulden over voor moeder Staats.

Hare schulden werden betaald; voor haar een huisje gehuurd, en haar gezet in een kleine modezaak, waarvoor Eva schreef naar Parijs. Alle dames van Laboewangi deden moeder Staats een bestelling, en in nog geen maand tijds was de vrouw niet alleen voor een volslagen ondergang behoed, maar was haar leven geregeld, gingen hare kinderen weêr naar school, en had zij een aardige broodwinning. Dat alles was zoo vlug en zonder ostentatie in zijn werk gegaan, men gaf zoo ruime giften op de lijsten, de dames bestelden zoo gemakkelijk een japon of een hoed, die zij niet noodig hadden, dat Eva verbaasd was. En zij moest zich bekennen, dat het egoïste, het eigen-ikkerige, het minder-beminnelijke, dat zij zoo dikwijls zag in hun sociale leven: omgang, conversatie, intrigue, kwaadsprekerij, in eens op den achtergrond was verdrongen door een solidair talent tot goeddoen, eenvoudig weg, omdat het moest, omdat het niet anders kon, omdat de vrouw geholpen moest worden. Door de beslommeringen voor de voorstelling gerukt uit haar spleen, opgewekt tot vlug doen, waardeerde zij dit goed-mooie in hare omgeving en zij schreef er zoo enthouziast over naar Holland, dat hare ouders, voor wie Indië een gesloten boek was, glimlachten. Maar hoewel deze epizode iets zachts en weeks en waardeerends in haar had opgewekt, was het maar een epizode, en was zij de zelfde, toen de emotie er om voorbij was. En niettegenstaande zij voelde om zich heen de afkeuring van Laboewangi, bleef zij doorgaan geheel haar leven te vinden in de vriendschap van Van Helderen.

Want er was verder zoo weinig. Het clubje van getrouwen, dat zij met zoo veel illuzie om zich heen had verzameld, dat zij te dineeren vroeg, waarvoor haar huis altijd open was—wat was het eigenlijk? Zij vond de Doorn de Bruijns en de Rantzows nu goed als onverschillige kennissen, maar niet meer als vrienden. Zij vermoedde, dat mevrouw Doorn de Bruijn valsch was, dokter Rantzow was haar te burgerlijk, te plat, zijne vrouw een onbeduidende Duitsche huisvrouw. Tafel lieten zij wel dansen, maar zij hadden schik in de inepte stommigheden, de vuiligheden van den spotgeest. Zij met Van Helderen, vatte het hoog ernstig op, al vond zij die tafel eigenlijk toch komiek. En zoo bleef er niemand over dan

Van Helderen voor hare sympathie.

Maar in hare bewondering was Van Oudijck gekomen. Zij had hem plotseling in zijn karakter gezien en hoewel geheel verschillend van de artistieke bekoring, die haar tot nog toe uitsluitend in karakters had aangetrokken, zag zij de mooie lijn ook in dezen man, die totaal niet artistiek was, die van kunst niet het minste idee had, maar die zoo veel moois had in zijn eenvoudig mannelijke opvattingen van plichtbesef en in de kalmte, waarmeê hij droeg de teleurstelling van zijn huiselijk leven. Want zij zag het, Eva, dat al aanbad hij zijn vrouw, hij Léonie niet goedkeurde in hare onverschilligheid omtrent al de belangen, die *zijn* leven uitmaakten. Zag hij verder niets, was hij verder blind voor alles van den huiselijken kring, deze teleurstelling was zijn geheim en zijn leed, waarvoor hij niet blind was, in het diepst van zichzelven.

En zij bewonderde hem, en hare bewondering was als eene openbaring, dat kunst niet altijd het hoogste was in de dingen van het leven. Zij begreep plotseling, dat de overdreven aanstellerij met kunst in onzen tijd, een ziekte was, waaraan zijzelve geleden had, en nog leed. Want wat was zij, wat deed zij? Niets. Hare ouders, beiden, waren groote kunstenaars, zuivere artisten en hun huis was een tempel en hunne eenzijdigheid was te begrijpen en te vergeven. Maar zij? Zij speelde vrij goed piano, dat was alles. Zij had wat idee en smaak, dat was alles. Maar indertijd had zij met andere jonge meisjes gedweept en zij herinnerde zich nu dat malle dwepen, dat elkaâr filozofeerende brieven schrijven in een nageaapten modemen stijl, met reminiscenties aan Kloos en Gorter. Zoo, in haar spleen, bracht toch haar peinzen haar verder, en ging evolutie door haar heen. Want het was in haar, het kind harer ouders, bijna ongelooflijk, dat zij niet altijd kunst het hoogste zoû vinden.

En er was in haar dat spel en weêrspel van zoeken en denken om te vinden haar weg, nu zij zich geheel verloren had in een land, vreemd aan hare natuur, tusschen menschen, op wie zij, zonder het hen te laten merken, neêrzag. In het land poogde zij te vinden het goede, om het aan hare natuur eigen te maken en het te waardeeren; tusschen de menschen was zij blijde die enkelen te vinden voor hare sympathie en hare bewondering; maar het goede bleef voor haar epizode; de enkele menschen uitzondering, en trots al haar zoeken en denken, vond zij haar weg niet en zij bleef in hare ontstemming van vrouw, die te Europeesch, te artistiek was,—niettegenstaande hare zelfkennis en kunstverloochening—om met welbehagen rustig te leven in een Indische binnenstad, aan de zijde van haar in bureau-werk verloren man; in een klimaat, dat haar ziek maakte; een natuur, die haar overweldigde; een omgeving, antipathiek.

En in de helderste oogenblikken van dit spel en weêrspel was het de duidelijke vrees, de vrees, die zij van alles het helderst voelde, de vrees, die zij aan voelde donzen, zij wist niet van waar, zij wist niet waar heen, maar wemelend over haar hoofd, als met de suizende sluiers van een noodlot, dat door de zwoele regenluchten streek...

In deze ontstemmingen had zij haar clubje van getrouwen niet om zich verzameld, want zijzelve deed geene moeite en haar kennissen begrepen haar te weinig om haar op te zoeken. Zij misten in haar de vroolijkheid, die hen eerst had aangetrokken. Nu kwam de ijverzucht en vijandelijkheid meer los en men sprak veel over haar: zij was aanstellerig, pedant, ijdel, trotsch, zij had pretenties van altijd de eerste te willen zijn in de stad; zij deed maar of zij rezidentsvrouw was en gaf prenta aan iedereen. Eigenlijk toch was zij niet mooi, kleedde zij zich onmogelijk, was haar huis onbegrijpelijk ingericht. En dan haar verhouding met Van Helderen, hunne avondwandelingen bij den vuurtoren. Op Tosari, in den kletstroep van het kleine, nauwe hôtel, waar de gasten zich vervelen als zij geen uitstapjes doen en dus in hunne nauwe voorgalerijtjes bijna zitten in elkanders intimiteit, loeren in elkanders kamertjes, luisteren aan de dunne beschotjes—op Tosari hoorde Ida ervan, en het was genoeg om in het Indische vrouwtje op te wekken hare blanke-nonna-instincten en plotseling, zonder verklaring, hare kinderen aan Eva te ontnemen. Van Helderen, voor een paar dagen boven komende, vroeg zijne vrouw hiervan uitlegging, vroeg haar waarom zij Eva beleedigde, door, zonder reden, haar de kinderen te ontnemen en bij zich boven te nemen, waar zij de hôtelrekening aanzienlijk vermeerderde, en Ida maakte een scène, met luide woorden, met zenuwtoevallen, waarvan het geheel hôtelletje daverde, die iedereen de ooren deed spitsen, en als een waaiende wind het bobbelende geklets opzweepte tot een zee. En zonder verdere verklaring brak Ida met Eva. Eva trok zich terug. Tot in Soerabaia, waar zij eens ging boodschappen doen, hoorde zij het lasteren en leuteren, en zij werd zoo wee van hare wereld en hare menschen, dat zij zich stil terug trok in zichzelve. Zij schreef Van Helderen niet meer te komen. Zij bezwoer hem zich met zijne vrouw te verzoenen. Zij ontving hem niet meer. En zij was nu geheel alleen. Zij voelde, dat zij in geene stemming was om iets van troost te vinden bij wie ook van hare omgeving. Voor stemmingen als de hare was er in Indië geen sympathie en geen medebegrip. En daarom sloot zij zich op. Haar man werkte. Maar zij wijdde zich meer aan haar jongen: zij dompelde zich geheel in de liefde voor haar kind. Zij trok zich terug in de liefde voor haar huis. Dat was nu het leven van nooit uitgaan, van nooit iemand zien, van nooit iemand spreken, van nooit andere muziek hooren, dan haar eigene. Dat was nu de troost zoeken in haar huis, haar kind, en haar lectuur. Dat was de vereenzelviging, waartoe zij na hare eerste illuzies en energieën gekomen was. Nu voelde zij altijd het heimwee naar Europa, naar Holland, naar hare ouders, naar menschen van een artistieke ontwikkeling. En nu werd het de haat voor het land, dat zij toch eerst had gezien overweldigend groot mooi, met zijne koninklijke bergen, en met het donzende mysterie in natuur en in mensch. Zij haatte nu die natuur en die mensch en het mysterie maakte haar bang.

Nu vulde zij haar leven met te denken aan haar kind. Haar jongen, de kleine Onno, was drie jaar. Zij zoû hem leiden, een man van hem maken. Zoodra hij geboren was, had zij die vage illuzies gehad van haar zoon later een groot kunstenaar te zien, het liefst een groot schrijver, wereldberoemd. Maar zij had geleerd sedert dien tijd. Zij voelde, dat kunst niet het hoogste, altijd, is. Zij voelde, dat er hooger dingen zijn, die zij in haar spleen, wel is waar, soms verloochende, maar die er toch waren, glanzend groot. Die dingen waren om het worden van Toekomst; die dingen waren vooral om Vrede, Recht en Verbroedering. O, de groote verbroedering van wat arm was en rijk — nu, in haar eenzaamheid dacht zij er over als het hoogste ideaal, waaraan gewerkt kon worden, zooals beeldhouwers werken aan een monument. Recht, vrede, zouden dan volgen. Maar het eerst moest de verbroedering benaderd worden en zij wilde, dat haar zoon er aan arbeiden zoû. Waar? In Europa? In Indië? Zij wist het niet; zij zag dat niet voor zich. Zij zag het eerder in Europa dan in Indië. In Indië bleef voor alle hare gedachten het onverklaarbare, het raadselachtige, het bange. Wat was dat toch vreemd...

Zij was een vrouw voor idealen. Misschien was dit alleen, simpel, de verklaring voor wat zij voelde en vreesde, in Indië.

—Je hebt geheel verkeerde indrukken omtrent Indië, zeide haar man soms. Je ziet Indië heelemaal verkeerd. Stil? Je denkt, dat het hier stil is? Waarom zoû *ik* zoo veel te werken hebben in Indië als het stil was in Laboewangi. Honderde belangen van Europeanen en Javanen behartigen wij... De kultuur is hier zoo krachtig beoefend als maar kan... De bevolking neemt toe, neemt altijd toe... Vervallen, een kolonie, waar zooveel omgaat...? Dat zijn van die idiote ideeën van Van Helderen. Ideeën van bespiegeling, uit de lucht gegrepen, en die jij nabespiegelt... Ik begrijp niet zooals je Indië ziet, tegenwoordig... Er is een tijd geweest, dat je oog hadt voor het mooie en interessante hier... Dat schijnt nu heelemaal voorbij... Je moest eigenlijk maar naar Holland...

Maar zij wist, dat hij het heel eenzaam zoû hebben: daarom wilde zij niet gaan. Later, als haar jongen ouder was, dan moèst zij gaan. Maar dan zoû Eldersma zeker wel assistent-rezident zijn geworden. Nu had hij nog zeventien controleurs, secretarissen boven zich. Dat was zoo al sedert jaren, dat uitzien naar een ver verwijderde toekomst van promotie als het smachten naar een fata-morgana. Rezident worden, daar dacht hij zelfs niet aan. Assistent-rezident een paar jaar, en dan naar Holland, met pensioen...

Zij vond het een troosteloos bestaan, zich zoo afbeulen, voor Laboewangi...

Zij leed aan malaria, en hare meid, Saïna, pidjiette haar, masseerende met de lenige vingers hare pijnlijke leden.

—Saïna, het is, als ik ziek ben, te lastig, dat je in de kampong woont. Verhuis van avond nog hierheen, met je vier kinderen.

Saïna vond dat lastig, veel soesa.

—Waarom?

En zij verklaarde het. Haar huisje was haar nagelaten door haar man. Zij was er aan gehecht, hoewel het heel bouwvallig was. Nu, in de regenmoesson, regende het dikwijls in, en dan kon zij niet kooken en kregen de kinderen geen eten. Het laten repareeren, ging moeilijk. Zij kreeg een ringgit[1] in de week van de njonja; zestig cent ging al op aan rijst. Dan iederen dag een paar centen visch, klapperolie, sirih, een paar centen brandstof... Neen, het huisje repareeren ging niet. Bij de Kandjeng njonja zoû zij het veel beter hebben, op het erf veel beter. Maar het zoû soesa zijn, een bewoner voor het huisje te vinden omdat het zoo bouwvallig was en de njonja wist, dat geen huis in de kampong mocht leêg staan: daar stond groote boete op... Zij bleef dus maar liever wonen, in haar natte huisje... 's Nachts kon zij wel blijven waken bij de njonja; haar oudste dochtertje paste dan op de kleintjes.

En, onderworpen aan haar klein bestaan van kleine ellende, liet Saïna haar lenige vingers, sterk-zacht drukkend, glijden over de zieke leden van haar meesteres.

En Eva vond het troosteloos, dit leven van eén rijksdaalder in de week, met vier kinderen, in een huisje, waar het inregende, zoodat men er niet koken kon.

— —

—Laat mij zorgen voor je tweede dochtertje, Saïna, zei Eva op een anderen dag.

Saïna aarzelde, glimlachte: zij had dat liever niet, maar durfde het niet zeggen.

—Jawel, drong Eva aan. Laat ze hier komen: je ziet haar den heelen dag; ze slaapt onder de hoede van kokkie: ik kleed haar aan, en ze heeft niets te doen dan te zorgen, dat mijn slaapkamer netjes is. Jij kunt haar dat dan leeren.

—Zoo jong nog, 'nja; pas tien jaar.

—Jawel, drong Eva aan: laat zij je nu zoo helpen. Hoe heet ze?

1 Rijksdaalder.

—Mina, 'nja.

—Mina? Neen! zei Eva. Zoo heet ale djaït. We zullen een anderen naam voor haar vinden...

Saïna bracht het kindje, heel verlegen, een streepje bedak op het voorhoofd, en Eva kleedde haar netjes aan. Het was een heel mooi kindje, zacht donzig bruin, en liefjes in haar frissche kleêrtjes. Zij stapelde al zorgzaam de sarongs in de kleêrenkast, en legde er geurige witte bloemen tusschen: de bloemen moesten iederen dag verwisseld worden met frissche. Uit een aardigheid, omdat zij zoo aardig met die bloemetjes deed, noemde Eva haar Melati.

Een paar dagen daarna hurkte Saïna neêr bij haar njonja.—Wat is er, Saïna?

Of het kindje maar weêr terug mocht naar het natte huisje, in de kampong.

—Waarom?! vroeg Eva, verbaasd. Heeft je kindje het hier dan niet goed?

Ja, dat wel, maar het kindje hield maar meer van het huisje, zei Saïna verlegen; de njonja was heel lief, maar de kleine Mina hield maar meer van het huisje.

Eva was boos, en liet het kindje gaan, met de nieuwe kleêrtjes, die Saïna heel eenvoudig weg meênam.

—Waarom mocht het kind niet blijven? vroeg Eva aan de latta kokkie.

De kokkie dorst eerst niet zeggen.

—Kom, waarom niet, kokkie? drong Eva aan.

Omdat de Kandjeng het meisje Melati had genoemd... Met namen van bloemen en vruchten werden... alleen genoemd... de dansmeisjes... legde de kokkie als geheimzinnig uit.

—Maar waarom heeft Saïna mij dat niet gezegd? vroeg Eva, verbolgen. Dat wist ik immers volstrekt niet!

—Verlegen... zei de kokkie, verontschuldigend. Minta ampon, 'nja.

Het waren kleine voorvallen, zoo in haar dagelijksch leven van huisvrouw, anecdoten in hare huishouding, maar zij werd er bitter om, omdat zij er in voelde een scheiding, die altijd bestond tusschen haar en de menschen en dingen van Indië. Zij kende het land niet, zij zoû de menschen nooit kennen.

En de kleine teleurstelling in die epizoden vulde haar met evenveel bitterheid als de groote der illuzies had gedaan, omdat haar
leven, in de, iederen dag terugkeerende, kleinigheden van hare
huishouding, zelve kleiner werd en kleiner.

VI

I

Dikwijls waren de morgens frisch, rein gewasschen door de over-
vloedige regens, en in den jongen zonneschijn der eerste ochtendu-
ren doomde uit de aarde op een teeder waas, een blauwige uit-
wissching van iedere te scherpe lijn en kleur, zoodat de Lange Laan
met hare villa-huizen en dichte tuinen zich huifde in het bekoorlijke
en vage van een droomlaan: de droompilaren ijl oprijzende als een
vizioen van zuilenkalmte, de daklijnen zich veredelende in hare on-
duidelijkheid, de tinten der boomen en silhouetten der looverkrui-
nen zich louterende in zachte pastel-doezelingen van wazig roze, en
waziger blauw, met een enkelen helleren schijn van ochtendgeel,
en purperen verte-streep van dageraad, en over heel dit krieken
dauwde eene frischheid, als een sprenkelbad, dat in sprenkeldrup-
pels ijl opfonteinde uit dien gedrenkten grond en terugparelde in de
kinderlijke zachtheid van de allereerste zonnestralen. Dan was het
of iederen morgen de aarde en hare wereld begon voor de eerste
maal en of de menschen niet anders zouden zijn dan pas geschapen
in een jeugd van naïveteit en paradijs-onwetendheid. Maar de illuzie van dit ochtendkrieken duurde maar een enkel oogenblik,
nauwlijks enkele minuten: de zon, hooger stijgende, ontgloeide uit
haar waas van maagdelijkheid, de zon bralde op en stak-uit haar
trotschen aureool van priemende stralen, goot neêr haar branden-
den goudschijn, godetrotsch te heerschen haar oogenblik van dien
dag, want de wolken tastten zich al te samen, kwamen grauw aan-
gevaren als strijdhorden van donkere geesten, aanspokende en
blauwig diepzwart en dikzwaar loodgrijs, en overwonnen de zon en

verpletterden dan de aarde onder blanke stortvallen van regen. En de avondschemering, gauw en haastig, zakkende het eene floers over het andere, was als een overstelpende droefenis van aarde, natuur en leven, waarin zij vergaten die seconde van paradijs in den morgen; de witte regen ruischte neêr als een alles verdrinkende weemoedsmart; de weg, de tuinen dropen, en dronken den waterval tot zij als moerasplassen en overstrooming schemerden in den duisterenden avond: een spookkille mist wademde op als met het beweeg van loome geestwaden, die zweefden over de plassen, en de kille huizen, klein verlicht met hun walmende lampen, waarom wolken van insecten zwermden, overal neêrstervend met verzengde vleugels, vulden zich met een killere melancholie, een schaduwende angstigheid voor het aandreigende buiten, voor de almachtige wolkenhorden, voor het grenzenlooze groote, dat met windvlagen aanruischte uit het verre, verre onbekende: hemelgroot, uitspanselwijd, waartegen de opene huizen als niet beveiligd schenen, waarin de menschen klein waren en nietig met al hunne beschaving en wetenschap en ziele-emotie, klein als wriemelende insecten, onbeduidend, overgegeven aan het spel der van verre aanwaaiende reuzenmysteries.

Léonie Van Oudijck, in de half verlichte achtergalerij van het rezidentie-huis, praatte met Theo, met zachte stem, en Oerip hurkte bij haar neêr.

—Het is onzin, Oerip! zeide zij wrevelig.

—Heusch niet, Kandjeng, het is geen onzin, zeide de meid. Ik hoor ze iederen avond.

—Waar? vroeg Theo.

—In den waringin van het achtererf, hoog, in de hoogste takken.

—Het zijn loeaks[1]! zeide Theo.

—Het zijn geen loeaks, toean! hield de meid vol. Massa, Oerip zoû niet weten hoe loeaks miauwen! Kriauw, kriauw, doen ze! Dit, wat wij iederen nacht nu hooren, dat zijn de pontianaks[2]! Het zijn de kleine kindertjes, die huilen in de boomen. De zielen van de kleine kindertjes, die huilen in de boomen!

---

1 Wilde kat.

2 Spoken.

—Het is de wind, Oerip...

—Massa, Kandjeng, Oerip zoû den wind niet kunnen hooren! Boe... hh! waait de wind en dan bewegen de takken. Maar dit zijn de kleine kindertjes, die kreunen in de hoogste twijgjes en de takken bewegen dan niet. Alles is dan doodstil... Dit is tjelaka[1], Kandjeng.

—En waarom zoû het tjelaka zijn...

—Oerip weet wel, maar durft niet zeggen. Tentoe[2], zal de Kandjeng boos zijn.

—Kom, Oerip, zeg het nu??

—Het is om de Kandjeng Toean, de Toean Residèn.

—Waarom.

—Verleden met de passer malam op de aloon-aloon en de passer malam voor de orang-blanda, in de kebon-kotta[3]...

—Nu, wat toen?

—Toen was de dag niet goed uitgerekend, volgens de petangans. Het was een ongelukkige dag... En met de nieuwe put...

—Nu wat, met de nieuwe put?

—Toen is er geen sedeka[4] gegeven. Niemand gebruikt ook de nieuwe put. Iedereen haalt water uit de oude put... Ook al is het water niet goed. Want uit de nieuwe put rijst de vrouw met het bloedende gat in de borst... En nonna Doddy...

—Wat?

—Nonna Doddy heeft hem zien loopen, den witten hadji!! Dat is niet een goede hadji, de witte hadji... Dat is een spook. Tweemaal heeft de nonna hem gezien, op Patjaram en hier... Hoor, Kand-Jeng!

—Wat?

—Hoort u niet? In de hoogste twijgen kermen de kinderzieltjes. Het waait nu niet op het oogenblik. Hoor, hoor, dat zijn geen loeaks! Kriauw, kriauw doen de loeaks, als ze krolsch zijn! Dat, dat zijn de zieltjes...!

Zij luisterden alle drie. Werktuigelijk drukte Léonie zich dichter

1 Onheil.
2 Ongetwijfeld.
3 Stadstuin.
4 Offermaal.

aan tegen Theo. Zij zag doodsbleek. De ruime achtergalerij, met de altijd gedekte tafel, strekte zich lang uit in het sombere licht van een enkele petroleum-hanglamp. De plassige achtertuin schemerde nattig op uit den nacht der waringins, tikkelende van druppels, maar onbewogen in ondoordringbare fluweelige looverenmassa's. En een onverklaarbaar, nauwlijks waarneembaar gekreun, als een zacht geheim van gekwelde kleine zielen zeurde hoog boven, als in de lucht, als in de heel hooge takken der boomen. Nu was het een korte kreet, dan was het een steunen als van ziek kindje, dan was het zacht snikken als van gemartelde meisjes...

—Wat voor beesten zouden dat zijn? zei Theo. Zijn het vogels of insecten?...

Het gekerm en gesnik was heel duidelijk. Léonie zag spierwit en zij trilde over haar lichaam.

—Wees toch niet bang, zei Theo. Het zijn natuurlijk beesten...

Maar hijzelve was krijtwit van angst, en toen zij elkander in de oogen zagen, begreep zij, dat ook hij bang was. Zij klemde zijn arm, perste zich tegen hem aan. De meid hurkte diep, nederig, ineen, als duldende alle noodlot van onverklaarbare geheimzinnigheid. Zij zoû niet ontvluchten. Maar in de oogen der blanken was als eén denkbeeld, eén denkbeeld om te vluchten. Plotseling, zij beiden, de stiefmoeder, de stiefzoon, die brachten schande over het huis, waren zij bang, als met eéne bangheid, bang als voor een straf. Zij spraken niet, zij zeiden elkander niets; zij bleven tegen elkaâr aan, begrijpende elkanders beven, zij beiden blanke kinderen van den Indischen grond van geheim,—die van hunne kinderjaren af hadden geademd de geheimzinnige lucht van Java, onbewust hadden gehoord het vaag aandonzende mysterie, als een muziek van gewoonheid, een muziek, die zij niet hadden geteld, alsof het mysterie gewoonheid was. Toen zij zoo stonden en beefden en zagen elkander aan, stak de wind op, en voerde meê het geheim der zieltjes, en voerde de zieltjes meê: de takken bewogen woest door elkaâr, en nieuwe regen viel neêr. Een huiverende kilheid woei aan, vulde het huis; een tochtslag woei de lamp uit. En in den donker bleven zij nog een oogenblik, zij, trots de openheid der galerij, bijna in den arm van haar zoon en haar minnaar; de meid, duikende aan hunne voeten. Maar toen maakte zij zich los uit zijn arm, maakte zij zich los uit die zwarte beklemming van duisternis en angst, waardoor ruizelde de regen; huiverkil woei de wind en zij wankelde naar binnen, op het punt in zwijm te vallen. Theo, Oerip volgden haar. De middengalerij was verlicht. Het kantoor van Van Oudijck stond open. Hij werkte. Besluiteloos bleef Léonie staan, met Theo, niet wetende wat te doen. De meid, prevelend, verdween. Toen was het, dat zij hoorde suizen, en een kleine ronde steen vloog door de galerij, viel ergens neêr. Zij gaf een gil, en achter het schutsel, dat het kantoor, waar Van Oudijck aan zijn schrijftafel zat, scheidde van de galerij, stortte zij zich, alle voorzichtigheid kwijt, op nieuw in Theo's armen. Zij sidderden tegen elkaârs borst aan. Van Oudijck had haar gehoord, hij stond op, kwam van achter het schut. Zijn oogen knipten, als moê van werken. Léonie, Theo, hadden zich hersteld.

—Wat is er, Léonie...

—Niets, zeide zij, niet durvende zeggen, niet van de zieltjes, niet van den steen, bang voor de straf, die dreigde. Zij, Theo, stonden als schuldigen, beiden spierwit en bevend. Van Oudijck, nog bij zijn werk, zag niets.

—Niets, herhaalde zij. De mat is stuk, en... en ik struikelde bijna. Maar ik woû je wat zeggen, Otto...

Hare stem trilde, maar hij hoorde het niet, blind voor haar, doof voor haar, nu hij nog als verdiept in zijn stukken was.

—Wat dan?

—Oerip heeft mij doen raden, dat de bedienden gaarne een sedeka hadden, omdat er een nieuwe put op het erf gebouwd is...

—Die put, die al twee maanden oud is?

—Zij gebruiken er het water niet van.

—Waarom niet?

—Ze zijn bijgeloovig, weet je; ze willen het water niet gebruiken voor de sedeka gegeven is.

—Dat had dan dadelijk moeten gebeuren. Waarom hebben zij het mij niet dadelijk door Kario laten vragen? Ik denk niet aan dien onzin uit mezelf. Maar ik had ze toen de sedeka wel gegeven. Nu is het mosterd na den maaltijd. De put is al twee maanden oud.

—Het zoû toch wel goed zijn, zei Theo. Papa, u weet zelf hoe Javanen zijn: ze zullen de put niet gebruiken, als ze geen sedeka gekregen hebben.

—Neen, zeide Van Oudijck onwillig, schuddende het hoofd. Nu
een sedeka te geven, heeft niet de minste beteekenis. Ik had het
gaarne gedaan, maar nu, na twee maanden, is het onzin. Zij hadden
het dan maar dadelijk moeten vragen.

—Toe, Otto, smeekte Léonie. Ik zoû de sedeka maar geven. Je doet
er mij pleizier meê.

—Mama heeft het Oerip al zoo halfbeloofd... drong Theo zacht
aan.

Zij stonden bevende voor hem, spierwit, als smeekelingen. Maar
in hem, afgetobd, denkende aan zijn stukken, was een starre onwil,
al kon hij zelden zijn vrouw iets weigeren.

—Neen, Léonie, zeide hij beslist. En je moet nooit iets belooven,
waar je niet zeker van bent...

Hij wendde zich af, ging het schutsel om, zette zich aan zijn werk.

Zij zagen elkander aan, de moeder, de stiefzoon. Langzaam,
doelloos, gingen zij van daar, naar de voorgalerij, waar een vochtige duisternis dreef tusschen de aanzienlijk opgaande pilaren. Door
den plassenden tuin zagen zij een witte gedaante komen. Zij schrikten, bang nu voor alles, met iedere silhouet denkende aan de straf,
die hun in vreemdheid zoû gebeuren, zoolang zij bleven in het ouderlijk huis, waar zij schande over hadden gebracht. Maar toen zij
beter uitspiedden herkenden zij Doddy. Zij kwam thuis; zij zeide
sidderend, dat zij bij Eva Eldersma was geweest. In waarheid had
zij gewandeld met Addy de Luce, en zij hadden voor den regen
geschuild in de kampong. Zij was heel bleek, zij sidderde, maar
Léonie en Theo zagen het niet in de duistere voorgalerij, evenals
zijzelve niet zag, dat hare stiefmoeder bleek was, dat Theo bleek
was. Zij sidderde zoo, omdat zij, in den tuin—Addy had haar tot het
hek gebracht—met steenen was geworpen. Zij dacht aan een bruta-
len Javaan, die haar vader haatte en zijn huis en zijn huisgezin, maar
in de duistere voorgalerij, waar zij zwijgend dicht naast elkaâr, als
in radeloosheid, zag zitten haar stiefmoeder en haar broêr, voelde
zij in eens—zij wist niet waarom—dat het geen brutale Javaan was
geweest...

Zij zette zich bij hen, zwijgend. Zij zagen uit naar den donkeren vochtigen tuin, waarover de wijde nacht aanzweefde als met reuze-vleêrmuizenwieken. En in de woordelooze melancholie, die grauwe schemering zeefde tusschen de blankende pilaren van statigheid, voelden zij zich alle drie, Doddy alleen, maar stiefmoeder en stiefzoon samen, stervensbang en verpletterd om het vreemde, dat gebeuren ging...

2

En trots hunnen angst, zochten zij elkaâr des te vaker, zich voelende samen verbonden door een nu onbreekbare samenvoeging. Des middags sloop hij in hare kamer, en trots hunnen angst, omhelsden zij elkander woest en bleven dan dicht bij elkaâr.

—Het moet onzin zijn, Léonie... fluisterde hij.

—Ja, maar wat is het dan, fluisterde zij terug. Ik heb toch het gekerm gehoord, en den steen hooren suizen door de lucht...

—En dan...

—Wat?

—Als het iets is... stel, dat het iets is, dat wij niet verklaren kunnen.

—Maar ik geloofer niet aan!

—Maar ik nog minder... Maar alleen...

—Wat?

—Als het iets is... àls het iets is, dat wij niet kunnen verklaren, dan...

—Dan wat?

—Dan is... het... *niet* om ons! fluisterde hij bijna onhoorbaar. Oerip zei het immers zelf. Dan is het om papa!

—Ach, maar het is te dwaas...

—Ik geloof ook niet aan dien onzin.

—Het kermen... dat is van beesten.

—En die steen... moet gegooid zijn door een ellendeling... een van de bedienden, een vent, die zich aanstelt... of is omgekocht...

—Omgekocht? Door wien?

—Door... den... Regent...

—Ach Theo!

—Oerip zei, het gekerm kwam aan van de Kaboepaten...

—Wat meen je?!

—En dat zij van daar uit papa plagen wilden...

—Plagen?

—Omdat de Regent van Ngadjiwa was ontslagen.

—Zei Oerip dat...?

—Neen, neen, dat zei ze niet. Dat zeg ik. Oerip zei, dat de Regent tooverkracht had. Dat is natuurlijk onzin. Die kerel is een lammeling... Hij heeft lui omgekocht... om papa te treiteren.

—Maar papa merkt er niets van...

—Neen... We moeten het hem ook niet zeggen... Dat is het beste... We moeten het niëeren.

—En de witte hadji, Theo, dien Doddy tweemaal gezien heeft... En als ze bij Van Helderen tafel laten dansen, ziet Ida hem ook...

—Ach, natuurlijk ook een handlanger van den Regent...

—Ja, dat zal het wel zijn... Maar het is toch ellendig, Theo... Mijn Theo, ik ben bang!

—Voor dien onzin! Kom!

—Als het iets is, Theo... dan is het niet om *ons?*

Hij lachte.

—Ach wat! Om ons! Het is voor-den-gek-houderij... van den Regent...

—Wij moesten niet meer samen komen...

—Jawel, ik hoû van je, ik ben dol op je.

Hij zoende haar razend en zij waren beiden bang. Maar hij blageerde.

—Kom, Léonie, wees niet zoo bijgeloovig...

—Als kind vertelde mijn baboe mij...

Zij fluisterde aan zijn oor een verhaal. Hij werd bleek.—Ach, wat een onzin, Léonie!

—Er zijn vreemde dingen, hier, in Indië... Als ze wat begraven van je, een zakdoek of een stukje haar... dan kunnen ze... met alleen bezweringen... maken, dat je ziek wordt en wegkwijnt, en sterft... zonderdat één dokter vermoedt wat de ziekte is...

—Dat is onzin!

—Dat is heusch waar!

—Ik wist niet, dat je zoo bijgeloovig was!

—Ik heb er vroeger nooit aan gedacht. Ik denk er nu eerst aan, den laatsten tijd... Theo, zoû er *iets* zijn?

—Er is niets... dan elkaâr te zoenen.

—Neen Theo... wees stil, doe niet. Ik ben bang... Het is al laat. Het wordt zoo gauw donker. Papa is al op, Theo. Ga nu weg, Theo... door het boudoir. Ik wil gauw mijn bad nemen. Ik ben tegenwoordig bang als het donker wordt... Met die regens is er geen schemering... Het overvalt je in eens, de avond... Verleden had ik geen licht in de badkamer laten brengen... en toen was het er al zoo donker... om half zes... en twee kamprets[1] vlogen er rond; ik was zoo bang, dat ze in mijn haar zouden vast gaan zitten... Stil... is dat papa...?

—Neen... Dat is Doddy... die speelt met haar kakatoe.

—Ga nu weg, Theo.

Hij ging, door het boudoir, wandelde den tuin in. Zij stond op, sloeg een kimono om over den sarong, dien zij maar los geknoopt onder de armen droeg en riep Oerip.

—Bawa barang mandi![2]

—Kandjeng...!

—Waar ben je, Oerip?

—Hier, Kandjeng...

—Waar was je...?

—Hier voor uw tuindeur, Kandjeng... Ik wachtte! zei de meid, met beteekenis, meenende, dat zij wachtte tot Theo weg was.

—Is de Kandjeng Toean al op?

—Soeda,... heeft al gebaad, Kandjeng.

—Breng dan mijn badgoed... Steek het lampje aan, in de badkamer... Verleden was het lampeglas er gebroken, en het lampje niet gevuld...

—De Kandjeng baadde vroeger ook nooit met licht...

—Oerip... is er van middag... iets... gebeurd?

—Neen... alles was kalm... Maar ach als de avond valt... Alle bedienden zijn bang, Kandjeng... De kokkie wil niet meer blijven.

1 Vleêrmuizen.

2 Breng het badgoed!

—Ach, wat een soesa... Oerip, beloof haar vijf gulden... prezent... als zij blijft...

—Ook de spen is bang, Kandjeng...

—Ach, wat een soesa... Ik heb nooit zooveel soesa gekend, Oerip...

—Neen, Kandjeng.

—Ik heb altijd mijn leven zoo goed kunnen regelen... Maar dit zijn dingen...!

—Apa bolè boeat, Kandjeng!¹... De dingen, machtiger dan de mensch...

—Zouden het heusch geen loeaks zijn... en een kerel, die gooit met steenen?

—Massa, Kandjeng.

—Nu... breng maar mijn badgoed... Vergeet niet het lichtje op te steken...

De meid ging. Het begon al duister te zeven uit de met regen befloersde lucht. Doodstil lag het groote rezidentie-huis in den nacht van zijn reuze-waringins. En de lampen waren nog niet ontstoken. In de voorgalerij, alleen, dronk Van Oudijck thee, liggende op een rieten stoel, in nachtbroek en kabaai... In den tuin hoopten zich de dikke schaduwen op, als waden van onstoffelijk fluweel, die zwart neêrvielen uit de boomen.

—Toekan lampoe²! riep Léonie.

—Kandjeng!

—Steek toch de lampen op! Waarom begin je zoo laat? Steek het eerst op de lamp in mijn slaapkamer...

Zij ging, naar de badkamer... Langs de lange rei der goedangs en bediendenkamers, die den achtertuin afsloot, ging zij. Zij zag op naar de waringin van wiens hoogste takken zij verleden gehoord had het gekerm der zieltjes. De takken bewogen niet, geen adem van wind suizelde, de lucht was beklemmend zwoel van dreigenden onweêrregen, regen, te zwaar om te vallen. In de badkamer, ontstak Oerip het lichtje.

—Heb je alles gebracht, Oerip?

1 Wat er aan te doen!
2 De lampenjongen.

—Saja, Kandjeng...

—Heb je niet vergeten den grooten flacon met de witte ajerwangi[1]?

—Ini apa[2], Kandjeng?

—Nu, dan is het goed... Geef mij voortaan toch een fijneren handdoek voor mijn gezicht. Ik zeg je altijd een fijnen handdoek te geven. Ik hoû niet van die grove...

—Ik zal er even een halen.

—Neen, neen! Blijf hier, blijf zitten voor de deur... —Saja, Kandjeng...

—Zeg, je moet door een toekan-besie[3] de sleutels hier laten nazien... We kunnen de badkamer niet sluiten... Dat is toch te gek, als er logés zijn...

—Ik zal er morgen aan denken.

—Vergeet het niet...

Zij sloot de deur. De meid hurkte neêr voor de gesloten deur, geduldig, lijdzaam, onder de kleine en de groote dingen van het leven, alleen kennende trouw aan hare meesteres, die haar mooie sarongs gaf en zooveel voorschot als zij wilde.

In de badkamer schemerde het kleine nikkelen lampje aan den wand over het groenige marmer van den nattigen vloer, over het water, dat boordevol stond in het gemetselde vierkante bassin.

—Ik zal 's middags maar vroeger baden! dacht Léonie.

Zij ontdeed zich van kimono en sarong; en, naakt, zag zij even in den spiegel hare silhouet van melkige molligheid, de rondingen van een vrouw van veel liefde. Het blonde haar goudde zich, en een parelglans droop van hare schouders over haar hals en verschaduwde weg tusschen hare kleine ronde borsten. Zij hief hare haren op, zich bewonderend, bestudeerend, of een rimpel zich plooide, aanvoelende of hard haar vleesch was. Hare eene heup welfde zich, daar zij steunde op het eene been en een lange lijn van blank aangelichte golving bootste streelend langs dij en knie, vloeiende weg bij de wreef van haar voet... Maar zij schrikte op in die studie van

1 Reukwater.
2 Wat is dit dan?
3 Smid.

bewondering: zij wilde zich haasten. Snel wrong zij hare haren samen en wreef zij zich in met een schuim van zeep, en nemende de gajong[1], stortte zij het water over zich uit. In lange vlakke stralen viel het zwaar van haar neêr, en als marmer glansde zij, gepolijst op schouders, borst en heupen, in het licht van het kleine lampje. Nog meer wilde zij zich haasten, opziende naar het venster of de kamprets weêr binnen zouden vliegen... Ja, zij zoû voortaan zich toch vroeger baden. Buiten was het al nacht. Zij droogde zich schielijk, in een ruwen handdoek. Zij wreef zich even, vlug, met de witte zalf, die Oerip altijd bereidde, haar toovermiddel van jeugd, lenigheid, harde blankheid. Op dit oogenblik zag zij op haar dij een klein rood spatje. Zij lette er niet op, denkend aan iets in het water, een blaadje, een dood insect. Zij wreef het af. Maar zich wrijvend, zag zij op haar borst twee, drie grootere spatjes, donker vermillioen. Zij werd plotseling koud, niet wetend, niet begrijpend. Weêr wreef zij zich af; en zij nam den handdoek, waar de spatjes al achterlieten iets viezigs als van dik bloed. Een rilling huiverde over haar van hoofd tot voeten. En plotseling zag zij. Uit de hoeken van de badkamer, hoe, en vanwaar zag zij niet, kwamen de spatjes aan, eerst klein, nu grooter, als uitgespogen door een kwijlenden sirih-mond. Stervenskoud gaf zij een gil. De spatten, dikker, werden vol, als purperen kwalsters uitgespogen, tegen haar aan. Haar lichaam was vuil bezoedeld met een groezelig, rinnende rood. Eén spat sloeg neêr op haar rug... Op het groenige wit van den vloer vlakkelden de smerige spuugselen, dreven zij uit in het nog niet weggeloopen water. In het bassin bezoedelden zij het water ook en smolten viezig uiteen. Zij zag geheel rood, vuil bezoedeld, als onteerd door een schande van vies vermillioen, dat onzichtbare sirih-kelen van uit de hoeken der kamer samenschraapten en spogen naar haar toe, mikkend in hare haren, op hare oogen, op hare borsten, op haar onderbuik. Zij gaf gil op gil, geheel krankzinnig van het vreemde gebeuren. Zij stortte op de deur, wilde ze openen, maar er haperde iets aan den kruk. Want het slot was niet gesloten, de grendel was er niet voor. In haar rug voelde zij herhaaldelijk spugen, en van haar billen droop het

1 Waterschep.

rood. Zij gilde om Oerip en zij hoorde de meid aan de andere zijde
der deur, buiten, trekken, en duwen. Eindelijk gaf de deur toe. En
radeloos, gek, dol, krankzinnig, naakt, bezoedeld, stortte zij in de
armen van hare meid. De bedienden liepen toe. Uit de achtergalerij
zag zij aanloopen, Van Oudijck, Theo, Doddy. In hare uiterste
krankzinnigheid, wijd de oogen gesperd, schaamde zij zich, niet om
hare naaktheid, maar om haar bezoedeling... De meid had de kimono, ook bezoedeld, gegrepen van den kruk der deur, en sloeg ze
haar meesteres om.
—Blijf weg! gilde zij radeloos. Kom niet dichter! krijschte zij gek.
Oerip, Oerip, breng mij naar het zwembad! Een lamp, een lamp...
in het zwembad!
—Wat is er, Léonie?
   Zij wilde niet zeggen.
—Ik... heb... getrapt... op een pad! schreeuwde zij uit. Ik ben bang...
voor schurft...! Kom niet dichter... Ik ben naakt! Blijf weg, blijf weg!
Een lamp, een lamp... een làmp dan toch... in het zwembad!! Neen...
Otto! Blijf weg! Blijven jullie allemaal weg! Ik ben naakt! Blijfweg!
Bawa... la... a... a... mpoè!'
   Door elkaâr liepen de bedienden. Eén bracht een lamp, in het
zwembad...
—Oerip! Oerip...
   Zij klampte zich aan de meid.
—Zij hebben mij bespogen... met sirih...! Zij hebben... mij... be-
spogen... met sirih...!! Zij... hebben... mij bespogen... met sirih...!!!
—Stil Kandjeng... kom meê, in het zwembad...!
—Wasch mij, Oerip! Oerip... in mijn haren, in mijn oogen... o God,
ik proèf het in mijn mond...!!
   Zij snikte radeloos los, de meid sleepte haar meê...
—Oerip... zie... eerst... preksa... of ze ook spugen... in het zwem-
bad!!
   De meid trad binnen, rillende.
—Er is niets, Kandjeng.
—Gauw dan, baad mij, wasch mij, Oerip...

1 Breng een lamp!

Zij wierp de kimono af; haar mooi lichaam in het licht van de lamp werd zichtbaar als met vies bloed bezoedeld.

—Oerip, wasch mij... Neen, haal geen zeep... Met water alleen... Laat mij niet alleen! Oerip, wasch mij dan toch hier... Verbrand de kimono! Oerip...

Zij dook in het zwembad, zij zwom radeloos rond; de meid, half naakt, dook mede, wiesch haar...

—Gauw Oerip... gauw, alleen maar het allervuilste... Ik ben bang! Straks... straks spugen zij hier... In de kamer, Oerip... nu... nu overwasschen, in de kamer, Oerip!! Roep, dat er niemand mag zijn, in den tuin! Ik wil de kimono niet meer om. Gauw, Oerip, roep, ik wil weg van hier!

De meid riep door den tuin, in het Javaansch.

Léonie, druipend, steeg uit het water, en naakt, nat, ijlde zij langs de bediendenkamers, de meid achter haar aan. In huis kwam Van Oudijck, krankzinnig van ongerustheid, loopen naar haar toe.

—Weg, Otto! Laat me alleen! Ik ben... naakt!! gilde zij.

En zij stortte zich in hare kamer, en, Oerip binnen, sloot zij alle deuren.

- -

In den tuin kropen de bedienden bij elkaâr, onder het afdak der galerij, vlak bij het huis. Zacht rommelde de donder, en stil begon het te regenen.

3

Léonie, ziek een paar dagen van zenuwkoorts, bleef in bed. In Laboewangi sprak men er over, dat het spookte, in het rezidentiehuis. Op de wekelijksche bijeenkomsten in den Stadstuin, als de muziek speelde, als de kinderen en jongelui op den open steenen dansvloer dansten, waren de fluisterende gesprekken aan de tafeltjes over het vreemde gebeuren in het rezidentie-huis. Dokter Rantzow werd er naar gevraagd, maar hij wist alleen te vertellen wat de rezident hem verteld had, wat mevrouw Van Oudijck hem zelve had verteld: haar schrik in de badkamer voor een kolossale pad, waarop zij getrapt had, gestruikeld was. Door de bedienden echter wist men meer, maar als de een vertelde over het gooien met steenen, het spuwen met sirih, lachte de ander, en noemde het praatjes van baboe's. Zoo bleef eene onzekerheid hangen. In de couranten, van Soerabaia tot Batavia toe, verschenen echter korte vreemde berichten, die niet duidelijk waren, maar veel te raden gaven.

Van Oudijck zelve sprak er over met niemand, niet met zijn vrouw, niet met zijn kinderen, met de ambtenaren niet, en niet met de bedienden. Maar eens kwam hij doodsbleek uit de badkamer, met dolle, groote oogen. Hij ging echter rustig naar binnen, beheerschte zich en niemand merkte iets. Toen sprak hij met den chef der politie. Aan het rezidentie-erf grensde een oud kerkhof. Nacht en dag werd dit nu bewaakt en bewaakt de achtermuur van de badkamer. De badkamer zelve werd echter niet meer gebruikt en men baadde zich in de logeer-badkamers.

Zoodra mevrouw Van Oudijck hersteld was, ging zij naar Soerabaia, logeeren bij kennissen. Zij keerde niet meer terug. Zij had door Oerip langzamerhand, zonder ostentatie, zonder Van Oudijck er over te spreken, alle hare kleêren in laten pakken, en allerlei kleinigheden, waaraan zij gehecht was. Den eenen koffer na den anderen werd haar gezonden. Toen Van Oudijck eens, bij toeval, in haar slaapkamer kwam, vond hij die, op de meubels na, leêg. In haar boudoir was ook allerlei verdwenen. Hij had niet gemerkt het zenden der koffers, maar nu begreep hij, dat zij niet weêr zoû komen. Hij schreef zijn eerstvolgende receptie af. Het was December, en voor de Kerstvacantie, zouden uit Batavia René en Ricus komen voor een week of tien dagen, maar hij schreef de jongens af. Toen werd Doddy te logeeren gevraagd op Patjaram, bij de familie de Luce. Hoewel hij, uit zijn instinct van volbloed Hollander, niet hield van de de Luce's, gaf hij toe. Ze hielden daar van Doddy: zij zoû het er vroolijker hebben dan op Laboewangi. Dat zijn dochter niet ver-Indischen zoû, was een ideaal, dat hij opgaf. Plotseling ook ging Theo weg, door Léonie's invloed in Soerabaia, op groote mannen van den handel, in eéns zeer voordeelig geplaatst bij een kantoor van export en import. Nu, in zijn groote huis, was Van Oudijck alleen. Daar de kokkie en de spen waren weggeloopen, vroegen Eldersma en Eva hem steeds ten eten bij hen, zoowel rijst-tafel als diner. Bij hen aan tafel sprak hij nooit over zijn huis, en er werd nooit over gesproken. Over wat hij in het geheim met Elders-ma sprak, als secretaris, met Van Helderen sprak, als controleur-kotta, spraken deze beiden ook nooit, als zwijgende onder een ambtsgeheim. De chef der politie, die anders, iederen dag, kort zijn rapport deed: dat niets bizonders was voorgevallen, of dat er een brand was geweest, of een man was verwond, deed nu echter lange, geheime rapporten: de deuren van het kantoor werden dan ge-sloten, opdat de oppassers buiten niet luisteren zouden. Langza-merhand liepen alle bedienden weg, trokken zij 's nachts stilletjes weg, met hun families en huisraad, en in eene vuile leêgte bleven hunne woningen achter. Zij bleven zelfs niet in de rezidentie. Van Oudijck liet hen gaan. Hij behield alleen Kario, en de oppassers: en de gestraften, iederen dag, verzorgden den tuin. Zoo, van buiten, bleef het huis schijnbaar onveranderd. Maar van binnen, waar niets werd verzorgd, lag het stofdik op de meubels, aten witte mieren de matten op, sloegen schimmel en vochtvlekken uit. De rezident ging er nooit door, bewoonde alleen zijn slaapkamer en kantoor. Op zijn gezicht was een somberheid gekomen, als een bittere stilzwijgende vertwijfeling. Nauwgezetter dan ooit was hij op zijn werk, straffer spoorde hij zijne ambtenaren, als dacht hij aan niets dan aan de belangen van Laboewangi. In zijne pozitie van izolement had hij geen vriend en hij zocht er geen. Hij droeg alles alleen. Alleen, op zijne schouders, op zijn rug, die kromde onder eene naderende oud-heid, droeg hij het zware gewicht van zijn huis, dat verging; zijne huiselijkheid, die verongelukte in het vreemde gebeuren, dat hij niet uit kon vinden, trots zijne politie, zijn wachters, zijn persoon-lijke wakingen: trots zijn stille spionnen. Hij vond niets uit. Men zeide hem niets. Niemand bracht iets aan het licht. En het vreemde gebeuren ging voort. Een groote steen vernielde een spiegel. Hij liet, kalm, opruimen de scherven. Zijn natuur was niet om te ge-looven aan de bovennatuurlijkheid der gebeurlijkheden en hij ge-loofde ook niet. Dat hij niet vond de schuldigen en de verklaring der feiten maakte hem stil razend. Maar hij geloofde niet. Hij ge-loofde niet als hij zijn bed bezoedeld vond en Kario aan zijn voeten hem bezwoer, dat hij niet wist hoe. Hij geloofde niet, als het glas, dat hij opnam, brak in heele kleine scherfjes. Hij geloofde niet als hij boven zich hoorde aanhoudend stampen met een plagerig gehamer. Maar zijn bed was bezoedeld, zijn glas brak, het gehamer was een feit. Hij onderzocht die feiten, nauwgezet als hij een strafzaak had onderzocht, en niets kwam aan het licht. Kalm bleef hij in zijne verhouding met Europeesche en Javaansche ambtenaren en met den Regent. Niemand merkte iets aan hem, en, trotsch, 's avonds, werkte hij door, aan zijn schrijftafel terwijl het stampte en het hamerde, en in den tuin de nacht, als betooverd, donsde.

Buiten, op de trap, kropen de oppassers bij elkaâr, luisterden zij, fluisterden zij; schuw omkijkend naar hun heer, die schreef, een frons van werkaandacht tusschen zijn brauwen.

—Zoû hij het niet hooren?

—Jawel, jawel: hij is toch niet doof...

—Hij moet het hooren...

—Hij denkt het te kunnen uitvinden met djàgà's[1]...

—Er komen soldaten van Ngadjiwa.

—Van Ngadjiwa!

—Ja. Hij vertrouwt niet de djàgà's. Hij heeft geschreven aan den toean majoor.

—Om soldaten?

—Ja, er komen soldaten...

—Zie hem fronsen zijn wenkbrauwen...

—Hij werkt maar door.

—Ik ben bang: ik zoû nooit durven blijven, als het niet moest.

—Zoolang hij er is, durf ik blijven...

—Ja... hij is dapper.

—Hij is flink.

—Hij is een dappere man.

—Maar hij begrijpt het niet.

—Neen, hij weet niet wat het is...

—Hij denkt, dat het ratten zijn...

—Ja, hij heeft, boven, onder het dak, laten zoeken naar ratten.

1 Politie-dienaren.

—Die Hollanders weten niet.

—Neen, ze begrijpen niet.

—Hij rookt veel...

—Ja, wel twaalf sigaren per dag.

—Hij drinkt niet veel.

—Neen... alleen 's avonds zijn whiskey-soda.

—Zoo straks zal hij er om vragen...

—Niemand is bij hem gebleven.

—Neen. De anderen hebben begrepen. Ze zijn allen weg.

—Laat gaat hij naar bed.

—Ja. Hij werkt veel.

—Hij slaapt toch nooit 's nachts. Alleen 's middags.

—Zie hem fronsen...

—Hij werkt maar door...

—... Oppas!

—Daar roept hij...

—Kandjeng!

—Bawa whiskey-soda!

—Kandjeng...

De eene oppasser stond op, om den drank te halen. Hij had alles vlakbij, in het logeergebouw, om niet in huis behoeven te komen. Dichter schoven de anderen bij een, en fluisterden door. De maan drong door de wolken en verlichtte den tuin en de waterplas als met een vochtige mist van betoovering, doodstil. De eene oppasser had den drank bereid, bood hurkend aan.

—Zet hier neêr, zeide Van Oudijck.

De oppasser zette het glas op de schrijftafel, en kroop weg. De andere oppassers fluisterden.

—Oppas! riep Van Oudijck na een oogenblik.—Kandjeng!

—Wat heb je geschonken in dit glas?

De man beefde, kroop weg aan Van Oudijcks voeten.

—Kandjeng: het is geen vergif, bij mijn leven, bij mijn dood: ik kan het niet helpen, Kandjeng. Trap mij, dood mij: ik kan het niet helpen, Kandjeng.

Het glas zag okergeel.

—Haal mij een ander glas en schenk hier in...

De oppasser ging, rillende.

De anderen zaten dicht bij elkaâr, voelende elkanders lichaam, door het bezweete laken der uniformen en keken bang uit. De maan rees lacherig, spottend als een slechte fee uit hare wolken; hare vochtige, doodstille betoovering, zilverde over den wijden tuin. In de verte, uit den achtertuin, kermde op een kreet, als van een kind, dat werd geworgd.

4

—En mevrouwtje, hoe gaat het? Hoe gaat het met het spleen? Bevalt Indië u wat beter vandaag?

Zijn woorden klonken Eva joviaal toe, terwijl zij hem komen zag door den tuin, bij achten, om te komen dineeren. Er was in zijn toon niets anders dan de joviale begroeting van een man, die hard gewerkt heeft aan zijn schrijftafel, en nu blij is een lieve mooie vrouw te zien, aan wier tafel hij zoo straks zal zitten. Zij verwonderde zich, zij bewonderde hem. Er was in hem niets van iemand, die den geheelen dag in een verlaten huis getreiterd werd door onbegrijpelijk en vreemd gebeuren. Nauwlijks was er een wolk van droefgeestigheid over zijn breede voorhoofd; nauwlijks een zorg in zijn even krommen, breeden rug, en de joviale trek om zijn dikken snor lachte er als altijd. Eldersma trad nader en in zijn groet, in zijn handdruk was als een stille vrijmetselarij van samenweten, een vertrouwelijkheid, die Eva ried. En Van Oudijck dronk zijn bittertje, gewoon weg, sprak over een brief van zijne vrouw, die vermoedelijk naar Batavia zoû gaan; zeide, dat René en Ricus in den Preanger logeerden bij een vriend, op een koffie-land. Waarom zij allen niet waren om hem heen, waarom hij geheel verlaten was van huisgezin en bedienden, hij sprak er niet over. In de intimiteit van hun kring, waar hij nu iederen dag tweemaal kwam eten, had hij er nooit over gesproken. En hoewel Eva er niet naar vroeg, maakte het haar in hooge mate zenuwachtig. Zoo vlak bij, bij het spookhuis, welks pilaren zij overdag kon schemeren zien in de verte door het loover der boomen, voelde zij iederen dag zich zenuwachtiger. Den geheelen dag, om haar heen, fluisterden de bedienden, spiedden zij schuw in de richting van de bespookte residinân. Des nachts, niet kunnende slapen, hoorde zij zelve of zij iets vreemds vernam: het kermen van de kindertjes. Te overvol van geluid was de Indische nacht, om haar niet rillen te doen op haar bed. Door het imperatieve brullen der vorschen om regen, om regen, om altijd meer regen nog, het aanhoudend gekwaak met eéntonige brulkeel, hoorde zij rondtooveren duizende geluiden, die haar hielden uit den slaap. Er door heen sloegen de tokkè's, de gekko's als uurwerken hun slagen, als vreemde uren van geheimzinnigheid. Den geheelen dag dacht zij er aan. Ook Eldersma sprak er niet van. Maar als zij Van Oudijck zag komen aan haar rijsttafel, aan haar diner, moest zij klemmen de lippen, om hem niets te vragen. En het gesprek liep over allerlei, maar nooit over het vreemde gebeuren. Na de rijsttafel liep Van Oudijck weêr even over; na het diner, om tien uur, zag zij den rezident weêr verdwijnen in tuinschaduwen, die spookten. Met een rustigen tred, iederen avond, ging hij terug door den betooverden nacht, naar zijn verlaten en ellendig huis, waar voor zijn kantoor de oppassers en Kario dicht gehurkt zaten tegen elkaâr, en werkte hij voor zijn schrijftafel nog laat. En hij klaagde nooit. Hij onderzocht nauwkeurig, door geheel de kotta, maar niets kwam aan het licht. Alles bleef gebeuren in ondoorgrondelijk mysterie.

—En mevrouwtje, hoe bevalt Indië u van avond?

Het was, een beetje, altijd de zelfde aardigheid, maar zij bewonderde, iederen dag, zijn toon. Een moed, een sterkte van zelfvertrouwen, een zekerheid van zijn eigen weten, een geloof aan wat hij zèker wist, klonk metaalhel uit zijn stem. Er was, hoe rampzalig hij zich voelen moest—hij, de man van het huiselijk innige en de man der koele praktijk—in een huis, door de zijnen verlaten en vol onverklaarbaar gebeuren, geen zweem van vertwijfling en neêrslachtigheid in zijn volhardenden mannelijken eenvoud. Hij ging zijn gang, hij deed zijn werk, nauwgezetter dan ooit—hij onderzocht. En aan Eva's tafel had hij altijd een opgewekt gesprek, met Eldersma zoo over zaken er even door: over promotie, over de politiek in Indië, en de nieuwe manie om van uit Holland Indië te laten regeeren door leeken, die van toeten noch blazen wisten. En levendig praatte hij en zonder zich op te schroeven, rustig-weg, gezellig, tot Eva hem bewonderde, iederen dag meer en meer. Maar haar, sensitieve vrouw, werd het een nerveuze obsessie. En eens, 's avonds, even een paar passen meêgaande met hem, vroeg zij hem. Of het niet verschrikkelijk was, of hij het huis niet kon verlaten, of hij niet op tournée kon gaan, voor langen, langen tijd. Zij zag zijn gezicht bewolken, omdat zij er over sprak. Maar toch vriendelijk, antwoordde hij, dat het zoo erg niet was, al was het onverklaarbaar, en dat hij zich sterk maakte dat gegoochel wel uit te vinden. En hij voegde erbij, dat hij eigenlijk moest op tournée, maar dat hij niet ging, om niet den schijn te hebben te vluchten. Toen drukte hij haar vluchtig de hand, zeide haar zich niet nerveus te maken en daar maar niet meer over te denken, te praten. Dit laatste klonk als een minzaam gebod. Zij drukte zijn hand weêr, tranen in hare oogen. En zij zag hem gaan, met zijn kalmen flinken pas en verdwijnen in den nacht van zijn tuin, waar door het brullend geroep der vorschen om regen de betoovering wel om moest donzen. Toen rilde zij daar zoo te staan en spoedde zich naar huis. En zij vond haar huis, haar ruime huis, klein en zoo open en beschermingloos voor de immense Indische nacht, die van overal binnen kon komen.

Maar zij was niet de eenige, die onder den indruk was van het geheimzinnige gebeuren. Over geheel Laboewangi drukte het neêr met zijne onverklaarbaarheid, die zoo streed tegen het feitelijke van iederen dag. In ieder huis werd er over gesproken, al was het ook fluisterend, om de kinderen niet bang te maken, en de bedienden niet te laten merken, dat men onder den indruk was van het Javaansche gegoochel, zooals de rezident het zelve genoemd had. En een angst, eene somberheid, deed de menschen ziek worden van zenuwachtig spieden en luisteren in de van geluid overvolle nachten en wademde dik donzig grauw neêr over de stad, die zich dieper scheen te verschuilen in het loover van hare tuinen, en gedurende de vochtige avondschemeringen geheel wegdook in een dof zwijgende gelatenheid en bukken onder het mysterie. Toen dacht Van Oudijck sterke maatregelen te nemen. Hij schreef den majoor— kommandant van het garnizoen te Ngadjiwa—te komen met een kapitein, een paar luitenants, een compagnie soldaten. Dien avond dineerden de officieren, met den rezident en Van Helderen bij Eldersma. Zij haastten het maal af, en Eva, aan het hek van den tuin zag hen allen gaan: de rezident, de secretaris, de controleur, te samen met de vier officieren, den donkeren tuin van het spookhuis in. Het rezidentie-erf werd afgezet, het huis omsingeld, het kerkhofterrein bewaakt. En de mannen, allen, gingen de badkamer in.

Zij bleven er den geheelen nacht. En den geheelen nacht bleven afgezet en omsingeld erfen huis. Tegen vijf uur kwamen zij er uit, en namen dadelijk, gezamenlijk, een zwembad. Over wat hun gebeurd was, spraken zij niet, maar hun nacht was verschrikkelijk geweest. Nog den volgenden morgen werd de badkamer omvergehaald.

Allen hadden zij Van Oudijck beloofd niet over dien nacht te spreken en Eldersma wilde aan Eva niets zeggen, Van Helderen niets aan Ida. Ook de officieren, in Ngadjiwa, zwegen. Zij zeiden alleen, dat de nacht in de badkamer te onwaarschijnlijk was geweest, dan dat men hunne woorden zoû gelooven. Eindelijk liet een der jonge luitenants zich iets van zijn avontuur ontvallen. En een verhaal van sirih spugen, steenen werpen, van een vloer, die aardbeefde, terwijl zij er met stokken en sabels op hadden geslagen, en dan nog van iets onzegbaar afgrijselijks, dat in het badwater was gebeurd, deed de ronde. Iedereen maakte er iets bij. Toen het verhaal Van Oudijck bereikte, herkende hij er nauwlijks in den verschrikkelijken nacht, die, ook zonder fantazie, verschrikkelijk genoeg was geweest.

Eldersma had intusschen opgemaakt het rapport van hun gezamenlijk waken en zij onderteekenden allen het onwaarschijnlijk verhaal. Het rapport bracht Van Oudijck persoonlijk naar Batavia, en reikte het over aan den Gouverneur-Generaal. Sedert berustte het in de geheime archieven der regeering.

De Gouverneur-Generaal ried Van Oudijck aan voor korten tijd met verlof naar Holland te gaan, hem verzekerende, dat dit verlof geen invloed zoû uitoefenen op zijne reeds spoedig te verwachten promotie tot rezident-eerste-klasse. Hij weigerde echter deze gunst, en ging terug naar Laboewangi. De eenige concessie, die hij zich deed, was, dat hij zijn intrek bij Eldersma nam, tot het rezidentie-huis gereinigd zoû zijn. Maar van den vlaggestok op het rezidentie-erf bleef waaien de vlag...

Terug van Batavia, ontmoette Van Oudijck, om dienstzaken, dikwijls den Regent, Soenario. En in zijn omgang met den Regent bleef de rezident correct en streng. Toen had hij een kort gesprek, eerst met den Regent, en daarna met zijn moeder, de Raden-Ajoe Pangéran. Deze beide gesprekken duurden niet langer dan twintig minuten. Maar het scheen, dat die weinige woorden van groot en dreigend gewicht waren geweest.

Want het vreemde gebeuren hield op. Toen alles onder het toezicht van Eva in huis gereinigd en hersteld was, dwong Van Oudijck Léonie terug te keeren, omdat hij met den eersten Januari een groot bal wilde geven. Des morgens recepieerde de rezident alle zijne Europeesche en Javaansche ambtenaren. Des avonds, in de van licht gloeiende galerijen, stroomden de gasten binnen, uit de geheele rezidentie, nog licht huiverig en nieuwsgierig, en instinctmatig rondkijkende, om zich heen en naar boven. En terwijl de champagne rondging, nam Van Oudijck zelve een kelk en bood ze den Regent met een opzettelijke inbreuk op etiquette, en hij zeide met een mengeling van dreigenden ernst en goedmoedige scherts deze woorden, die men overal opving en herhaalde, die men gedurende maanden door de geheele rezidentie herhalen zoû:

—Drink gerust, Regent: ik verzeker u op *mijn woord van eer*, dat er geen glazen meer in mijn huis zullen breken, dan alleen door toeval en onvoorzichtigheid...

— —

Hij kon zoo spreken, want hij wist, dat hij—dezen keer—de stille kracht was te krachtig geweest, alleen door zijn eenvoudigen moed van ambtenaar, Hollander en man.

Maar in den blik van den Regent, toen hij dronk, schemerde het toch, heel licht ironisch op, dat al had de stille kracht niet gezegevierd—dezen keer—ze toch raadsel zoû blijven en onverklaarbaar altijd voor het kortziende oog van die Westerlingen...

Laboewangi herleefde. Als eenstemmig kwam men overeen niet meer te praten over het vreemde, met menschen van buiten af, omdat het ongeloof in deze zaak zoo vergeeflijk was, en men, in Laboewangi, geloofde. En de binnenlandsche stad, na den mystieken druk, waaronder ze gedurende die onvergetelijke weken had neêrgedoken, herleefde, als om alle obsessie van zich te schudden. Feest volgde na feest, bal na bal, komedie na concert: iedereen zette open zijn huis om feest te vieren en vroolijk te zijn en gewone natuurlijkheid te vinden na de ongelooflijke nachtmerrie. Menschen, zoo gewoon aan het natuurlijke en begrijpelijke leven, aan het breed-ruime materieele van Indië—aan goede tafel, koele dranken, breede bedden, ruime huizen, aan geld verdienen en geld verteeren—aan alles wat de lijfs-wellust is van den Westerling in het Oosten—zulke menschen heradem den, en schudden-af van zich de nachtmerrie, en schudden-af van zich het geloof aan vreemde gebeurlijkheden. Werd daar nu nog over gesproken, dan noemde men het onbegrijpelijk gegoochel, noemde men het den rezident algemeen zoo na. Gegoochel van den Regent. Want dat hij er de hand in gehad had, was zeker. Dat de rezident hem gedreigd had met een verschrikkelijke dreiging, hem en zijn moeder, als niet zoû ophouden het vreemde gebeuren—was zeker. Dat daarna de orde in het gewone leven weêr was hersteld—was zeker. Gegoochel dus. Men schaamde zich nu om zijn geloof, en om zijn angst, en dat men gehuiverd had voor wat mystiek had geschenen en alleen knap gegoochel was. En men heradem de en *wilde* vroolijk zijn, en feest volgde na feest.

Léonie, in die roes, vergat hare ergernis, dat Van Oudijck haar had teruggeroepen. En ook zij *wilde* vergeten de vermillioene bezoedeling van haar lichaam. Maar iets van den angst bleef in haar over. Zij baadde des middags nu vroeg, al om half vijf, in de nieuw gebouwde badkamer. Haar tweede bad was haar altijd iets huiverigs. En nu Theo geplaatst was in Soerabaia, maakte zij zich los van hem, uit angst ook. Zij kon zich niet los maken van de gedachte, dat de betoovering met een straf had gedreigd henbeiden, moeder en

zoon, die schande brachten over het ouderlijk huis. In wat romantisch was in hare perverse verbeelding, in hare roze fantazie vol
cherubijntjes, cupidootjes, gaf deze gedachte—haar ingegeven
door haar schrik—een te geliefkoosde tragische tint, om niet te
blijven koesteren, trots alles wat Theo zeide. Zij wilde niet meer.
En het maakte hem razend, omdat hij dol op haar was, omdat hij
niet kon vergeten den infamen wellust in haar armen. Maar stand-
vastig bleef zij weigeren, en zeide hem haren angst, en zeide, dat zij
zeker was, dat het weêr zoû gaan spoken, als zij elkander lief hadden: hij, de vrouw van zijn vader. Hij werd rood razend door hare
woorden—den enkelen Zondag, dien hij doorbracht te Laboewangi: razend om haar niet-willen, hare nu aangenomen moederlijk-
heid, en razend, omdat hij wist, dat zij Addy de Luce veel zag, dat zij
veel op Patjaram logeerde. Op de feesten danste Addy met haar, op
de concerten hing hij over haar stoel, in de ge-improvizeerde rezi-
dents-loge. Wel was hij haar niet trouw, want het was niet in zijn
natuur een enkele vrouw te beminnen—hij beminde wijd en zijd—
maar toch: hij was haar zoo trouw als hem mogelijk was. Zij voelde
voor hem een langduriger passie, dan zij ooit nog gevoeld had; en
deze passie wekte haar op uit hare gewone passieve onverschilligheid; dikwijls, in gezelschap, vervelend, saai, tronende in den glans
van haar blanke schoonheid, als een glimlachend idool, de loomheid der Indische jaren, langzaam aan, vloeiende in haar bloed, tot
hare bewegingen hadden gekregen die onverschillige luiheid voor
alles wat niet was liefkoozing en liefde; haar stem, het trage accent
in ieder woord, dat geen passie-woord was—metamorfozeerde zij
zich onder die vlam, die van Addy over haar uitging, tot een jongere vrouw, levendiger in gezelschap, vroolijker, gevleid door de
voortdurende hulde van dien jongen man, waarop alle meisjes dol
waren. En het was haar een genot zich zooveel mogelijk meester te
maken van hem, tot spijt van al die meisjes, tot spijt van Doddy
vooral. In haar passie had zij tevens het slechte pleizier te plagen,
enkel voor het pleizier ervan: het gaf haar een exquis genot, het
maakte—voor het eerst misschien, want zij was altijd zeer voorzichtig geweest—haar man jaloersch, Theo jaloersch, Doddy jaloersch: zij maakte alle jonge vrouwen en meisjes jaloersch, en daar

zij stond boven hen allen, als vrouw van den rezident, had zij een overwicht boven hen allen. Was zij dan op een avond te ver gegaan, dan had zij er genoegen in, met een glimlach, met een woord terug te winnen in hun aller genegenheid wat zij er door haar behaag-zucht in verloren had. En het was vreemd, maar dit lukte haar. Zoodra men haar zag, zoodra zij sprak, glimlachte en beminnelijk *wilde* zijn, won zij alles terug, vergaf men haar alles. Zelfs Eva liet zich winnen door de vreemde bekoring van deze vrouw, die niet geestig was, niet intelligent, nauwlijks wat vroolijker werd en ge-wekt uit haar vervelende saaiheid, en die alleen won door de lijnen van haar lichaam, de vorm van haar gelaat, den blik van haar vreemde oogen — rustig en toch vol verborgen passie — en die zich bewust was al hare bekoring, omdat zij van kind af aan er den invloed van had opgemerkt. Met hare onverschilligheid was die bekoring hare kracht. Al wat noodlot was scheen op haar af te stuiten. Want het had met een vreemde magie haar wel aange-zweemd, tot zij dacht, dat een straf op haar neêr zoû dalen, maar het was afgedreven, verder. Alleen, de waarschuwing nam zij aan. Theo wilde zij niet meer, en moederlijk deed zij voortaan met hem. Het maakte hem razend, vooral op deze feesten, nu zij er jonger was, vroolijker, en verleidelijker.

Zijn passie voor haar begon om te slaan, in een haat. Hij haatte haar nu, met al zijn instinct van blonde kleurling, die hij eigenlijk was, trots zijn blanke tint. Want hij was het kind van zijn moeder meer dan de zoon van zijn vader. O, hij haatte haar nu, want zijne vrees voor de straf had hij maar gevoeld één oogenblik, en hij, hij was nu alles vergeten. En zijn gedachte was haar kwaad te doen. Hoe, hij wist het nog niet, maar haar kwaad te doen, opdat zij pijn zoû hebben en leed. Dat te overdenken gaf een satanische somber-heid in zijn kleine, troebele ziel. Hoewel hij er niet over dacht, voel-de hij, onbewust, dat zij als onkwetsbaar was, voelde hij zelfs, dat zij in zich pochte op die onkwetsbaarheid, en dat ze haar iederen dag brutaler maakte, onverschilliger. Ieder oogenblik logeerde zij op Patjaram, onder het eerste het beste voorwendsel. De anonieme brieven, die Van Oudijck nog dikwijls haar voorlegde, ontroerden haar niet meer; zij raakte aan ze gewoon. Zonder een enkel woord gaf zij ze hem weêr terug: een enkelen keer zelfs vergat zij ze; liet zij ze slingeren in de achtergalerij. Eens las Theo ze daar. Hij wist niet in welke plotselinge helderheid, maar plotseling, meende hij te herkennen enkele letters, enkele strepen. Hij herinnerde zich in de kampong bij Patjararn het huisje—half bamboe, half petroleumplank—waar hij si-Oudijck had opgezocht met Addy de Luce, en de met een Arabier haastig bijeen geschoven papieren. Hij herinnerde zich vaag, op een snipper op den grond die zelfde letters, die strepen. Het ging vaag en bliksemsnel door zijn hoofd. Maar het was niets dan een bliksemstraal. In zijn sombere, kleine ziel was niets dan doffe haat en troebele berekening. Maar hij was niet verstandig genoeg die berekening uit te spinnen. Hij haatte zijn vader, uit instinct, en antipathie; zijn moeder, omdat zij een nonna was; zijn stiefmoeder, omdat zij hem niet meer wilde: hij haatte Addy, hij haatte Doddy erbij op den koop toe: hij haatte de wereld, omdat hij er in werken moest. Hij haatte iedere betrekking: hij haatte nu zijn kantoor op Soerabaia. Maar hij was te lui en te weinig helder, om kwaad te kunnen doen. Hij vond niet uit, hoe hij ook bedacht, zijn vader kwaad te doen, Addy en Léonie. Het was alles in hem vaag, troebel, ontevreden, onduidelijk. Zijne begeerte was geld en een mooie vrouw. Verder was er niets in hem dan zijn stompe somberheid, en ontevredenheid van dikken, blonden sinjo. En onmachtig donkerde zijn gedachte voort.

Tot nog toe had Doddy altijd veel van Léonie gehouden, instinctmatig. Maar nu kon zij het zich niet meer ontkennen: wat zij eerst gedacht had, dat toeval was—mama en Addy altijd zoekende elkâar in den zelfden glimlach van aantrekking, de een trekkende den ander aan van het eene einde der zaal naar het andere, als onweêrstaanbaar—dat was geen toeval! En ook zij, ze haatte mama nu, mama met hare mooie kalmte, hare souvereine onverschilligheid. Hare eigen natuur van drift, van passie, kwam in botsing met die andere natuur van melkblanke kreole-loomheid, die zich eerst nu, laat, om de loutere goedgunstigheid van het noodlot, geheel dorst laten sleepen, zonder voorbehoud. Zij haatte mama en het gevolg van die haat waren scènes, scènes van nerveuze drift, opgillende drift van Doddy tegen de tergende kalmte van mama's onverschilligheid, over allerlei klein verschil van meening: over een visite, een ritje te paard, een japon, over een sambal, die de een lekker vond, de ander niet. Léonie had er pleizier in Doddy te plagen, alleen om het pleizier van plagen. Dan wilde Doddy uithuilen aan papa's borst, maar Van Oudijck gaf haar geen gelijk, en zei, dat zij voor mama meer eerbied moest hebben. Maar eens, toen hij Doddy, terwijl zij troost bij hem zoeken kwam, berispend sprak over hare wandelingen met Addy, gilde zij op, dat mama zelve op Addy verliefd was. Van Oudijck, boos, joeg haar de kamer uit. Maar het kwam alles te veel met elkaâr overeen—de anonieme brieven, de nieuwe behaagzucht van zijne vrouw, Doddy's beschuldiging en wat hijzelve had opgemerkt op de laatste partijen— om hem niet te laten nadenken en tobben zelfs. En *nu* hij hier eenmaal over tobde en nadacht flitsten plotselinge herinneringen als korte weêrlichten door hem heen: van een onverwacht bezoek; van een deur, die gesloten was; van een portière, die bewoog; van een gefluisterd woord en een schuw afgebroken blik. Hij combineerde dat alles, en hij herinnerde zich die zelfde subtiele herinneringen, in verband met anderen, van vroeger, heel plotseling. Het wekte eensklaps zijn jalouzie, de jalouzie van den man op de vrouw, die hij liefheeft als zijn allereigenst bezit. Als een windvlaag, stak die jalouzie bij hem op, en woei door zijn werk-aandacht heen, verwarde zijne gedachten, terwijl hij aan zijn werk zat, deed hem plotseling zijn kantoor uitloopen, terwijl hij de politie-rol deed, zoeken in de kamer van Léonie, oplichten een gordijn, kijken zelfs onder het bed. En nu wilde hij niet meer, dat zij op Patjaram logeerde, naar hij voorgaf, om de de Luce's geen hoop te geven, dat Addy ooit Doddy zoû krijgen. Want hij dorst Léonie niet over zijn ijverzucht spreken... Dat Addy ooit Doddy zoû krijgen. In zijn dochter was ook wel Indiesch bloed, maar hij wilde een volbloed Europeaan voor schoonzoon. Hij haatte al wat halfras was. Hij haatte de de Luce's, en al de verbinnenlandschte, Indische, quasi-Solosche traditie van hun Patjaram. Hij haatte hun gedobbel, hun koek-en-ei-zijn met allerlei Javaansche hoofden: lieden, die hij ambtelijk gaf wat hun toekwam, maar verder beschouwde als noodzakelijke werktuigen van de politiek der Regeering. Hij haatte alle hunne manieren van oude Indische familie, en hij haatte Addy: een jongen, zoogenaamd employé, maar die niets uitvoerde, dan naloopen al wat vrouw, meisje, meid was. Hem, als werkzamen en ouderen man, was dit leven onuitstaanbaar. Léonie moest zich dus wel Patjaram ontzeggen, maar des morgens ging zij rustig naar mevrouw Van Does, en in haar kleine huisje ontmoette zij Addy, terwijl mevrouw Van Does zelve uit verkoopen ging, in een tjikar¹, met de twee stop-flesschen inten-inten, en een pak gebatikte spreien. Des avonds dan wandelde Addy met Doddy en hoorde hare hartstochtelijke verwijtingen. Hij lachte om haar drift, hij nam haar in zijn armen tot zij hijgde tegen hem aan: hij zoende haar de verwijtingen van de lippen, tot zij dol van liefde wegsmolt aan zijn mond. Verder gingen zij niet, bang, vooral Doddy. Zij liepen achter de kampongs, op de galangans der sawahs, terwijl zwermen van vuurvliegjes in den donker om hen heen starrelden als heele kleine lampjes; zij liepen in elkanders arm, aan elkaârs hand liepen zij voort, in een liefde van ontzenuwende handtastelijkheid, die nooit durfde tot het einde. Met hunne handen voelden zij elkaâr heelemaal aan, zij beminden elkaâr met hun handen. Kwam zij dan thuis, dan was zij dol, razend op mama, in wie zij beneed de kalme, glimlachende verzadiging, als zij, in haar witten peignoir, zacht gepoeierd, lag te mijmeren op een rieten stoel.

En het was in huis, nieuw opgefrischt, wit gekalkt, na het vreem-de gebeuren, —dat voorbij was—een haat, die als uitschoot overal, als de duivelsche bloem zelve van dat vreemde geheim, een haat rondom die glimlachende vrouw, die te loom was om te haten, en alleen pleizier had in het stille plagen; een jaloersche haat van vader nu tegen zoon, als hij hem te veel zag bij zijn stiefmoeder zitten, smeekende, trots zijn eigen haat, om iets, wat wist de vader niet: een haat van zoon tegen vader, een haat van dochter tegen moeder, een haat, waarin alle familieleven verongelukte. Hoe het zoo lang-zamerhand was gekomen, wist Van Oudijck niet. Weemoedig be-treurde hij den tijd, toen hij blind was geweest, toen hij vrouw en kinderen alleen gezien had, in het licht, dat hij wilde. Dat was nu

¹ Karretje.

voorbij. Zooals vroeger het vreemde gebeuren, sloeg nu een haat uit het leven op, als een pestwalm uit den grond. En Van Oudijck, die nooit was bijgeloovig geweest, die koel, kalm gewerkt had in zijn vereenzaamde huis, waar het onbegrijpelijk spookte rondom hem heen, die rapporten had doorlezen terwijl het hamerde boven zijn hoofd en zijn whiskey-soda okerde in zijn glas—Van Oudijck, voor het eerst van zijn leven, nu hij de sombere blikken van Theo, van Doddy zag, nu hij zijne vrouw, brutaler iederen dag, met den jongen de Luce eensklaps vond hand in hand, haar knieën bijna in de zijne, nu hij zichzelven zag, veranderd, verouderd, somber spiedende,—werd bijgeloovig, onoverkomelijk bijgeloovig, geloovende aan eene stille kracht, die school waar wist hij niet, in Indië, in den grond van Indië, in een diep mysterie, ergens, ergens—een kracht, die hem kwaad wilde, omdat hij was Europeaan, overheerscher, vreemdeling op den geheimzinnig heiligen grond. En toen hij zag deze bijgeloovigheid in zich, zoo nieuw in hem, man van praktijk, zoo vreemd ongelooflijk in hem, man van simpel mannelijken eenvoud, schrikte hij voor zichzelven, als voor een opkomende krankzinnigheid, die hij diep in zich begon waar te nemen.

En hoe krachtig hij geweest was tijdens het vreemde gebeuren zelve, dat hij nog met een enkel woord van dreigende kracht had kunnen bezweren, deze bijgeloovigheid, als de naziekte van dat gebeuren, vond in hem zwakte, als een kwetsbare plek. Hij was zoo verbaasd over zichzelven, dat hij zich niet begreep, vreesde gek te zullen worden, en toch, toch tobde hij. Zijne gezondheid was ondermijnd door eene opkomende leverziekte en hij bestudeerde zijn gelende tint. Plotseling dacht hij aan vergiftiging. De keuken werd onderzocht, de kokkie aan een verhoor onderworpen, maar niets bleek. Hij begreep angstig te zijn voor niets. Maar de dokter verklaarde, dat zijn lever was opgezwollen en schreef hem het gewone regime voor. Wat hij anders heel gewoon zoû gevonden hebben— eene ziekte, die zoo veelvuldig voorkwam—vond hij nu eensklaps vreemd: een vreemd gebeuren, waarover hij tobde. En het tastte zijn zenuwen aan. Hij leed nu aan plotselinge vermoeidheden, als hij werkte, aan kloppende hoofdpijn. Zijne jalouzie gaf hem eene gejaagdheid; een trillende onrust kwam over hem. Hij bedacht eensklaps, dat, als het nu hamerde boven zijn hoofd, als het nu sirih spoog rondom hem heen, hij niet in zijn huis had kunnen blijven. En hij geloofde aan een haat, die rondom hem walmde uit den haatdragenden grond, als een pest. Hij geloofde aan een kracht, diep verborgen in de dingen van Indië, in de natuur van Java, het klimaat van Laboewangi, in het gegoochel—zoo noemde hij het nog—dat de Javaan soms knap maakt boven den Westerling, en dat hem macht geeft, geheimzinnige macht, niet om zich te bevrijden van het juk, maar wel om ziek te maken, te doen kwijnen, te plagen, te treiteren, te spoken onbegrijpelijk en afgrijselijk —: een stille kracht, een stille macht, vijandig aan ons temperament, aan ons bloed, aan ons lichaam, aan onze ziel, aan onze beschaving, aan al wat ons goeddunkt te doen en te zijn en te denken. Het was bij hem opengestraald als met eén plotseling licht: het was niet het gevolg van denken. Het was bij hem opengestraald als met eén schrik van openbaring, geheel in strijd met al de logiek van zijn geleidelijk leven, zijne geleidelijke gedachtengang. In eén vizioen van ver- schrikking zag hij het plotseling voor zich, als het licht van zijn naderenden ouderdom, zooals grijsaards soms eensklaps de waar- heid zien. En toch, hij was jong nog, hij was krachtig... En hij voel- de, dat als hij niet zwenken zoû zijne krankzinnige gedachte, ze hem ziek, zwak en ellendig kon maken, voor altijd, voor altijd...

Vooral voor hem, simpelen man van praktijk, was deze omme- zwaai bijna ondragelijk. Wat een morbide geest rustig peinzend zoû hebben bespiegeld, gaf hem een wit bliksemende ontzetting. Nooit had hij gedacht, dat er diep, ergens, geheimzinnig, dingen kunnen zijn in het leven, sterker dan wilskracht, geestkracht. Nu— na de nachtmerrie, die hij moedig had overwonnen—scheen het of tòch de nachtmerrie hem uitgeput had en hem had ingegeven aller- lei zwakte. Het was ongelooflijk, maar nu, 's avonds, als hij werkte, luisterde hij naar het avonddonzen in den tuin, of naar de rat, die stommelde boven zijn hoofd. En dan stond hij eensklaps op, liep in de kamer van Léonie en keek onder haar bed. Toen hij eindelijk uitvond, dat vele van de anonieme brieven, waarmede hij achter- volgd werd, kwamen uit den koker van een halfbloed, die zich noemde zijn zoon en zelfs met zijn eigen familie-naam in de kampong werd aangeduid, voelde hij zich te weifelend deze zaak te onderzoeken, om wat er mocht aan het licht komen en dat hijzelve vergeten was, uit zijn controleurstijd, vroeger, te Ngadjiwa. Nu weifelde hij, in wat hem vroeger zeker en stellig was. Nu wist hij zijne herinneringen uit dien tijd niet meer zoo stellig te schikken, dan dat hij had kunnen zweren geen zoon te hebben, bijna zonder het te weten gewonnen in dien tijd. Hij herinnerde zich niet duidelijk de huishoudster, die hij gehad had voór zijn eerste huwelijk. En hij liet de geheele zaak der anonieme brieven liever maar voortsmeulen in hun duistere schaduw, dan dat hij ze onderzocht, er in roerde. Zelfs liet hij aan den kleurling, die zich noemde zijn zoon, geld geven, opdat deze niet, misbruik makende van den naam, dien hij zich toekende, overal in de kampong eischte prezenten: kippen, en rijst, en kleederen; dingen, die si-Oudijck vroeg aan onwetende dessa-lui, die hij dreigde met den vagen toorn van zijn vader; den Kandjeng daarginds in Laboewangi. Opdat met dien toorn dus niet meer gedreigd zoû worden, deed Van Oudijck hem geld toekomen. Dat was een zwakte: vroeger had hij het nooit gedaan. Maar nu kwam in hem een neiging, te sussen, vergoêlijkend te zijn, niet meer zoo straf en streng te zijn, en liever alles wat scherp was, weg te doezelen in halfheid. Eldersma was soms verbaasd, als hij de rezident, vroeger beslist, nu zag weifelen, toe zag geven in zaken, in geschillen met erfpachters, als hij vroeger nooit hadde gedaan. En een slapheid van werken aan het bureau ware ingekankerd, van zelve, langzaam aan, als Eldersma niet Van Oudijck het werk uit de hand had genomen, en het zich nog drukker gemaakt had, dan hij het al zelve had. Men zeide algemeen, dat de rezident lijdende was. En zijn kleur was ook geel, zijn lever pijnlijk; het minste deed zijn zenuwen trillen. Het gaf een nevroze in huis, tegelijk met de driften en uitbarstingen van Doddy, met de jalouzie en de haat van Theo, die al weêr thuis was, in Soerabaia het had laten liggen. Alleen Léonie bleef zegevieren, altijd mooi, blank, kalm, glimlachend, tevreden, gelukkig in den durenden hartstocht van Addy, dien zij wist te boeien als eene tooveres van liefde, een savante in passie. Het noodlot had haar gewaarschuwd, en Theo hield zij ver van zich, maar verder was zij gelukkig, tevreden.

Toen was het plotseling, dat Batavia openkwam. Twee, drie rezidenten werden genoemd, maar Van Oudijck had het meeste kans.
En hij tobde er over, hij vreesde er voor: hij hield niet van Batavia,
als rezidentie. Hij zoû er niet kunnen werken, als hij hier gewerkt
had, met ijver en toewijding behartigende zoo vele verscheidene
belangen van cultuur en voor bevolking. Liever had hij zich benoemd gezien voor Soerabaia, waar veel omging, of in een der
Vorstenlanden, waar zijn tact om met Javaansche vorsten om te
gaan te pas zoû zijn gekomen. Maar Batavia! Voor een rezident, als
ambtenaar, het minst interessante gewest: voor den rezidentsbe-
trekking het minst vleiend den hoogmoed ervan, vlak bij den Gouverneur-Generaal, geheel te midden der hoogste ambtenaren,
zoodat de rezident, elders bijna oppermachtig, er niet meer was dan
ook een hooge ambtenaar, tusschen Raden van Indië, Directeuren,
in, en te dicht bij Buitenzorg, met zijne eigendunkele Secretarie:
wier bureaucratie en theorie van paperassen altijd in strijd waren
met de bestuurspraktijk en het feitelijke doen der rezidenten zelve.

De mogelijkheid van benoeming maakte hem geheel van streek,
gejaagder dan ooit, nu hij in een maand tijds Laboewangi zoû moeten verlaten, vendutie houden. Het zoû hem scheuren zijn hart Laboewangi te verlaten. Trots wat hij er had geleden, hield hij van de
stad, van zijn gewest vooral. Door geheel zijn gewest, al die jaren,
had hij nagelaten de sporen van zijne werkzaamheid, van zijn aandacht, van zijn ambitie, van zijn liefde. Nu, binnen een maand, zoû
hij dat alles wellicht moeten overdragen aan een opvolger, zich
moeten losscheuren van alles wat hij met liefde had bezorgd, behar-
tigd. Hij voelde er een somberen weemoed om. Dat hij met een
promotie ook dichter naderde zijn pensioen, gaf hem niets. Die
toekomst van niets doen en verveling van naderenden ouderdom
was hem een nachtmerrie. En de opvolger zoû misschien alles veranderen, het in niets eens met hem zijn.

Toen werd zijn mogelijke promotie hem eensklaps tot zulk een
ziekelijke obsessie, dat het onwaarschijnlijke gebeurde en hij
schreef aan den Directeur van B.B., aan den Gouverneur-Generaal,
hem te laten op Laboewangi. Van deze brieven lekte weinig it;
hijzelve verzweeg ze geheel zoowel in den kring zijner familie als in

dien zijner ambtenaren, zoodat, toen een jongere rezident, tweede-klasse, benoemd werd tot rezident van Batavia, men wel er over praatte, dat Van Oudijck gepasseerd was, maar men niet wist, dat dit door zijn eigen toedoen was geweest. En zoekende naar een reden rakelde men in de praatjes weêr op het ontslag van den Regent van Ngadjiwa, het vreemde gebeuren daarna, maar men vond noch in het een, noch in het ander, toch eigenlijk een bizondere aanleiding voor de Regeering om Van Oudijck te passeeren.

Hijzelve herwon er om een vreemde rust, een rust van matheid, van zich laten gaan, van vastgroeien in zijn bekend Laboewangi, van, ver-Indiescht in zijn binnenland, niet behoeven te gaan naar Batavia, waar het zoo heel anders was. Toen de Gouverneur-Generaal hem op de laatste audiëntie had gesproken over een verlof naar Europa, had hij een angst voor Europa gevoeld—een angst er zich niet meer thuis te voelen:—nu voelde hij zelfs dien angst voor Batavia. En toch wist hij heel goed al de quasi Westersche humbug van Batavia; toch wist hij heel goed, dat de hoofdplaats van Java zich maar als erg Europeesch aanstelde, en in werkelijkheid toch maar half Europeesch was. In zichzelven—verborgen voor zijn vrouw, die spijt had om die vervlogen illuzie: Batavia—lachte hij er stilletjes om, dat hij had weten gedaan te krijgen op Laboewangi te blijven. Maar om dien lach voelde hij wel zich veranderd, verouderd, verminderd, niet meer blikkende langs die opwaartsche lijn van telkens onder de menschen in te nemen een hoogere plaats—die altijd de lijn van zijn leven geweest was. Waar was zijn eerzucht gebleven? Hoe was zoo zijn heerschzucht verslapt? Hij dacht, het was alles invloed van het klimaat. Goed zoû het zeker zijn als hij zijn bloed, zijn geest verfrischte in Europa, en er een paar winters doormaakte. Maar oogenblikkelijk knakte die gedachte willoos in een. Neen, hij wilde niet naar Europa. Indië was hem lief. En hij gaf zich over aan lange peinzingen, liggende in een langen stoel, genietende van zijn koffie, van zijn luchtige kleeding, van de zachte verslapping zijner spieren, van de doellooze doezeling zijner gedachten. In die doezeling was scherp alleen zijne meer en meer toenemende achterdocht, en dan wekte hij plotseling op uit zijn loomheid en luisterde naar het vage geluid, het zacht onderdrukte

lachen, dat hij meende te hooren in de kamer van Léonie, zooals hij
des nachts, achterdochtig ook om gespook, luisterde naar het ge-
dons in den tuin, en de rat boven zijn hoofd.

VII

I

Addy zat bij mevrouw Van Does, in het kleine achtergalerijtje, toen
zij een rijtuig voor hoorden opratelen. Zij zagen elkaâr glimlachend
aan, stonden op.
— Ik laat jullie alleen, zei mevrouw Van Does, en zij verdween om
in een dos-à-dos de stad rond te rijden en bij kennissen zaken te
doen.
Léonie was binnengekomen.
— Waar is mevrouw Van Does? vroeg zij, want zij deed iederen
keer, of het de eerste maal was: dat was hare groote bekoring.
Hij wist dit en hij antwoordde:
— Ze is zoo even uitgegaan. Het zal haar spijten u niet te treffen...
Hij sprak zoo omdat hij wist, dat zij daarvan hield: iederen keer
het ceremonieele begin, om vooral de frischheid van hunne liaison
te onderhouden.
Nu zetten zij zich in het kleine gesloten middengalerijtje op een
divan, hij naast haar.
De divan was overtrokken met een cretonne van bonte bloemen;
aan de witte muren hingen wat goedkoope waaiers en kakemono's,
en aan weêrszijde van een spiegeltje stonden op consoles twee imitatie bronzen beeldjes: onduidelijke ridders, het eene been vooruit,
in de hand een speer. Door de glazen deur schemerde het vunze
achtergalerijtje, de pilaren groengeel vochtig, de bloempotten
groengeel ook, met wat vergane rozestruiken; daarachter verwilderde het vochtige tuintje, met een paar magere klapperboomen, de
bladeren hangende als geknakte veêren.
Hij trok haar nu in zijn armen, maar zij duwde hem zachtjes
terug.

—Doddy is onuitstaanbaar, zeide zij; daar moet een eind aan komen.

—Hoe dat?

—Zij moet uit huis. Zij is zoo prikkelbaar, dat ik geen leven met
haar heb.

—Je plaagt haar ook.

Zij haalde de schouders op, ontstemd door een scène met haar
stiefdochter.

—Vroeger plaagde ik haar niet, vroeger hield ze van mij, vroeger
konden wij best met elkaâr overweg. Nu vliegt ze om het minste
op. Het is jouw schuld. Die eeuwige avondwandelingen, die tot
niets leiden, enerveeren haar.

—Het is maar beter, dat ze tot niets leiden, murmelde hij , met zijn
verleiderlachje. Maar ik kan toch niet met haar breken, dat zoû haar
verdriet doen. En ik kan nooit een vrouw verdriet doen.

Zij lachte minachtend.

—Ja, je bent zoo goedig. Uit louter goedigheid zoû je je faveurs
overal verspreiden. Maar hoe dan ook, zij gaat het huis uit.

—Waarnaar toe?

—Vraag niet zulke domme vragen! riep zij uit, boos, gerukt uit hare
gewone onverschilligheid. Weg, weg, ze gaat weg: het kan me niet
schelen waarnaar toe. Je weet als ik eenmaal iets zeg, gebeurt het.
En dit, dit gebeurt.

Hij vatte haar nu in zijn armen.

—Je bent zoo boos. Je bent niets mooi zoo...

Ontstemd, wilde zij zich eerst niet laten zoenen, maar daar hij
niet hield van zulke ontstemmingen en wel wist zijn macht van
onwederstaanbare mooi Moorsche mannelijkheid, overmeesterde
hij haar als met glimlachend ruw geweld en pakte haar zoo dicht
aan zich, dat zij zich niet verroeren kon.

—Je mag niet boos meer zijn...

—Jawel... Ik haat Doddy.

—Het arme kind heeft je niets misdaan.

—Wel mogelijk...

—Integendeel plaag jij haar.

—Ja, omdat ik haar haat...

—Waarom? Je bent toch niet jaloersch...

Zij lachte luid.

—Neen! Dat is niet in mijn aard.

—Waarom dan?

—Wat kan het je schelen! Ik weet het zelf niet. Ik haat haar. Ik heb pleizier haar te plagen.

—Ben je even slecht als je mooi bent?

—Wat is slecht? Weet ik het! Ik zoû jou ook willen plagen, als ik maar wist hoe.

—En ik zoû jou een pak slaag willen geven...

Zij lachte weêr hard op.

—Misschien, dat het me nu wel goed zoû doen, gaf zij toe. Ik ben zelden uit mijn humeur, maar Doddy...!

Zij krampte hare vingers, en in eens, kalmer, vlijde zij zich tegen hem aan, en sloot haar armen om zijn lichaam.

—Vroeger was ik erg onverschillig, bekende zij. Ik ben den laatsten tijd veel zenuwachtiger, nadat ik zoo geschrokken ben, in die badkamer. Nadat ze me zoo gespogen hebben, met sirih. Geloof je, dat het spoken was, van geesten? Ik geloof het niet. Het was plagerij, van den Regent. Die ellendige Javanen weten allerlei dingen... Maar sedert dien tijd ben ik, om zoo te zeggen, uit mijn voegen geslagen. Begrijp je die uitdrukking?... Het was heerlijk vroeger: ik liet alles langs mijn koude kleêren gaan. Nadat ik zoo ziek ben geweest, ben ik als veranderd, zenuwachtiger. Theo, toen hij eens boos op me was, heeft gezegd, dat ik na dien tijd hysterisch ben... wat ik vroeger niet was... Ik weet het niet: misschien heeft hij wel gelijk. Maar veranderd ben ik wel... Ik geef minder om de menschen; ik geloof, dat ik erg brutaal word... Ze kletsen ook nijdiger dan vroeger... Van Oudijck crispeert me, als hij zoo rondloopt... Hij begint wat te merken... En Doddy, Doddy...! Ik ben niet jaloersch, maar die avondwandelingen met jou kan ik niet uitstaan... Je moet dat niet meer doen, hoor, wandelen met haar... Ik wil het niet meer hebben, ik wil het niet meer... En dan alles verveelt me, hier in Laboewangi... Wat een ellendig, eentonig leven... Soerabaia vind ik ook vervelend... Batavia ook... Het is alles zoo duf: de menschen vinden niets nieuws uit... Ik zoû naar Parijs willen... Ik geloof wel, dat ik het element in me heb me in Parijs te amuzeeren.

—Verveel ik je ook?

—Jij?

Zij streelde hem met hare handen over zijn gezicht, over zijn borst, tot langs zijn beenen.

—Wil ik je eens wat zeggen? Je bent een mooie jongen, maar je bent zoo goedig. Dat crispeert me ook. Je zoent maar iedereen, die door je gezoend wil worden. Op Patjaram, je oude moeder, je zusters, alles lik je maar. Dat vind ik ellendig van je!

Hij lachte.

—Je wordt jaloersch! riep hij uit.

—Jaloersch? Word ik heusch jaloersch? Het is ellendig als ik het word. Ik weet het niet: ik geloof toch van niet... Ik wil het niet worden. Ik geloof toch, dat er iets is, dat mij altijd zal beschermen.

—Een duivel...

—Misschien. Un bon diable.

—Begin je Fransch te spreken?

—Ja. Met het oog op mijn gaan naar Parijs... Iets, dat me beschermt. Ik geloof vast, dat het leven geen vat op me heeft. Dat ik onkwetsbaar ben, voor alles.

—Je wordt bijgeloovig.

—O, dat was ik al. Ik ben het misschien erger geworden. Zeg, ben ik veranderd, in den laatsten tijd?

—Je bent nerveuzer...

—Niet zoo onverschillig meer?

—Je bent vroolijker, amuzanter.

—Was ik vroeger vervelend?

—Je was wat stil. Je was altijd mooi, heerlijk, goddelijk... maar wat stil.

—Ik gaf misschien toen meer om de menschen.

—Nu niet meer?

—Neen, niet meer. Ze kletsen toch... Maar zeg, ben ik niet meer veranderd?

—Jawel... jaloerscher, bijgeloviger, nerveuzer... Wat wil je nog meer...

—Fyziek... ben ik fyziek niet veranderd...?

—Neen.

—Ben ik niet ouder geworden... Krijg ik geen rimpels?

—Jij, nooit.

—Zeg... ik geloof, dat ik nog een heele toekomst voor me heb... Iets heel anders...

—In Parijs?

—Misschien... Zeg, ben ik niet te oud?

—Waarvoor?

—Voor Parijs... Hoe oud denk je, dat ik ben?

—Vijf-en-twintig.

—Je jokt: je weet heel goed, dat ik twee-en-dertig ben... Zie ik er uit als twee-en-dertig?

—Neen, neen...

—Zeg, vind je het hier geen beroerd land, Indië... Je bent nooit in Europa geweest?

—Neen...

—Ik alleen maar van mijn tiende tot mijn vijftiende jaar... Eigenlijk ben jij een bruine sinjo en ik een blanke nonna...

—Ik hoû van mijn land.

—Ja, omdat je je zoowat een Solosche prins vindt... Dat is jullie belachelijkheid van Patjaram... Ik, ik haat Indië... Ik spuug op La-boewangi. Ik wil weg. Ik moet naar Parijs. Ga je meê?

—Neen. Ik zoû nooit willen...

—Ook niet als je bedenkt, dat er honderde vrouwen zijn, in Europa, die je nooit gehad hebt...?

Hij zag haar aan: iets in hare woorden, in hare stem deed hem opzien, een hysterische gedetraqueerdheid, die hem vroeger nooit was opgevallen, toen zij altijd geweest was de stil hartstochtelijke minnares, de oogen half gesloten, die dadelijk weêr vergeten wilde en correct werd. Iets stuitte hem van haar af: hij hield van het lenige en weeke en meêgeven van liefkoozing, met iets indolents en glim-lachends—zooals zij vroeger geweest was:—niet van deze half krankzinnige oogen en purperen mond, gereed om te bijten. Het was of zij het voelde, want zij duwde hem eensklaps weg: zij zeide brusk:

—Je verveelt me... Ik ken je nu al: ga weg...

Maar dat wilde hij niet: hij hield niet van te-vergeefsche rendez-vous, en hij omhelsde haar nu en vroeg...

—Neen, zeide zij kort. Je verveelt me. Iedereen verveelt me hier. Alles verveelt me...

Hij omvatte, op zijn knieën, haar middel, trok haar naar zich toe. Zij, een beetje lachend, gaf iets meer toe, wriemelde zenuwachtig met haar hand over zijn haar. Een rijtuig rolde voor aan.

—Hoor, zeide zij.

—Dat is mevrouw Van Does...

—Wat komt ze vroeg terug...

—Ze zal niets verkocht hebben.

—Dan kost het jou een tientje...

—Denkelijk wel...

—Betaal je haar veel? Voor onze rendez-vous?

—Ach, wat doet er dat toe...

—Hoor, zeide zij weêr, aandachtiger.

—Dat is niet mevrouw Van Does...

—Neen...

—Dat is een mannestap...

—Het was ook geen dos-à-dos: het rammelde veel te veel.

—Het zal niets zijn... zeide zij. Iemand, die verkeerd is. Hier komt niemand.

—De man loopt om, sprak hij, luisterend.

Zij luisterden beiden even. En toen, plotseling, met twee, drie passen door het nauwe tuintje, in het kleine achtergalerijtje, rees voor de dichte glazen deur, zichtbaar door het gordijn, *zijne* gestalte: die van Van Oudijck. En de deur had hij opengerukt, voor Léonie en Addy hunne houding konden veranderen, zoodat Van Oudijck henbeiden zag: zij, zittende op den divan, hij geknield voor haar, hare hand, nog als vergeten, rustende op zijn haar.

—Léonie!! donderde haar man.

Het bloed stormgolfde met den schok der verrassing en ziedde door haar heen, en in één oogenblik zag zij een geheele toekomst: zijn woede, een scheiding, een proces, het geld, dat haar man haar geven zoû, alles warrelend door een... Maar, als door een druk van nerveuze wil, viel die bloedgolf, dadelijk, in haar effen neêr en bleef zij rustig zitten: de schrik alleen nog één moment in haar oogen zichtbaar, tot zij ze staalhard richten kon op Van Oudijck. En met haar vingers zacht drukkende op Addy's hoofd, suggereerde zij hem ook te blijven, in zijne houding, te blijven knielen aan hare voeten, en zeide zij, als in een zelfhypnoze, verbaasd luisterende naar den klank van haar eigen, even heesche stem:

— Otto... Adrien de Luce vraagt mij bij jou een goed woord te willen doen... voor hem... Hij vraagt... om de hand van Doddy...

Zij bleven allen drie onbewegelijk: allen drie onder den invloed van deze woorden, deze gedachte, die kwam,—Léonie wist zelve niet waar vandaan... Want, strak als een sibylle, herhaalde zij, zittende recht op, en steeds met dien zachten druk op Addy's hoofd:

— Hij vraagt... om de hand van Doddy...

Nog sprak zij alleen. Toen ging zij voort:

— Hij weet, dat je eenige bezwaren hebt. Hij weet, dat zijn familie je niet sympathiek is, omdat er Javaansch bloed... in hun aderen is.

Zij sprak nog als sprak een ander in haar, en zij moest glimlachen om dat meervoud: aderen: zij wist niet waarom: misschien, omdat het de eerste maal van haar leven was, dat zij dat woord, dat meervoud, gebruikte, in gesprek.

— Maar... ging zij voort. Geldelijke bezwaren zijn er niet, als Doddy op Patjaram wil wonen... En de kinderen houden van elkaâr... al zoo lang. Zij waren bang voor jou...

Nog sprak zij alleen.

— Doddy is al zoo lang zenuwachtig, bijna ziek... Het zoû een moord zijn niet toe te geven, Otto...

Langzaam aan klonk hare stem melodieus, en kwam de glimlach om haar lippen, maar staalhard blikten nog haar oogen, als dreigde zij met een geheimzinnigen toorn, wanneer Van Oudijck haar niet geloofde.

— Kom... zeide zij heel zacht, heel lief, Addy zacht kloppend op zijn hoofd met hare nog trillende vingers. Sta op... Addy... en ga... naar... papa...

Hij stond, werktuigelijk op.

— Léonie, vroeg Van Oudijck, schor; waarom was je hier?

Zij zag blank verbaasd, zacht oprecht, op.

—Hier? Ik was bij mevrouw Van Does...

—En hij? wees Van Oudijck.

—Hij...? Hij kwam hier ook... Mevrouw Van Does moest uit...
Toen vroeg hij mij te spreken... En toen vroeg hij mij... de hand van
Doddy...

Zij zwegen weêr allen drie.

—En jij, Otto? vroeg zij nu, iets harder. Hoe kom jij hier?

Hij keek haar hard aan.

—Heb je iets te koopen van mevrouw Van Does...?

—Theo zei, dat je hier was...

—Theo had gelijk...

—Léonie...

Zij stond op, en met haar staalharde oogen beduidde zij hem, dat
hij gelooven moest, dat zij niet anders *wilde*, dan dat hij geloofde.
—Hoe dan ook, Otto, zeide zij, weêr zacht, kalm, lief; laat Addy
niet langer in onzekerheid. En jij, Addy, wees niet bang, en vraag
Doddy's hand aan papa... Ik heb over Doddy... niets te zeggen: dat
heb ik je al gezegd.

Nu stonden zij allen drie over elkaâr, in het nauwe middengalerijtje, benauwd van hun adem en hun opgehoopte gevoelens.
—Rezident... zeide toen Addy. Ik vraag u... om de hand... van uw
dochter...

Een dos-à-dos, voor, rolde aan.

—Dat is mevrouw Van Does, zei Léonie haastig. Otto, zeg iets,
voor zij komt...

—Het is goed... zei Van Oudijck, somber.

Voor mevrouw Van Does binnenkwam, maakte hij zich, achter,
weg, niet ziende de hand, die Addy hem toestak. Mevrouw Van
Does kwam binnen, sidderend, gevolgd door een baboe, die een
bundel droeg: haar koopwaar. Zij zag Léonie en Addy staan, strak,
gehypnotizeerd.

—Dat was de wagen van den residèn... stamelde de Indische dame
bleek. Dat was de residèn?!

—Ja... zei Léonie kalm.

—Astaga!... En wat is gebeurd??

—Niets, ging Léonie voort, lachende.

—Niets?

—Of ja, toch wel wat...

—Wat dan?

—Addy en Doddy zijn...

—Wat dan?

—Geëngageerd!!

En zij schaterde het uit, met een schellen lach van onbedwing-bare levensdolheid, terwijl zij mevrouw Van Does, verbouwereerd, in het rond draaide en den bundel schopte uit de handen der baboe, zoodat een pak gebatikte spreien en tafelloopers op den grond stortte en een kleine stopflesch, vol glinsterende kristallen, rolde en brak.

—Astaga... mijn brillanten!!!

Nog een schop van uitgelatenheid en de tafelloopers vlogen links en rechts, de diamanten glinsterden verspreid tusschen de pooten van tafels en stoelen. Addy, den schrik nog in de oogen, kroop op de handen, zoekende bij elkaâr. Mevrouw Van Does her-haalde:

—Geëngageerd??

2

Doddy was opgetogen, in de wolken, verheerlijkt, toen Van Ou-dijck haar zeide, dat Addy hare hand had gevraagd, en toen zij hoorde, dat mama hare voorspraak was geweest, omhelsde zij Léo-nie onstuimig, zich, met de spontane bewegelijkheid van haar ka-raktertje, weêr overgevende aan de aantrekking, die Léonie lang op haar had uitgeoefend. Dadelijk nu vergat Doddy al wat haar gehin-derd had in de te groote intimiteit tusschen mama en Addy, als hij hing over haar stoel en met haar fluisterde. Zij had wat zij nu en dan had gehoord, nooit geloofd, omdat Addy haar altijd verzekerd had, dat het niet waar was. En zij was zoo gelukkig, omdat zij met Addy, samen met hem, op Patjaram zoû wonen. Want Patjaram was voor haar het ideaal van huiselijkheid: het groote huis, gebouwd aan de suikerfabriek, vol zonen en dochteren en kinderen en beesten, op

wie de zelfde goedigheid en hartelijkheid en verveling was neêrgezeefd, met achter die zonen en dochteren de aureool van Solosche
afkomst, was haar het ideaal van verblijf, en verwant voelde zij zich
aan al die kleine tradities: de sambal, gestampt en gewreven door
een hurkende baboe achter haar stoel, terwijl zij rijsttafelde, was
haar het hoogste van verhemelte-genot; de races te Ngadjiwa, bij-
gewoond door de loome lengang-lengang-stoet¹ van al die vrouwen, met de baboes achter zich, dragende zakdoek, flacon, binocle,
was haar het non-plus-ultra van elegance; zij hiel van de oude
Raden-Ajoe Douairière, en aan Addy had zij zich geschonken, geheel, zonder voorbehoud, van af het eerste oogenblik, dat zij hem
gezien had: toen zij een klein meisje geweest was van dertien, hij
een jongen van achttien. Om hem had zij altijd tegengestribbeld als
papa haar naar Europa had willen zenden, naar een Brusselsche
kostschool; om hem had zij nooit naar iets anders verlangd dan
Laboewangi, Ngadjiwa, Patjaram; om hem zoû zij te Patjaram leven en sterven. Om hem had zij gekend al de kleine jalouzietjes, als
hij danste met een ander; al de groote jalouzieën, als haar meisjes-
kennissen haar zeiden, dat hij verliefd was op die en het hield met
die ander; om hem zoû ze die ijverzuchtjes en ijverzucht altijd kennen, haar leven lang. Hij zoû haar leven zijn, Patjaram haar wereld,
de suiker haar belang, omdat het het belang van Addy was. Om
hem zoû ze verlangen naar veel kinderen, heel veel kinderen, die
wel bruin zouden zijn—niet blank als papa en mama en Theo—
maar bruin, omdat haar eigen moeder bruin was, zij even donzig
bruin, Addy mooi brons Moorsch bruin, en naar het voorbeeld,
gegeven op Patjaram, zouden haar kinderen, heel veel kinderen, er
opgroeien in de schaduw van de fabriek, en in al hun belang van en
voor suiker, om later de velden te planten, en suikerriet te malen, en
het fortuin van de familie weêr op te halen, dat het schitteren zoû als
vroeger. En zij was zoo gelukkig, als zij geluk maar zich voor kon
stellen, ziende haar ideaal van verliefd meisje zoo bereikbaar dichtbij: Addy en Patjaram; en geen oogenblik bevroedende hoe haar
geluk was geworden, door het woord van zelfhypnoze, dat Léonie,

---

1 De armen wiegelend bij het loopen: de typische gang der Indische vrouw.

bijna onbewust, had geuit op een uiterste oogenblik. O, nu behoefde zij niet meer de donkere hoekjes, de donkere sawahs te zoeken met Addy; nu omhelsde zij hem telkens in het volle licht, zat zij stralende tegen hem aan, voelende zijn warme mannelijf, dat haar toebehoorde en spoedig geheel; nu dweepten hare oogen, zichtbaar voor iedereen, naar hem op, daar zij niet de kuische kracht meer had zich te verbergen voor de menschen: nu was hij van haar, nu was hij van haar! En hij, met zijn goedige gelatenheid van jongen sultan, hij liet zich streelen zijn schouders en knieën, hij liet zich zoenen en aaien over zijn haar, hij liet haar arm om zijn hals, alles aannemende als een hem verschuldigde schatting, gewend aan die schatting van liefde der vrouwen, gekoesterd in liefkoozing, van klein mollig jongentje af, van dat hij gedragen werd door Tidjem, zijn baboe, die verliefd op hem was, — van dat hij in een tjelanamonjet[1] stoeide met zusters en nichtjes, die allen verliefd op hem waren. Al die schatting aanvaardde hij goedig weg, maar diep in zich verbaasd, geschokt door wat Léonie had gedaan... En toch, redeneerde hij, misschien eenmaal was het ook anders van zelve zoo geworden, omdat Doddy zoo veel van hem hield... Liever had hij ongetrouwd willen blijven; ongetrouwd had hij op Patjaram toch huiselijkheid genoeg, en behield hij zijn vrijheid om, goedig, veel liefde aan de vrouwen te geven... En, naïf, bedacht hij nu al, dat het wel niet gaan zoû, nooit gaan zoû, lang trouw aan Doddy te blijven, omdat hij heusch te goedig was, en de vrouwen allen zoo dol. Later moest Doddy daar maar aan wennen, zich daarin schikken leeren, en — bedacht hij — in Solo, in den Kraton, was het toch ook zoo, met zijn ooms en zijn neven...

Had Van Oudijck geloofd? Hij wist het zelve niet. Doddy had Léonie beschuldigd verliefd te zijn op Addy; Theo had hem dien morgen, toen Van Oudijck gevraagd had, waar Léonie was, kort geantwoord:

— Bij mevrouw Van Does... met Addy.

Hij had razend zijn zoon aangekeken, maar verder niet gevraagd: hij was alleen dadelijk naar het huisje van mevrouw Van

1 Hansop.

Does gereden. En in werkelijkheid had hij zijn vrouw gevonden samen met den jongen de Luce, hij aan haar knieën, maar zij had hem zoo rustig gezegd:

—Adrien de Luce vraagt mij de hand van je dochter...

Neen, hij wist zelve niet of hij geloofde. Zijn vrouw had zoo rustig geantwoord, en nu, de eerste dagen van het engagement, was zij zoo kalm geweest, glimlachend als altijd... Dat vreemde van haar, dat onkwetsbare, alsof niets haar kon deren, zag hij nu voor het eerst. Vermoedde hij achter die muur van onkwetsbaarheid het ironisch vrouwegeheim van haar stil gloeiend leven? Het was of hij in zijn latere nerveuze achterdocht, in zijn stemming van onrust, in zijn vaag van bijgeloovigheid en spiedend luisteren naar de stilte, die spookte, geleerd had dingen te zien om hem heen, waarvoor hij blind was geweest in zijn stoere kracht van heerschman en hoog-hartig hoofdambtenaar. En zijn verlangen om zeker te weten de geheimen, die hij raadde, werd zoo hevig in zijn ziekelijke geprik-keldheid, dat hij vriendelijker werd en vriendelijker tegen zijn zoon, maar nu niet meer uit spontanen vaderdrang, waarmeê hij Theo toch altijd had liefgehad, nu uit nieuwsgierigheid, om hem uit te hooren, en Theo te doen zeggen al wat hij wist. En Theo, die Léo-nie haatte, die zijn vader haatte, die Addy, die Doddy haatte, in zijn geheele haat van alle menschen om hem, die het leven haatte in zijn stijfkoppig idee van blonden sinjo, verlangend naar geld en mooie vrouwen, boos omdat de wereld, het leven, fortuin, geluk, zooals hij dat klein zich verbeeldde, niet naar hem toekwam en hem viel in de armen, hem viel om den hals—Theo, volgaarne, perste zijn en-kele woorden uit, als droppelen alsem, stil genietende als hij zijn vader zag lijden. En hij liet Van Oudijck, heel langzaam-aan, raden, dat het toch waar was: van mama en van Addy. Nog kon Van Ou-dijck het niet aannemen. In de intimiteit, die geboren werd tusschen vader en zoon uit achterdocht en haat, zeide Theo van dien broêr in de kampong, en dat hij wist, dat papa hem geld gaf, en dus erkende, dat het waar was... En Van Oudijck, niet zeker meer, niet meer wetende de waarheid, gaf toe, dat het wel kon, gaf toe, dat het zoo was. Toen, denkende aan de anonieme brieven,—pas den laatsten tijd—sedert hij geld deed toekomen aan den halfbloed, die zich aanmatigde zijn naam—hem niet meer toegezonden,—dacht hij ook aan de besmeuringen, die hij er zoo dikwijls in had gelezen, en, toen, steeds als vuil van zich had afgeworpen: dacht hij aan die beide namen van zijn vrouw en Theo zelve, die er zoo vaak in werden gekoppeld. Als vlammen ziedden-op zijn wantrouwen en zijn achterdocht, als een brand nu onbedwingbaar, die in hem verzengde alle andere gevoel, gedachte. Tot hij zich ten laatste niet meer kon houden en er Theo ronduit over sprak. Theo's verontwaardiging en ontkenning vertrouwde hij niet. En nu vertrouwde hij niets meer, en niemand. Hij wantrouwde zijn vrouw en zijn kinderen, zijn ambtenaren; hij wantrouwde zijn kok...

3

Toen kwam als een donderslag door Laboewangi het gerucht varen, dat Van Oudijck en zijn vrouw zouden scheiden. Léonie ging naar Europa, heel plotseling, eigenlijk zonderdat iemand wist waarom en zonder van iemand afscheid te nemen. En het was in het stadje een groot schandaal, men sprak over niets anders, men sprak er zelfs over tot in Soerabaia, tot in Batavia. Alleen Van Oudijck zweeg er over, en, alleen wat dieper gebogen zijn rug, ging hij voort, werkte hij door, leefde hij zijn gewoon leven. Hij had, ontrouw aan zijn principe, Theo aan een betrekking geholpen, om hem kwijt te zijn. Hij had maar het liefst, dat Doddy logeerde op Patjaram, waar de dames de Luce haar zouden helpen met haar uitzet. Hij had maar het liefst, dat Doddy gauw trouwde, en trouwde te Patjaram. In zijn groot, leêg huis wilde hij nu maar de eenzaamheid, de immense ongezellige eenzaamheid. Hij liet niet meer voor zich dekken: men bracht hem maar een bordje rijst, een kop koffie, in zijn kantoor. En hij voelde zich ziek, zijn ijver verslapte: een onverschilligheid, dof, kankerde in hem vast. Op Eldersma drukte neêr al het werk, geheel het gewest, en toen Eldersma, na in weken niet te hebben geslapen, en dol van ontzenuwing, den rezident zeide, dat de dokter hem met een spoedcertificaat naar Europa wilde zenden, ontviel Van Oudijck alle moed. Hij zeide, ook hij voelde zich ziek, op. En hij vroeg verlof aan den Gouverneur-Generaal, hij ging naar Batavia. Hij zeide er niets van, maar hij was zeker te Laboewangi niet meer terug te keeren. En hij ging weg, stilletjes, zonder een blik naar achteren, naar zijn groot arbeidsveld, waar hij eens met zooveel liefde geschapen had een geheel. Het bestuur bleef in handen van den assistent-rezident te Ngadjiwa. Men dacht algemeen, dat Van Oudijck den Gouverneur-Generaal wilde spreken over eenige belangrijke kwestie's, maar plotseling kwam het bericht, dat hij zijn ontslag wilde nemen. Men geloofde er eerst niet aan, maar het gerucht werd bevestigd. Van Oudijck kwam niet meer terug.

Hij was gegaan, zonder een blik naar achteren, in een vreemde onverschilligheid, een onverschilligheid, die langzaam had doorziekt zijn levensmerg van eerst zoo krachtigen en praktischen en altijd arbeidjeugdigen man. Hij voelde die onverschilligheid voor Laboewangi, dat hij eerst had gedacht nooit dan met het grootste heimwee te zullen moeten verlaten—zoo hij gepromoveerd werd tot rezident eerste-klasse: hij voelde die onverschilligheid voor zijn huiselijken kring, die niet meer bestond. Een zacht verwelken, verflauwen, wegsterven was in zijn ziel. Het was hem of al zijne krachten versmolten in de stilstaande lauwte van die onverschilligheid. In Batavia planteleefde hij wat in een hôtel, en men dacht algemeen, dat hij naar Europa zoû gaan.

Eldersma was al weg, doodziek, en Eva, met den kleinen jongen, had hem niet kunnen vergezellen, omdat zij aan zware malariakoortsen leed. Toen zij eenigszins herstellend was, hield zij vendutie, en zoû zij naar Batavia gaan, er een drie weken logeeren bij kennissen, vóor haar boot vertrok. Zij verliet Laboewangi met zeer gemengde gevoelens. Zij had er veel geleden, maar zij had er ook veel nagedacht, en zij had er een diep gevoel gekoesterd, voor Van Helderen—een zoo zuiver en glorieus gevoel—als zij dacht, dat maar éens straalde in een leven. Zij nam afscheid van hem als van een gewoon vriend, te midden van anderen, en het was niet anders dan een handdruk, dien zij hem gaf. Maar een zoo diepe melancholie was in haar, om dien handdruk, om dat banale woord van vaarwel, dat de snikken haar stegen in de keel. Dien avond, alleen,

weende zij niet, maar in haar hôtelkamer staarde zij uren stilzwijgend voor zich uit. Haar man, ziek, weg... zij wist niet hoe zij hem
terug zoû zien, òf zij hem terug zoû zien. Europa, daarginds—na
hare Indische jaren—breidde zijn kusten wel lachend voor haar uit,
deed opdoemen zijn steden, zijne beschaving, zijn kunst—maar zij
was bang voor Europa. Een stille angst, dat zij intellectueel zoû
achteruit gegaan zijn, deed haar bijna vreezen, voor den kring in het
huis harer ouders, waar zij over vier weken terug zoû zijn. Eene
beving, dat men haar ver-Indiescht zoû vinden, in hare manieren en
ideeën, in haar spraak en haar kleeding, in de opvoeding van haar
kind, maakte haar van te voren verlegen, haar, met al hare bravou-
re, van elegante, artistieke vrouw. Zeer zeker was zij in haar pianospel achteruit gegaan: zij zoû in Den Haag niet meer durven spelen.
En zij dacht, dat het goed zoû zijn een paar weken in Parijs te blijven, om zich wat te ontbolsteren, voor zij in Den Haag zich vertoonde...

Maar Eldersma was te ziek... En haar man, hoe zoû men hèm
vinden, veranderd—haar frissche, Friesche man, afgebeeld, uitgeput, geel als perkament, nonchalant in zijn uiterlijk, somber mop-
perend in al zijn uitingen... Maar een zacht vizioen van frissche
Duitsche natuur, van Zwitsersche sneeuw, van muziek te Bayreuth,
van kunst in Italië, dauwde voor haar starenden blik, en zij zag zich
met haar zieken man samen. Samen niet meer in liefde, maar samen
onder het juk van het leven, dat zij nu eens samen hadden opgenomen... Dan de opvoeding van haar kind! O haar kind te redden
van Indië, voor Indië! En toch, hij, Van Helderen, hij was nooit uit
Indië geweest. Maar hij, hij was, die hij was, en hij was een uitzondering.

Zij had hem vaarwel gezegd... Zij moest hem vergeten. Europa
wachtte haar, en haar man, en haar kind...

Een paar dagen later was zij te Batavia. Zij kende Batavia ternauwernood; jaren geleden was zij er enkele dagen geweest, toen zij
uitkwam. In Laboewangi, in den uithoek harer kleine rezidentieplaats, was Batavia langzamerhand in hare verbeelding verheerlijkt
tot de zeer Europeesch-oriëntalische hoofdplaats, centrum van Europeesch-oriëntalische beschaving: onduidelijk vizioen van majes-

tueuze lanen en pleinen, waarom de groote villa's zich rijk pilaar-
den, waarlangs de elegante equipages zich verdrongen... Zij had
altijd zooveel gehoord van die luxe van Batavia. Zij logeerde er nu
bij vrienden: hij, chef van een groot handelshuis, hun huis een der
mooiste villa's van het Koningsplein. En dadelijk had haar, heel
vreemd, getroffen, het funèbre, de doodsche melancholie van die
groote villa-stad, waar duizenderlei bestaan als in een zwijgen
koortsachtig voortijlt naar een toekomst van geld en rust. Het was
of al die huizen, somber, trots hunne witte zuilen, hunne façaden
van grootschheid, als gezichten vol zorg fronsten met een beslom-
mering, die zich verbergen wilde achter het voornaam doen van
breede bladeren en palmgroepen. De huizen, hoe doorzichtig ook,
tusschen hunne zuilen, hoe open ook, schijnbaar, bleven gesloten;
de menschen waren steeds onzichtbaar. Alleen des morgens, boodschappen doende langs de winkels van Rijswijk en Molenvliet, die,
met eenige Fransche namen, poogden den indruk te maken van
zuidelijke winkelstad, van Europeesche elegance, zag Eva de exode
der witte mannen naar de Stad: wit van gelaatskleur, wit van kleedij
en als blank van blik, blank van zorgend peinzen, den verren blanken blik vol zorg en peinzing van een ieder gericht op die toekomst,
die zij uitrekenden met enkele tientallen of vijftallen van jaren: op
dat en dat jaar, zooveel binnen, en dan weg, uit Indië weg, naar
Europa. Het was als een andere koorts dan de malaria, die hen
sloopte, en die zij zoo slopen voelden hunne nooit geacclimatizeerde lichamen, hunne nooit geacclimatizeerde zielen, dat zij als dien
dag voorbij hadden willen loopen naar den dag van morgen, den
dag van overmorgen, — dagen, die hun iets dichter brachten hun
doel, omdat zij in stilte angstig waren te sterven voor dat doel was
bereikt. De exode vulde de trammen met hare witte doodschheid:
velen, vermogend al, maar nog niet rijk genoeg voor hun doel,
reden in hunne mylords en buggy's tot de Harmonie, namen daar
den tram, om hun paarden niet te vermoeien.

En in de Oude Stad, in de oude notabele woningen der eerste
Hollandsche kooplieden, nog gebouwd op de vaderlandsche wijze,
met eikenhouten trappen naar verdiepingen, nu in de Oostmoesson, vol hangende van een dikke benauwende warmte, als een tast-

baar element, dat niet te doorademen was, bogen zij zich over hun werk, ziende tusschen hun dorstigen blik en de witte woestijn hunner papieren, steeds de dauwende fata-morgana van die toekomst, de lavende oaze van hunne materialistische hersenschim: binnen zooveel tijd geld en dan weg, weg... naar Europa... En in de villa-stad rondom Koningsplein, langs de groene lanen, verscholen zich de vrouwen, bleven onzichtbaar de vrouwen, den heelen langen, langen dag. De warme dag ging voorbij, het uur van weldadige koelte kwam, het uur van halfzes tot zeven: de mannen, doodmoê, kwamen terug in hun huizen, en rustten er uit, en de vrouwen, moê van hare huishoudingen, hare kinderen en van niets, van het leven van niets, het leven zonder belang, moê van de doodschheid van haar bestaan, rustten er uit naast de mannen. In het uur van weldadige koelte was het de rust, de rust na het bad, in negligé, om het theeblad; de korte rust één oogenblik, want angstig naderde het uur van zeven — wanneer het al donker werd — en wanneer men naar een receptie moest. Een receptie, dat was het zich warm aankleeden in Europeesch toilet, dat was het verschrikkelijke uur van Europeesch even meêdoen met salon-beschaving en wereldschheid, maar dat was toch ook ontmoeten die en die, en een pas verder pogen te komen, tot de fata-morgana van de toekomst: tot geld en tot eindelijke rust, in Europa. En nadat de villa-stad in de zon den geheelen dag was somber geweest, en doodsch, en als uitgestorven, — de mannen ginds in de oude stad, de vrouwen verborgen in hare huizen — kruisten nu in den donker om Koningsplein en langs de groene lanen zich enkele equipages, enkele Europeesch uitziende menschen, die gingen naar een receptie. Terwijl om Koningsplein en aan de groene lanen alle de andere villa's bleven volharden in hare funèbre doodschheid en zich vol sombere duisternis vulden, glom het huis, waar receptie was, van lampen tusschen de palmen. En verder bleef de doodschheid overal, bleef alom de sombere peinzing liggen over de huizen, waarin zich verscholen de moede menschen: de mannen, afgebeuld van werk, de vrouwen, afgebeuld van niets...

—Wil je niet wat toeren, Eva? vroeg hare gastvrouw, mevrouw De Harteman, een Hollandsch vrouwtje, wit als was, en altijd moê van haar kinderen. Maar ik ga liever niet meê, als je het me niet kwalijk neemt: ik wacht liever op Harteman. Anders vindt hij zoo niemand thuis. Ga jij dus, met je kleinen jongen.

En Eva, met haar ventje, toerde in de 'wagen' van De Harteman. Het was het koele uur van licht. Zij ontmoette twee, drie rijtuigen: dat waren mevrouw die en mevrouw die, van wie het bekend was, dat zij 's middags toerden. Zij zag op het Koningsplein een heer en een dame wandelen: dat waren die en die: die wandelden altijd, dat was bekend in Batavia. Verder ontmoette zij niemand. Niemand. In het weldadige uur bleef de villa-stad doodsch als een stad van ge-storvenheid, als een immens mauzoleum tusschen groen. En als een weldadigheid, na de verpletterende warmte, toch, breidde zich als een reuzeweide uit het Koningsplein, waar het verschroeide gras met de eerste regens begon te groenen, de huizen, zóó ver af, zóó ver verschietende in hun dichte tuinen, dat het was als buiten, als bosch en veld en weide, met die wijde lucht erboven, waarin de longen nu adem zwolgen, alsof zij voor het eerst, dien dag, zuurstof zogen en leven: die wijde lucht, iederen dag als een andere weelde van tinten, een overdaad van zonsondergang, een glorieus sterven van den blakenden dag, of de zon zelve stuk brak in vloeizeeën van goud tusschen lila dreigingen van regen. En het was zoo wijd en zoo heerlijk, het was zoo een immense weldadigheid, dat het waar-lijk troostte voor dien dag.

Maar niemand, die het zag, dan de twee, drie menschen, van wie het bekend was, in Batavia, dat zij toerden of wandelden. Het sche-merde paarsch, de nacht viel met een zware schaduw neêr, en de stad, die den geheelen dag doodsch was geweest, met haar frons van sombere peinzing, sliep moê in als een stad van zorg...

Het was vroeger anders, zei de oude mevrouw De Harteman, de schoonmoeder van Eva's vriendin. Nu waren ze er niet meer, de gezellige huizen met hun Indische gastvrijheid, met hun open tafel, met hun oprechte hartelijkheid van ontvangst. Want het karakter van den kolonist was als veranderd, als versomberd door het om-slaan der kansen, door de teleurstelling, dat hij niet spoedig zijn doel bereikte: zijn materialistisch doel van rijkdom. En in die bitter-heid scheen het, dat zijne zenuwen zich ook vernijdigden; zooals zijn ziel versomberde, verslapte zijn lichaam en bood het geen weêrstand aan het vernietigende klimaat...

En Eva vond niet in Batavia de ideale stad van Europeesch-oriëntalische beschaving, die zij zich Batavia gedacht had in den Oosthoek. In dit groote centrum van zorg om geld, van verlangen naar geld, was alle spontaneïteit verdwenen en versufte het leven tot een zich eeuwig opsluiten in kantoor of in huis. Men zag elkaâr alleen op de receptie's, en verder besprak men elkaâr door de telefoon. Het misbruik van de telefoon voor huiselijk gebruik doodde alle gezelligheid tusschen kennissen. Men zag elkaâr niet meer, men hoefde zich niet meer te kleeden en het rijtuig—de wagen—te laten inspannen, want men cauzeerde door de telefoon, in sarong en kabaai, in nachtbroek en kabaai, en zonder zich bijna te bewegen. De telefoon was vlak bij de hand en door de achtergalerij tjingelde telkens het belletje. Men belde elkaâr op om niets, alleen om het pleizier te bellen. De jonge mevrouw De Harteman had een intieme vriendin, die zij nooit zag en iederen dag, gedurende een half uur lang, besprak door de telefoon. Zij ging er bij zitten, zoo vermoeide het haar niet. En zij lachte en schertste met haar vriendin, zonder zich behoeven te kleeden en zonder zich te bewegen. Zoo deed zij met andere kennissen ook: zij maakte hare visite's door de telefoon. Zij bestelde hare boodschappen door de telefoon. Eva, in Laboewangi niet gewend aan dat eeuwig getjingel en telefoongebel, dat alle conversatie doodde, dat in de achtergalerij— luid op—de helft van een gesprek—het antwoord onhoorbaar voor wie er verder zaten—klinken liet, als een onophoudelijk eenzijdig gerammel, werd er zenuwachtig om en ging naar hare kamer. En in de saaiheid van dit leven, vol zorg en inwendige peinzing, voor den man, waardoor rammelde de telefoon-causerie van zijn vrouw, was het voor Eva een verrassing in eens te hooren van een bizondere opwekking: een Fancy-fair, repetities voor een dilettanten-opera-voorstelling. Zij woonde er zelve een bij in die weken en het verbaasde haar: de waarlijk zeer goede uitvoering, als gedaan met een kracht der wanhoop dier muzikale dilettanten, om de verveling der Bataviasche avonden te verdrijven... Want de Italiaansche opera was weg, en zij moest lachen om de rubriek: publieke vermakelijkheden, in de Javabode, onder welke vermakelijkheden meestal geen andere keuze was te doen dan uit drie, vier vergaderingen van aandeelhouders. Dat was vroeger ook anders, zeide dan de oude mevrouw De Harteman, die zich voor vijf-en-twintig jaren geleden wel herinnerde de uitstekende Fransche opera, die wel duizenden eischte, maar waarvoor de duizenden altijd beschikbaar waren. Neen, de menschen hadden geen geld meer om zich 's avonds te amuzeeren: zij gaven soms een heel duur diner, of zij gingen naar een vergadering van aandeelhouders. Waarlijk, Eva vond het te Laboewangi toch nog veel gezelliger. Het is waar, zij had er zelve tot die gezelligheid veel meêgewerkt, terwijl Van Oudijck haar altijd had aangespoord, blij van zijn rezidentieplaats een aardig, vroolijk stadje te maken. En zij kwam tot de concluzie, dat zij een kleine plaats in het binnenland, met enkele beschaafde, gezellige, Europeesche elementen—zoo zij harmonieerden en niet te veel kibbelden in hun nauwe samen-zijn—toch nog voortrok boven het pretentieuze, laatdunkende en sombere Batavia. Alleen in het militaire element was leven. Alleen de huizen van officieren waren des avonds verlicht. Verder doodschte de stad weg, den geheelen langen warmen dag, met hare fronsing van zorg, met hare onzichtbare bevolking van naar de toekomst uitziende menschen: de toekomst van geld, de toekomst misschien meer nog van rust, in Europa.

En zij verlangde weg te komen. Batavia beklemde haar den adem, trots haar iederendaagschen toer langs het wijde Koningsplein. Zij had alleen nog maar één wensch van weemoed: afscheid te nemen van Van Oudijck. Hare natuur van elegante en artistieke vrouw, had, heel vreemd, oog gehad, bekoring gevoeld voor de zijne: die van simpel man van praktisch leven. Zij had misschien, één enkel oogenblik slechts, iets voor hem gevoeld, heel diep in zich: een vriendschap, die was als het contrast van hare vriendschap voor Van Helderen: een waardeering meer van hoog menschelijke kwaliteiten dan van Platonisch zielegemeenschapsgevoel. Zij had sympathisch medeleed voor hem gevoeld in die vreemde dagen van mysterie, hij alleen in zijn immense huis, waar rondom hem heen de vreemde gebeurlijkheid gedonsd had. Zij had innig voor hem medelijden gevoeld, toen zijne vrouw, als wegschoppende haar zoo hooge pozitie, gegaan was in een drieste bui van schandaal verwekken, niemand wist precies waarom, zijne vrouw, eerst correct altijd, trots al hare verdorvenheid, maar langzamerhand door den kanker van het vreemde gebeuren zoo opgegeten, dat zij zich niet meer had weten in te binden, het geheimste van haar zondeziel blootwoelende in de meest cynische onverschilligheid. De roode sirih-spatten, gespookspuwd op haar bloote lichaam, hadden in haar geziekt, waren in haar merg gevreten, als een ontbinding van hare ziel, waarin zij misschien zoû ondergaan, heel langzaam weg. Wat men nu van haar vertelde, — hoe zij leefde in Parijs — was alleen te fluisteren, als een onuitzegbare verdorvenheid.

In Batavia, tusschen de praatjes op de receptie's, hoorde Eva hierover. En toen zij vroeg naar Van Oudijck, waar hij logeerde, of hij spoedig naar Europa zoû gaan, na zijn zoo onverwachts genomen ontslag — iets, dat de geheele ambtenaarswereld had verbaasd, wist men niet goed, vroeg men elkander of hij dan niet meer was in het hôtel Wisse, waar men hem toch enkele weken had zien wonen, in zijn voorgalerijtje onbewegelijk liggende in zijn stoel, de beenen op de latten, onbewegelijk als starende naar één punt... Hij was bijna niet uitgegaan, hij at daar, kwam niet aan de table-d'hôte, als was hij — de man, die steeds met honderde menschen had moeten omgaan — menschenschuw geworden. En eindelijk hoorde Eva, dat Van Oudijck te Bandong woonde. Daar zij er eenige afscheidsvisites te maken had, ging zij naar den Preanger. Maar te Bandong was hij niet te vinden: de hôtelhouder wist haar wel te zeggen, dat de rezident Van Oudijck enkele dagen ten zijnent verbleven was, maar hij was gegaan, en hij wist niet waarheen. Tot eindelijk, bij toeval, zij van een heer aan tafel hoorde, dat Van Oudijck dichtbij Garoet woonde. Zij ging naar Garoet, blijde hem op het spoor te zijn. En daar, in het hôtel, wist men haar te beduiden, waar hij woonde. Zij wist niet, of zij hem eerst schrijven zoû en aankondigen haar bezoek. Het was of zij iets voorried, dat hij zich dan excuzeeren zoû en zij hem niet meer zoû zien. En zij, op het punt Java te verlaten, verlangde hem te zien, uit sympathie, en uit nieuwsgierigheid, beiden. Zij verlangde zelve te zien, hoe hij geworden was, hem te doordringen, waarom hij zoo plotseling zijn ontslag had genomen, en zich had uitgewischt zijne zoo benijdbare plaats in het leven: plaats, oogenblikkelijk ingenomen, door wien achter hem aandrong, in het gretig dringen naar promotie. Den volgenden morgen dus, heel vroeg, zonder iets te hebben gemeld, reed zij in een rijtuig van het hôtel weg; de hôtelhouder had den koetsier uitgeduid, waar hij heen moest. En zij reed heel lang, langs het meer van Lellès, waarop de koetsier haar opmerkzaam maakte: het heilige, sombere meer, waarin op twee eilanden liggen de aloude graven van heiligen, terwijl er boven zweefde, als een donkere wolk van doodschheid, een altijd ronddraaiende zwerm van heel groote kalongs, zwarte reuzevleêrmuizen, klapwiekende hunne demonische vlerken en krijschende hun wanhoopzege-schreeuw, onophoudelijk omcirkelend: rouw-zwarte duizeling tegen de eindeloos diepe blauwe lucht van den dag aan, of zij, de eens zoo dagschuwe demonen, gezegevierd hebben en niet meer schuwen het licl.t, omdat zij het met de schaduw van hun funèbre vlucht toch verduisteren. En het was zoo iets beklemmends: het heilige meer, de heilige graven en daarboven een zwerm als van zwarte duivels in den diepen blauwen ether, omdat het was of iets van het mysterie van Indië er zich plotseling openbaarde, zich niet meer verbergende in vage verdonzing, maar zichtbaar werkelijk in de zon, ontstelling wekkend met zijn dreigende zege... Eva huiverde, en terwijl zij angstig naar boven keek, was het haar of de zwarte zwerm van schermwieken naar beneden zoû slaan. Op haar... Maar de schaduw van dood tusschen haar en de zon cirkelde alleen als een duizeling, hoog boven haar hoofd, en wanhoopschreeuwde alleen zijn triomf... Zij reed verder, en de vlakte van Lellès breidde zich groen en lachend voor haar uit. En de seconde van openbaring was al voorbij getikt: er was niets meer dan de groene en blauwe weelde van Java's natuur: het mysterie school al weêr weg tusschen de fijne, wuivende bamboe's, loste op in den azuuroceaan van de lucht.

De koetsier reed langzaam een stijgenden weg op. De liquide sawah's traptraden als spiegelterrassen naar boven, ijl groen van de voorzichtig geplante padi-halmpjes; toen, plotseling, was het als een varen-allee; reuzevarens, die hoogopwaaierden, en groote fabelkapellen fladderden rond. En tusschen de ijlte der bamboe's werd zichtbaar een kleine woning, half steen, half bamboevlecht-werk, met een tuintje er om, waarin enkele witte potten met rozen. Een heel jonge vrouw in sarong en kabaai, zachtjes goudglanzend de wangen, nieuwsgierig spiedend de koolzwarte oogen, zag uit naar de verrassing van het rijtuig, dat heel langzaam aankwam en vluchtte naar binnen. Eva steeg uit, en kuchte. En om een schutsel in het middengalerijtje zag zij eensklaps iets van het gezicht van Van Oudijck, gluren. Hij verdween dadelijk.

—Rezident! riep zij, en maakte hare stem lief.

Maar niemand kwam, en zij werd verlegen. Zij dorst niet gaan zitten en toch wilde zij ook niet weêr gaan. Maar om het huisje, buiten, gluurde een gezichtje, twee bruine gezichtjes, van heel jon-ge nonna-meisjes, en verdwenen weêr, gichelend. In het huisje hoorde Eva fluisteren, als iets van een groote emotie, heel zenuw-achtig. Sidin! Sidin! hoorde zij roepen en fluisteren. Zij glimlachte, wat moediger en bleef en liep wat in het voorgalerijtje. En eindelijk kwam een oude vrouw, misschien niet zoo heel oud van jaren, maar al oud van rimpelig vel en uitgedoofde oogen, in een gekleurde chitsen kabaai en slepend haar sloffen, en met een beetje Hol-landsch en toen toch maar Maleisch, glimlachend, beleefd, vroeg zij Eva te gaan zitten, en zei, dat de rezident dadelijk zoû komen. Zij zette zich ook, glimlachte, wist niet te spreken, wist niet te ant-woorden, toen Eva haar iets vroeg over het meer, over den weg. Zij liet maar liever stroop brengen, en ijswater, en oublie-tjes, en praatte niet, maar glimlachte en verzorgde hare gast. Als de jonge nonna-gezichtjes gluurden om het huisje, stampte de oude vrouw boos met de slof en schold ze een plotseling woord toe, en dan verdwenen ze gichelend en liepen hard weg op hoorbaar klinkende bloote voetjes. Dan glimlachte weêr de oude met haar altijd glim-lachenden rimpelmond en zag als verlegen naar de dame, als vroeg zij haar excuus. En heel lang duurde het, tot Van Oudijck eindelijk aankwam. Met effuzie begroette hij Eva, verontschuldigde zich haar te hebben laten wachten. Klaarblijkelijk had hij zich vlug ge-schoren, een frisch wit pak aangetrokken. En hij was zichtbaar ver-heugd haar te zien. De oude vrouw, met haar eeuwigen glimlach van verontschuldiging, vertrok. In die eerste opgewektheid scheen

Van Oudijck aan Eva geheel de zelfde toe, maar toen hij, kalmer, zat en haar vroeg of zij tijding van Eldersma had, wanneer zijzelve ging naar Europa, zag zij, dat hij oud was geworden, een oude man. Het was niet in zijn figuur, dat, in zijn goed gesteven witte pak, nog altijd iets breed militairs had behouden, iets forsch gehouwens, den rug alleen wat meer krommende als onder een last. Maar het was in zijn gezicht, in den doffen, belangeloozen blik, in de zware groeven van het bijna pijnlijke voorhoofd, de tint van de huid geel en dor, terwijl zijn breede snor, waarom de joviale trek nog eens speelde, geheel grijs was. Een zenuwachtige trilling was in zijne handen. En hij hoorde haar uit, wat men te Laboewangi had gezegd, nog even nieuwsgierig naar de menschen van daarginds, naar iets van zijn eens zoo dierbaar gewest... Zij sprak er vaag over heen, vergoêlijkend en verbloemend, en hem vooral niets zeggende, van de praatjes: dat hij met de noorderzon was vertrokken, dat hij gevlucht was, waarvoor, men wist het zelve niet.

—En u, rezident, vroeg zij; gaat u ook gauw naar Europa?

Hij staarde voor zich uit, toen lachte hij pijnlijk voor hij antwoordde. En hij zeide eindelijk, bijna verlegen:

—Neen mevrouwtje, ik ga maar niet meer terug. Ziet u eens, hier in Indië ben ik wat geweest, daar zoû ik niets zijn. Ik ben nu ook niets meer, maar ik voel toch, dat Indië mijn land is geworden. Het land heeft zich van mij meester gemaakt en ik behoor het nu toe. Aan Holland behoor ik niet meer, en niets en niemand in Holland behoort mij. Ik ben, wel is waar, uitgevuurd, maar ik sleep toch nog liever mijn bestaan hier een poosje voort, dan daar. In Holland zoû ik niet meer kunnen tegen het klimaat en niet meer tegen de menschen. Hier is het klimaat mij sympathiek en van de menschen heb ik mij teruggetrokken. Theo heb ik nog voor het laatst geholpen, en Doddy is getrouwd. En de beide jongens gaan naar Europa, voor hun opvoeding...

Hij boog zich in eens naar haar over, en, met een andere stem, fluisterde hij bijna, als wilde hij komen tot een bekentenis:

—Ziet u... als alles gewoon was gegaan... dan... dan had ik niet gehandeld als ik gedaan heb. Ik ben altijd geweest een man van de praktijk en daarop was ik trotsch en ik was trotsch op het gewone leven: mijn eigen leven, dat ik leidde volgens principes, die ik goed dacht, naar een hoog punt onder de menschen. Zoo ben ik altijd geweest, en zoo ging het goed. Alles ging mij voor den wind. Als anderen tobden over promotie, sprong ik er vijf tegelijk over den kop. Het was alles glad voor mij uit, ten minste in mijn carrière. In mijn huiselijk leven ben ik niet gelukkig geweest, maar ik zoû nooit week genoeg zijn om daar onder weg te teeren van verdriet. Er is zoo veel voor een man buiten zijn huiselijk leven. En toch hield ik altijd veel van mijn huiselijken kring. Ik geloof niet, dat het mijn schuld geweest is, dat alles zoo is geloopen. Ik hield van mijn vrouw, ik hield van mijn kinderen, ik hield van mijn huis: mijn huiselijkheid, waarin ik man en vader was. Maar dat gevoel in mij is nooit tot zijn recht kunnen komen. Mijn eerste vrouw was een non-na, die ik trouwde omdat ik verliefd op haar was. Omdat zij mij er niet onder kreeg met haar nukjes, ging het na eenige jaren niet meer. Op mijn tweede vrouw was ik misschien nog verliefder dan op mijn eerste: ik ben in die dingen eenvoudig aangelegd... Maar ik heb het nooit mogen hebben: een lieven huiselijken kring: een lieve vrouw, kinderen, die op je schoot kruipen, die je lief ziet opgroeien tot menschen, menschen, die aan jou verschuldigd zijn hun leven, hun bestaan, eigenlijk alles wat zij hebben en zijn... Dat zoû ik gaarne gehad hebben... Maar zooals ik zeg, al miste ik het, het had mij toch nooit ten onder gebracht...

Hij zweeg even, toen ging hij voort, geheimzinniger, fluisteren-der nog:

—Maar dàt, ziet u,... dàt, wat gebeurd is... dat heb ik nooit be-grepen... en dat heeft mij gebracht... tot hier... Dat, dat alles, wat streed, wat indruischte tegen leven en praktijk en logica... al die—hij sloeg met de vuist op de tafel—al die verdomde nonsens, en die toch... die toch maar gebeurde... dat heeft het hem gedaan. Ik was er wel sterk tegen in, maar mijn kracht hielp er niet tegen. Het was iets, waartegen niets hielp... Ik weet het wel: het was de Regent. Toen ik hem gedreigd heb, is het opgehouden... Maar, mijn God, mevrouwtje, zeg mij, wàt was het?? Weet u het? Neen, niet waar, niemand, niemand wist het, niemand weet het. Die vreeslijke nachten, die onverklaarbare geluiden boven mijn hoofd; die nacht in de badkamer met den majoor en de andere officieren... Het was toch geen zinsbegoocheling: wij zagen het, wij hoorden het, wij voelden het: het viel op ons, het spoog op ons: de heele badkamer was er vol van!! Andere menschen, die het niet ondervonden hebben, kunnen het gemakkelijk ontkennen. Maar ik—wij allen—wij hebben het toch gezien, gehoord, gevoeld... En wij wisten geen van allen wat het was... En sedert heb ik het altijd gevoeld. Het was om mij, in de lucht, onder mijn voeten... Ziet u, dat... en dat alleen— fluisterde hij heel zacht— dat heeft het gedaan. Dat heeft gemaakt, dat ik daar niet meer blijven kon. Dat heeft gemaakt, dat ik als met stomheid, met idiotisme geslagen werd—in het gewone leven, in al mijn praktijk en logica, die mij op eens toescheen als een foutief opgebouwd levensstelsel, als de meest abstracte bespiegeling— omdat er dwars door heen dingen gebeurden van een andere wereld, dingen, die mij ontsnapten, mij en aan iedereen. Dat, dat alleen heeft het gedaan. Ik was mezelf niet meer. Ik wist niet meer wat ik dacht, wat ik deed, wat ik gedaan had. Alles heeft in mij gewankeld. Die ellendeling in de kampong... hij is mijn kind niet: ik verwed er mijn leven om. En ik... ik heb het geloofd. Ik heb hem geld doen toekomen. Zeg mij, begrijpt u mij? Zeker niet? Het is niet te begrijpen, dat vreemde, dat oneigenlijke, als men het niet ondervonden heeft, in zijn vleesch en in zijn bloed, totdat het doordrong in je merg...

—Ik geloof wel, dat ik het ook wel eens gevoeld heb, fluisterde zij nu. Als ik met Van Helderen wandelde langs de zee, en de lucht was zoo ver, de nacht zoo diep, of als de regens van zoo heel ver aanruischten en dan neêrvielen... of als de nachten, doodstil en toch zoo overvol van geluid, om je heen trilden, altijd met een muziek, die als niet was te vatten en nauwlijks te hooren... Of eenvoudig, als ik zag in de oogen van een Javaan, als ik sprak met mijn baboe en het was of niets van wat ik zeide, drong tot haar door, en of wat zij mij antwoordde haar eigenlijk geheime antwoord verborg...

—Dat is weêr anders, zeide hij; dat begrijp ik niet: ik voor mij, ik kende wel den Javaan. Maar misschien voelt elke Europeaan dàt op een andere manier, volgens zijn aanleg, en zijn natuur. Voor den een is het misschien de antipathie, die hij van den beginne voelt in dit land, dat hem in de zwakte van zijn materialisme aanvalt en blijft bestrijden... terwijl het land zelve toch zoo vol poëzie is en... mystiek... zoû ik bijna zeggen. Voor een ander is het het klimaat, of het karakter van den inboorling, of wat ook, dat hem vijandig is en onbegrijpelijk. Voor mij... waren het feiten, die ik niet begreep. En tot nog toe had ik een feit altijd kunnen begrijpen... ten minste, dat kwam mij zoo voor. Nu werd het mij of ik niets meer begreep... Zoo werd ik slecht ambtenaar, en toen begreep ik, dat het gedaan was. Ik ben er toen rustig meê uitgescheiden. En nu ben ik hier, en nu blijf ik maar hier. En weet u, wat het vreemde is? Hier heb ik mijn huiselijken kring... misschien eindelijk gevonden...

De bruine gezichtjes gluurden om den hoek. En hij riep ze, hij lokte ze, vriendelijk, met een breed vaderlijk gebaar. Maar hoorbaar op bloote voetjes, stampten zij weêr weg. Hij lachte.

—Ze zijn heel verlegen, die kleine apen, zeide hij. Het zijn de zusjes van Lena, en die u zooeven gezien heeft, is haar moeder.

Hij zweeg even, eenvoudig weg, als zoû zij wel begrijpen wie Lena was: de heel jonge vrouw met de goudgewaasde wangen en de koolzwarte oogen, die zij even in een flits had gezien.

—En dan zijn er broêrtjes, die moeten leeren in Garoet. Ziet u, dat is nu mijn huiselijke kring. Toen ik met Lena kennis maakte, heb ik de heele familie er maar bijgenomen. Het kost me wel veel geld, want ik heb mijn eerste vrouw te Batavia, mijn tweede te Parijs, René en Ricus in Holland. Dat kost me allemaal geld. En nu hier mijn nieuwe 'huiselijke kring'. Maar ik hèb nu ten minste mijn kring... Het is me wel een Indische boel zal u zeggen: dat Indische-huwelijk met een dochter van een koffie-opziener, en daarbij nog op den koop toe de oude vrouw en de broêrtjes en zusjes. Maar ik doe er nog iets goeds meê. De menschen hadden geen cent, ik help ze. En Lena is een lief kind, en de troost van mijn ouden dag. Ik kan niet leven zonder vrouw, en zoo is het van zelf zoo gekomen... En zoo is het heel goed: ik vegeteer nu hier, en drink lekkere koffie en ze zorgen goed voor den ouden man...

Hij zweeg even, en toen:

—En u... u gaat naar Europa? Arme Eldersma, ik hoop, dat hij spoedig herstelt... Het is alles mijn schuld, niet waar: ik liet hem maar te veel werken. Maar zoo is het in Indië, mevrouw. Wij werken hier allemaal hard. Tot dat wij niet meer werken. En u gaat... al over een week? Wat zal u blij zijn uw ouders te zien, en mooie muziek te hooren. Ik ben u nog altijd dankbaar. U heeft veel voor ons gedaan, u was de poëzie in Laboewangi. Arm Indië... wat schelden ze er niet op. Het land kan het toch niet helpen, dat er Kaninefaten op zijn grond zijn gekomen, barbaarsche veroveraars, die maar rijk willen worden en weg... En als ze dan niet rijk worden... dan schelden ze: op de warmte, die God het van den beginne gegeven heeft... op het gemis aan voedsel voor ziel en geest... ziel en geest van den Kaninefaat. Het arme land, waarop zoo gescholden is, zal wel denken: Was weggebleven! En u... u hield ook niet van Indië.

—Ik heb geprobeerd er de poëzie van te vatten. En nu en dan vatte ik ook die poëzie. Verder... is alles mijn schuld, rezident, en niet de schuld van dit mooie land. Evenals uw Kaninefaat... had ik hier niet moeten komen. Al mijn spleen, al mijn melancholie... hier geleden in dit mooie land van mysterie... is mijn schuld. Ik scheld niet op Indië, rezident.

Hij vatte haar bij de hand, en bijna met ontroering, bijna met een vochtglans in zijn oog.

—Ik dank u ervoor, zeide hij zacht. Dat woord is van u: uw eigen woord, het woord van een verstandige, ontwikkelde vrouw, die niet als een stomme Hollander er maar op los trekt, omdat hij niet precies hier gevonden heeft wat aan zijn ideaaltje beantwoordde. Ik weet het: uw natuur heeft hier veel geleden. Het kan niet anders. Maar... het was niet de schuld van het land.

—Het was mijn eigen schuld, rezident, herhaalde zij, met haar zachte stem en haar glimlach.

Hij vond haar aanbiddelijk. Dat zij niet uitvoer in imprecaties, niet losbarstte in heerlijkheid omdat zij over een paar dagen Java verliet, deed hem weldadig aan. En toen zij opstond, zeggende, dat het haar tijd werd, voelde hij een zwaren weemoed.

—En ik zie u dus nooit meer terug?

—Ik geloof niet, dat wij zullen terugkomen.

—Het is dus een afscheid voor altijd?

—Misschien zien wij u nog, in Europa...

Hij weerde af met de hand.

—Ik ben u innig dankbaar, dat u den ouden man eens is komen opzoeken. Ik rijd met u meê naar Garoet...

Hij riep het naar binnen, waar de vrouwen, onzichtbaar, scholen, waar de kleine zusjes gichelden. En hij steeg met haar in het rijtuig-je. Zij reden de varen-allee uit en plotseling zagen zij het heilige meer van Lellès, oversomberd door de cirkelende duizeling der al-tijd rondvlerkende kalongs.

—Rezident, fluisterde zij; ik voel het hier...

Hij glimlachte.

—Dat zijn maar kalongs, zeide hij.

—Maar in Laboewangi... daar was het misschien maar een rat...

Hij fronste even de brauwen; toen glimlachte hij weêr, — den jovialen trek om zijn breeden snor — en nieuwsgierig zag hij naar boven.

—Hè, zeide hij zacht. Heusch? Voelt u het hier?

—Ja.

—Neen, ik niet... Het is bij een ieder iets anders.

De reuzenvleêrmuizen wanhoopschreeuwden schril hun triumf. Het rijtuigje reed voorbij, en ging langs een kleine spoorweghalte. En in de anders zoo eenzame landstreek was het vreemd, dat eene geheele bevolking, een zwerm van bonte Soendaneezen, samen-stroomde aan het kleine station, gretig uitziende naar een langzame trein, die, tusschen de bamboes zwart-rookend, naderde. Aller oo-gen waren als dol open gesperd, als verwachtten zij het heil van den eersten aanblik, als zoû een schat voor hun ziel zijn de eerste indruk, dien zij zouden ontvangen.

—Dat is een trein met nieuwe hadji's, zei Van Oudijck. Allemaal versche Mekka-gangers...

De trein hield stil, en uit de lange wagens der derde klasse, plechtig, langzaam, vol wijding en bewust van hunne waarde, ste-gen de hadji's uit, rijk geel en wit getulband het hoofd, waarin trotsch de oogen glansden, laatdunkend de lippen zich dicht trok-ken, in nieuwe glanzende jassen, goudgele en purperen samaren, die vielen aanzienlijk bijna neêr tot de voeten. En, gonzend van verrukking, soms met een opstijgenden kreet van onderdrukte extaze, drong nader de uitziende menigte, bestormde de nauwe uitgangen van de lange wagons... De hadji's, plechtig, stegen uit. En hun broeders en hun vrienden grepen om strijd hunne handen, de zoomen van hunne goudgele en purperen samaren, en kusten die heilige hand, dat heilig gewaad, omdat het hun bracht iets van het heilige Mekka. Zij vochten, zij verdrongen elkaâr om de hadji's, om het allereerst den kus te geven. En de hadji's, laatdunkend, zelfbewust, schenen den strijd niet te zien, waren als voornaam rustig en plechtig aanzienlijk te midden van den strijd, te midden van de golvende en gonzende menigte, en overlieten hun hand, overlieten hun tabbaardzoom aan den dweepkus van al wie hen nakwam.

En vreemd was het in dit land van diep geheimzinnig sluimerend mysterie, in dit volk van Java, dat zich als altijd verborg in het geheim van zijn ondoordringbare ziel—wel onderdrukt maar toch zichtbaar, te zien rijzen eene extaze, te zien oogstaren een dronkene dweping, te zien zich openbaren een deel van die ondoordringbare ziel in hare vergoddelijking van wie het graf des Profeten had gezien, te hooren zacht gonzen een godsdienstverrukking, te hooren optrillen, plotseling onverwacht, een niet te onderdrukken kreet van glorie, die weêr dadelijk verzonk, versmolt in het gegons, als angstig om zichzelven, omdat het heilige tijdstip nog niet daar was...

En Van Oudijck en Eva, op den weg, achter het station, langzaam voortrijdend om de drukke menigte, die gonzende altijd de hadji's omringde, hun dragende eerbiedig hun reisgoed, hun vleierig aanbiedend hunne karretjes, zagen plotseling elkander aan, en ofschoon zij het geen van beiden wilden zeggen met woorden, zeiden zij elkaâr met een blik van begrijpen, dat zij Hèt, Dàt, voelden—beiden—beiden tegelijkertijd nu, daar te midden van het dwepen dier menigte...

Zij voelden het beiden, het onuitzegbare: dat wat schuilt in den grond, wat sist onder de vulkanen, wat aandonst met de verre winden meê, wat aanruischt met den regen, wat aandavert met den zwaar rollenden donder, wat aanzweeft van wijd uit den horizon over de eindelooze zee, dat wat blikt uit het zwarte geheimoog van

den zielgeslotenen inboorling, wat neêrkruipt in zijn hart en neêr-
hurkt in zijn nederige hormat, dat wat knaagt als een gift en een
vijandschap aan lichaam, ziel, leven van den Europeaan, wat stil
bestrijdt den overwinnaar en hem sloopt en laat kwijnen en versterven, heel langzaam aan sloopt, jaren laat kwijnen, en hem ten
laatste doet versterven, zoo nog niet dadelijk tragisch dood gaan: zij
voelden het beiden, het Onuitzegbare...

En in het voelen ervan, tegelijk met den weemoed van hun afscheid, dat zoo dadelijk dreigde, zagen zij niet, te midden der golvende, deinende, gonzende menigte, die als eerbiediglijk voort-
stuwde de gele en purperen voornaamheden der uit Mekka terugkeerende hadji's — zagen zij niet dien éenen grooten witten, rijzen
boven de menigte uit en kijken met zijn grijnslach naar den man,
die hoe hij ook zijn leven geademd had in Java, zwakker was geweest dan Dàt...

Passoeroean — Batavia, Oct. '99 — Febr. 1900

LOUIS COUPERUS

Louis Couperus werd op 10 juni 1863 geboren in Den Haag, drie jaar nadat zijn ouders met zeven kinderen uit Nederlands-Indië waren gerepatrieerd. Hij was de jongste van elf kinderen, en werd vernoemd naar drie bij zijn geboorte reeds overleden zusjes: Louis Marie Anne. Van oorsprong van Schotse komaf bekleedde de familie Couperus al generaties lang hoge bestuurlijke en militaire functies in Nederlands-Indië. Zowel Couperus' vader als moeder was daar geboren en getogen en het leeuwedeel van hun beider families woonde daar.

Couperus was negen toen het gezin terwille van de carrière van de oudste zoons weer naar Indië vertrok. Vijfeneenhalf jaar later keerde Couperus met zijn ouders naar Den Haag terug; zijn broers en zussen waren in Indië respectievelijk aan een baan en een echtgenoot geholpen.

De jaren op Java hadden grote indruk gemaakt en werden bepalend voor de rest van Couperus' leven. Aan Nederland kon hij maar moeilijk wennen. Hij zakte voor het toelatingsexamen van de derde klas hbs en ging van school toen hij ook het jaar daarop bleef zitten.

Aangemoedigd door zijn favoriete leraar Nederlands, J. ten Brink, die Louis een 'geniale' leerling vond, haalde het 'zwarte schaap van de familie Couperus' een onderwijsakte Nederlands. Zijn vader had er zich inmiddels bij neergelegd dat er in deze zoon geen hoge koloniale ambtenaar school. Nog vóór zijn afstuderen publiceerde Couperus zijn eerste bundel poëzie in 1884, *Een lent van Vaerzen* (1884). Zijn ware kracht lag echter in het proza, zoals vier jaar later duidelijk werd, toen zijn eerste roman, *Eline Vere*, als feuilleton in *Het Vaderland* werd gepubliceerd. De roman, over een melancholiek meisje uit een welgesteld Haags milieu, werd een doorslaand succes. Ook het toonaangevende literaire tijdschrift *De*

Nieuwe Gids, opgericht in 1885, reageerde enthousiast. Couperus' naam als schrijver was gevestigd. Kort na elkaar verschenen *Noodlot* (1890), *Extaze* en *Eene illuzie* (beide in 1892).

In 1891 trouwde Couperus met zijn vier jaar jongere nichtje Elisabeth Baud, wier beider (!) grootmoeders zussen van Couperus' vader waren, met wie hij in zijn Indische jaren nog had gespeeld. Al enige jaren is Couperus zich er dan van bewust homoseksueel te zijn, maar kind van zijn tijd, beschouwt hij dat als een noodlottige vorm van gekte waar de wil geen vat op heeft, en die vóór alles verborgen moet blijven. Na het huwelijk zou hij met Elisabeth voornamelijk buiten Nederland wonen en veel reizen maken.

In de eerste jaren van zijn huwelijk ontdekte Couperus Italië en schreef een aantal historische romans, bekend geworden als zijn koningsromans: *Majesteit* (1893), *Wereldvrede* (1895) en *Hooge Troeven* (1896). In 1895 werd Couperus medewerker van *De Gids*; een groot deel van zijn werk zou vervolgens eerst in afleveringen in dit tijdschrift verschijnen. In Parijs voltooide Couperus in 1897 zijn autobiografische roman *Metamorfoze*, waarin de schrijversloopbaan van hoofdpersoon Hugo Aylva parallel loopt aan de zijne. Van een geheel nieuwe kant toonde Couperus zich in zijn twee volgende werken, het sprookjesachtige *Psyche* (1898) en *Fidessa* (1899).

Via Italië ondernam Couperus in 1899 een reis naar Nederlands-Indië, waaraan hij zulke dierbare jeugdherinneringen bewaarde. Daar schreef hij de in Rome gesitueerde psychologische roman *Langs lijnen van geleidelijkheid* (1899), onmiddellijk gevolgd door *De stille kracht* (1900), zijn enige 'koloniale' roman en een van de hoogtepunten in zijn oeuvre. Inspiratie voor deze roman deed Couperus op in de kringen rond zijn zwager Gerard Valette, die dat jaar tot resident was benoemd. Negentien jaar na verschijnen omschreef Couperus de essentie van de roman als volgt: '*De stille kracht* geeft vooral weêr de geheimzinnige vijandschap van Javaanschen grond en sfeer en ziel, tegen den Nederlandschen veroveraar.'

Voorjaar 1900 verliet Couperus Indië en nog datzelfde jaar vestigde hij zich in het Zuidfranse Nice, van waaruit hij weer talrijke reizen maakte, vooral naar zijn geliefde Italië. 'Genre *Eline Vere*, maar rijper', zo omschreef Couperus de omvangrijke familiekroniek in vier delen die hij in deze periode schreef, *De boeken der kleine zielen* (1901-1903), wederom gesitueerd in de hem zo bekende Haagse hoge kringen. Hetzelfde geldt voor de 1906 verschenen roman *Van oude menschen, de dingen die voorbijgaan*. In 1903 was hij toegetreden tot de redactie van het spiksplinternieuwe tijdschrift *Groot-Nederland*.

Tussen beide Haagse romans leefde Couperus zijn fascinatie voor de klassieke oudheid uit in *Dionyzos* (1904), gewijd aan deze goddelijke levensgenieter, en in *De berg van licht* (1905-1906), met als decor het in verval gerakende Romeinse rijk onder het bewind van de tot keizer uitgeroepen Syrische zonnepriester Heliogabalus.

In 1906 verruilde Couperus Zuid-Frankrijk voor Italië. Nabij Lucca leerde hij Guilio Lodomez kennen, die naar alle waarschijnlijkheid het model is geweest voor de 'Orlando Orlandi' in veel van zijn latere verhalen. In de omgeving van Lucca is ook het laatste realistische werk gesitueerd dat Couperus zou schrijven, de in 1908 verschenen kleine roman *Aan den weg der vreugde*.

Omstreeks deze tijd besloot Couperus zich meer te gaan toeleggen op het journalistieke werk. De roman had volgens hem zijn langste tijd gehad, getuige ook de almaar tegenvallende verkoopcijfers van zijn eigen werk. Het waren eveneens financiële zorgen die hem in dat jaar deden terugkeren naar Nice, waar zijn vrouw een pension begon. Van daaruit maakte hij weer talrijke reizen naar Italië. Zijn reisimpressies, korte historische verhalen en journalistieke schetsen verschenen behalve in *Groot-Nederland*, vanaf 1909 ook in het dagblad *Het Vaderland*. Een groot deel kreeg daarna gebundeld in boekvorm een tweede leven, bijvoorbeeld in de 1911 verschenen bundel *Korte Arabesken* en de twee delen kunsthistorische beschouwingen *Uit blanke steden onder blauwe lucht* (1912-1913).

Van zijn voornemen nooit meer een roman te schrijven kwam niets terecht. Al in 1911 verscheen de roman *Antiek toerisme* (in 1914 bekroond met de Nieuwe Gidsprijs), over een geheel verzonnen reis door Egypte, twee jaar later gevolgd door *Herakles*, de laatste van zijn mythologische romans. Dat jaar maakte hij ook een reis naar Spanje, dat hem echter zwaar tegenviel. Behalve reisopstellen, gebundeld in *Spaansch Toerisme*, inspireerde deze reis hem weer tot een roman, *De ongelukkige* (1915).

De Eerste Wereldoorlog dwong Couperus in 1915 tot een terugkeer naar Den Haag. Tijdens de oorlogsjaren in het neutrale Nederland gaf Couperus veel lezingen en schreef bovendien weer een roman, *De Komedianten* (1917), over een reizend toneelgezelschap in de nadagen van het Romeinse rijk. Na de oorlog verschenen er nog twee belangrijke historische romans over de klassieke oudheid: *Xerxes of De Hoogmoed* (1919), over de strijd van deze Perzische vorst tegen de Grieken, en *Iskander* (1920), over Alexander de Grote, dat als zijn hoogtepunt in dit genre wordt beschouwd.

De grote reizen die Couperus na de oorlog maakte, naar Noord-Afrika en naar het Verre Oosten (Indië, China en Japan), waren voor het in 1914 opgerichte weekblad de *Haagsche Post*, waaraan hij sinds 1916 meewerkte. Tijdens zijn bezoek aan Japan werd Couperus ernstig ziek en keerde na een lange reis in oktober 1922 in Nederland terug. Ter gelegenheid van zijn zestigste verjaardag werd er als nationaal huldeblijk geld ingezameld voor Couperus' nieuwe villa in het Veluwse De Steeg, waar hij in mei 1923 zijn intrek nam. Direct daarna werd hij benoemd tot ridder in de Orde van de Nederlandse Leeuw. Zijn zwakke gezondheid verslechterde echter snel en na een korte ziekenhuisopname overleed Couperus op 16 juli 1923 in zijn nieuwe huis.

Ontvangst

'Schoon de letterkundige critiek niet meer zoo teergevoelig en kuisch schijnt als in 1868, vrees ik toch, dat men Couperus zijn Léonie van Oudyck euvel zal duiden,' schreef J. ten Brink, Couperus' favoriete oud-leraar, kort na het verschijnen van *De stille kracht* in *De Telegraaf*. De voor die tijd vrijmoedige wijze waarop Couperus in deze roman de seksualiteit behandelt, bleek inderdaad voor menig recensent een steen des aanstoots. Zelf schrijft Couperus kort na verschijnen triomfantelijk aan een familielid: 'De derrière van Léonie heeft in Holland veel bekijks en hoofdschuddens veroorzaakt!!!'

Zonder meer afwijzend om die reden waren de critici van christelijke huize. Zo bestempelt de streng gereformeerde krant *De Standaard* Couperus als de 'Gidspornograaf' (in dat tijdschrift was een voorpublikatie van *De stille kracht* verschenen). De katholiek J. Jansen was van mening dat een schrijver als die van *De stille kracht* 'diep gezonken moet zijn en ook de lezers, die niet met afschuw een dergelijk boek wegwerpen'. Jansen vindt het een raadsel dat Couperus überhaupt zo populair is. Dat komt volgens hem omdat er die tijd geen andere grote schrijvers waren: 'In het land der blinden is éénoog koning.'

Iets minder uitgesproken is J. van den Oude, voor wie het echter allemaal wel wat verbloemder had gemogen. In het *Nieuws van den Dag* schrijft hij: '... het gedoe van die incarnatie van dof smeulende verdorvenheid, Léonie, met den zoon van haren man en den beminde van hare stiefdochter, — dit stuitende gedoe had, hoewel het op zichzelf niets onwaarschijnlijks heeft en bovendien in den dramatischen gang van het werk het ingrijpen der stille kracht motiveert, wel wat meer louter aangeduid en wat minder omlijnd en opgekleurd mogen worden.'

De eerdergenoemde Ten Brink *(De Telegraaf)* vindt *De stille kracht* de beste Nederlandse roman over het leven van Nederlanders in Indië, al berusten de verhalen over de zogeheten Indische krachten (het stenen gooien, het sirih spuwen) volgens hem op verzinsels. Een zekere W. Bosch liet hierop in dezelfde krant weten dat de door Couperus beschreven verschijnselen wel degelijk hadden plaatsgehad, ondanks dat 'een paar compagnieën soldaten' het huis waar dit gebeurde, hadden omsingeld.

Lodewijk van Deyssel, die *Eline Vere* nog 'om te stelen' vond en Couperus de 'Louis XV in de schrijfkunst' had genoemd, liet zich in het *Tweemaandelijksch Tijdschrift* uitermate negatief uit over *De stille kracht*. Het gaat volgens Van Deyssel in een goed boek niet om de gebeurtenissen zélf, maar om '*de kunst waarmeê*' die gebeurtenissen onder woorden worden gebracht. Couperus geeft volgens hem in *De stille kracht* niet méér dan 'in geheel vulgair realistischen schrijftrant een relaas van verschijnselen van spiritisme of toovenarij'. Refererend naar de badkamerscène schrijft Van Deyssel: 'In déze beschrijving [...] is ook geen póging tot iets anders dan realisme. De eventuéele werking op den lezer is dus van de minste soort, heeft niets van doen met de kùnst, ressorteert alléen uit het onderwerp: de griezeligheid van het gevàl.'

De stille kracht is echter een van de weinige boeken uit het fin de siècle gebleken die de tand des tijds wist te doorstaan. Deze 'Indische roman' geldt nu als een van de hoogtepunten in Couperus' oeuvre en vindt nog steeds nieuwe lezers (én kijkers: de tv-bewerking halverwege de jaren zeventig was zeer populair).

Marja Roscam Abbing herleest *De stille kracht* in 1972 voor *NRC Handelsblad* en vindt de roman 'nog buitengewoon leesbaar; om het plot, om de niet makkelijk te vergeten hoofdpersonen, om de perfecte schets van de Nederlanders in Ons Indië aan het begin van deze eeuw'. Het geheel maakt op haar een 'zeer authentieke indruk', en zij vraagt zich af hoe zij, 'die nooit een voet in Indonesië, laat staan in Nederlands-Indië gezet heeft, zo'n *dat klopt* gevoel' kan hebben. Roscam Abbing: 'Heeft de waarheid een eigen overtuigingskracht [...], of kan Couperus zo schrijven dat zelfs een misschien geheel verdraaide Couperus-werkelijkheid de indruk van waarheid vestigt?'

Bas Heijne spreekt in 1988 in *De Groene Amsterdammer* van 'een meesterlijke roman, Couperus' beste zelfs'. Voor Heijne is *De stille kracht* in de eerste plaats 'een roman over de vergankelijkheid van álle dingen, over de onzekere funderingen waarop de westerse kultuur is gebouwd'. Dit thema werkt Couperus volgens Heijne 'op een sublieme manier' uit in de beschrijving van de langzame ondergang van de bestuursambtenaar Van Oudijck en de kunstminnende Eva Eldersma, die ieder op hun eigen manier mislukken omdat zij 'blind zijn voor de mystiek der zichtbare dingen van Indië'. Zo niet Couperus, vindt Heijne: 'In de roman *De stille kracht* weet hij deze mystiek, het onzegbare en het onzichtbare in alles wat wij zien of doen, voelbaar te maken. Dat is de taak van een ieder die het waagt een pen op papier te zetten, en er is geen Nederlandse schrijver die het beter kan dan hij.'

Tonny van Winssen